Nell

NORA ROBERTS

L'île des trois sœurs - 1
Nell

Traduit de l'américain
par Béatrice Pierre

Titre original :
DANCE UPON THE AIR
A Jove Book published by arrangement with the author.
Jove Books are published by the Berkley Publishing Group,
a division of Penguin Putnam Inc., New York

Aux beautés, aux bambins, aux baraqués
et aux bébés,
pour les bons moments passés ensemble
et leur amitié.

Il est doux de danser au son des violons
Quand l'amour est là et que la vie est belle :
Danser au son des flûtes, danser au son des luths,
Est chose gracieuse et précieuse :
Mais danser en l'air avec des pieds agiles,
N'est pas chose aisée !

Oscar WILDE

Prologue

Salem, Massachusetts, 22 juin 1692

Ce fut dans la pénombre verte d'une forêt profonde qu'elles se retrouvèrent, une heure avant le lever de la lune. Bientôt, la nuit la plus courte de l'année allait succéder au jour le plus long.

En ce jour du sabbat de Litha, il n'y aurait ni fête ni grâces pour célébrer la lumière et la chaleur. Ce solstice d'été tombait dans une ère d'ignorance et de mort.

La peur étreignait les trois sorcières.

— Avons-nous tout ce qu'il nous faut ?

Celle qui portait le nom d'Air tira sur sa capuche afin qu'on ne puisse distinguer une seule de ses boucles blondes.

— Ce que nous avons fera l'affaire.

Terre posa son balluchon sur le sol. Elle avait refoulé au plus profond de son âme son envie de pleurer et de fulminer contre ce qui avait été commis et ce qui devait être accompli. Elle inclina la tête, laissant retomber librement son épaisse chevelure brune.

— N'y a-t-il pas d'autre façon de nous en sortir ? demanda Air en posant la main sur l'épaule de Terre.

Toutes deux regardèrent la troisième sorcière, celle qui portait le nom de Feu.

Elle se tenait droite. Une ferme détermination se lisait sur son visage en dépit de son regard triste. Dans un geste de défi, elle repoussa sa capuche, libérant une cascade de boucles rousses.

— C'est à cause de nos façons, justement, que nous n'avons pas le choix. Ils vont nous pourchasser comme des voleuses et des criminelles, et nous tuer, comme ils ont déjà tué une pauvre innocente.

— Bridget Bishop n'était pas une sorcière, observa Terre avec amertume.

— Non. C'est ce qu'elle a clamé devant la cour. Elle l'a juré. Ça ne les a pas empêchés de la pendre. Ils l'ont assassinée à cause des mensonges de quelques gamines et des divagations de fanatiques qui croient sentir du soufre dans chaque coup de vent.

— Pourtant il y a eu des pétitions, remarqua Air, les mains jointes comme pour prier, ou supplier. Tout le monde n'approuve pas la décision des juges, ni cette terrible persécution.

— Trop peu ont protesté, murmura Terre. Et beaucoup trop tard.

— Une seule mort ne suffira pas. Je l'ai vu.

Fermant les yeux, Feu eut à nouveau la vision des horreurs à venir.

— Nos pouvoirs ne pourront nous protéger aussi longtemps que durera la traque, reprit-elle. Ils nous trouveront. Ils nous détruiront.

— Mais nous n'avons rien fait! s'écria Air. Aucun mal.

— Et quel mal avait fait Bridget Bishop? riposta Feu. Quel mal a fait à la population de Salem n'importe lequel des autres accusés qui attendent leur jugement? Sarah Osborne est morte dans une prison de Boston. Pour quel crime?

Une colère violente bouillonnait en elle, qu'elle réprima aussitôt. Même à présent, elle refusait que la vindicte et la haine corrompent ses pouvoirs.

— Le sang monte à la tête de ces puritains, poursuivit-elle. Ces pionniers, selon le terme dont ils s'affublent. Ce sont des fanatiques par la faute desquels déferlera une vague de mort avant que le bon sens reprenne ses droits ici-bas.

— Si seulement nous pouvions venir au secours...

— Hélas, nous sommes incapables d'arrêter cela, ma sœur !

— Elle a raison, acquiesça Feu. Le mieux que nous puissions faire, c'est de survivre. Il nous faut quitter cet endroit, renoncer à la vie que nous aurions pu y mener et nous en bâtir une autre ailleurs.

Elle prit doucement le visage d'Air entre ses mains.

— Ne pleure pas de ce qui ne peut plus être mais réjouis-toi de ce qui peut être. Nous sommes les Trois, et ne nous laisserons pas vaincre en ce lieu.

— Nous serons seules.

— Nous serons ensemble.

Et dans les dernières lueurs du jour, elles se prirent par la main. Un cercle de feu jaillit du sol.

Résignée, Air se redressa.

— Tandis que la nuit chasse le jour, nous offrons cette lumière. Loyales et sincères, nous soutenons la justice. La vérité sort de ce cercle, celui d'une seule.

Terre enchaîna d'un air de défi :

— Cette heure est la dernière que nous passons en ce lieu. Présent, futur, passé, on ne nous trouvera pas. La force est en nous et nous ne regrettons rien. Un cercle de deux.

— Nous avons proposé notre art sans nuire à personne, mais la traque meurtrière a déjà commencé, poursuivit Feu en levant leurs mains jointes. Nous partons trouver refuge ailleurs. Loin de la mort, loin de la peur. Le pouvoir vit libre. Un cercle de trois.

Le vent s'éleva en une brusque bourrasque, la terre trembla. Et le feu magique monta dans le ciel telle une lance scintillante. Trois voix reprirent à l'unisson :

— Qu'à la haine cette terre soit arrachée. Soustrais-la à la peur, à la mort et au mépris. Découpe le roc, découpe l'arbre, découpe la colline et le ruisseau. Emporte-nous avec eux sur le rayon de lune de ce solstice. Au-delà de la falaise et au-delà du rivage, sépare-nous de cette terre pour toujours. Nous emmenons notre île au milieu de la mer, et qu'il en soit fait selon notre volonté.

Un énorme rugissement parcourut la forêt et les flammes se déchaînèrent. Tandis que les puritains dormaient du sommeil du vertueux, une parcelle de terre se détacha du continent et tourbillonna follement en direction de l'Océan.

Elle se posa doucement sur la surface lisse de la mer. Ainsi naquit, en cette nuit la plus courte de l'année, l'île des Trois Sœurs.

1

Île des Trois Sœurs, juin 2001.

Elle contemplait le morceau de terre vert et vallonné qui révélait peu à peu ses secrets. Un phare, d'abord. Que serait une île au large de la Nouvelle-Angleterre sans ce fidèle gardien? Celui-ci, d'un blanc aussi pur qu'éclatant, se dressait sur une falaise escarpée.

Juste à côté se découpait la silhouette d'une maison en pierre d'un gris brumeux, dont le toit pointu s'ornait de pignons ainsi que d'un belvédère.

De nombreux tableaux représentaient cette scène. C'était justement l'un d'entre eux, accroché dans la vitrine d'une petite boutique du continent, qui avait poussé Nell à prendre le ferry.

Cela faisait exactement deux mois qu'elle avait recouvré la liberté grâce à un plan élaboré avec soin.

La terreur du début s'était muée en anxiété, puis en une sorte de peur dévorante : la peur de perdre ce qu'elle venait de reconquérir.

Elle avait dû mourir pour pouvoir vivre.

À présent, elle était lasse de fuir, de se cacher, de se perdre dans la foule des villes. Elle rêvait depuis toujours d'une maison, de racines, d'une famille, d'amis. D'un entourage qui ne soit pas trop prompt à la juger sévèrement.

Peut-être que son rêve aurait une chance de devenir réalité sur ce bout de terre bercé par les flots, qui sait ? En tout cas, elle n'aurait pu trouver un refuge plus éloigné de Los Angeles, sauf à quitter carrément le pays.

Même si elle ne trouvait pas de travail sur l'île des Trois Sœurs, du moins y demeurerait-elle quelques jours, histoire de s'octroyer des vacances.

Chaque minute de vie était un trésor qui méritait d'être chéri ; c'était une leçon durement apprise et elle s'était promis de ne jamais l'oublier.

Penchée sur le bastingage, elle admirait les maisonnettes en bois alignées sur le quai. Le vent jouait dans ses cheveux qui avaient retrouvé leur blondeur naturelle. Le jour même de sa fuite, elle les avait coupés court et teints en brun foncé. Tailler les longues mèches bouclées lui avait procuré une véritable allégresse. Au cours des derniers mois, elle en avait changé la couleur à plusieurs reprises : roux vif, noir de jais, puis châtain. Mais en les gardant toujours courts et raides.

Ce choix n'était pas anodin. À ses yeux, il avait pris l'allure d'une reconquête d'elle-même.

Evan aimait sa longue chevelure bouclée. Il lui était arrivé de l'empoigner pour la traîner sur le parquet ou dans l'escalier. Il s'en servait comme de chaînes.

Non, plus jamais elle ne porterait les cheveux longs.

Un frisson la parcourut et elle regarda autour d'elle anxieusement. La bouche sèche, la gorge nouée, elle chercha du regard un grand blond mince, aux yeux aussi transparents et durs que du verre.

Il n'était pas là, bien sûr. Cinq mille kilomètres les séparaient. Pour lui, elle était morte. Ne lui avait-il pas cent fois répété que seule la mort la libérerait ?

Helen Remington était morte afin que Nell Channing puisse vivre.

Furieuse contre elle-même d'avoir remué le passé, ne fût-ce qu'un instant, Nell s'efforça de retrouver son calme. Elle respira lentement, profondément. L'air salin, les embruns. La liberté.

Ses épaules se détendirent, ses lèvres se retroussèrent légèrement aux coins, creusant des fossettes sur ses joues rosies par le grand air.

Ses cheveux voletaient autour de son fin visage, délibérément dépourvu de maquillage de crainte d'attirer l'attention.

Il y a peu encore, elle usait et abusait de ces fards destinés à souligner sa beauté, et portait des vêtements raffinés choisis par un homme qui prétendait l'aimer plus que tout au monde. Le contact de la soie sur la peau, le poids d'une rivière de diamants autour du cou, elle connaissait.

Helen Remington avait joui de tous les privilèges qu'offre la fortune.

Et, trois années durant, elle avait vécu dans la peur et la souffrance.

Nell portait un simple T-shirt en coton, un jean délavé et de confortables chaussures de tennis blanches. Son unique bijou consistait en un médaillon ancien qui lui venait de sa mère.

Le ferry ralentit en vue de l'accostage, et elle retourna à sa voiture. Elle allait débarquer avec pour tout bien un sac à dos, une Buick d'occasion rouillée et deux cent huit dollars.

Elle n'aurait pu être plus heureuse.

Rien n'était plus éloigné du clinquant de Beverly Hills, songea-t-elle en garant sa voiture près du quai pour faire un tour à pied. C'était sans doute pour cette raison que ce petit village de carte postale l'avait tant attirée, avec ses façades colorées, ses rues pavées qui serpentaient vers les collines ou descendaient vers les quais, ses jardins impeccablement entretenus derrière les clôtures desquels des chiens aboyaient, et des enfants pédalaient sur des bicyclettes rouge cerise ou bleu électrique.

Les quais eux-mêmes offraient un spectacle industrieux. Partout, des bateaux, des filets et des hommes au teint vif, chaussés de bottes en caoutchouc. Avec, en prime, une saine odeur de poisson et de sueur.

Elle grimpa sur la colline, puis se retourna pour admirer la vue. Des bateaux chargés de touristes sillonnaient la baie ; sur la plage en forme de croissant, des estivants prenaient le soleil, tandis que des baigneurs se lançaient à l'assaut des vagues. Des excursionnistes bardés d'appareils photo grimpaient à la queue leu leu dans un petit car rouge sur lequel était inscrit en lettres blanches *TOUR DES TROIS SŒURS*.

Visiblement, c'étaient la pêche et le tourisme qui maintenaient l'île à flot.

High Street était bordée de boutiques, de restaurants et d'ateliers divers. Nell s'arrêta un instant pour examiner l'hôtel. Contrairement aux autres bâtiments, il était en pierre et non en bois. Ses deux étages tarabiscotés, ses balcons en fer forgé et ses toits pointus étaient indéniablement romantiques. Et son nom, *L'Auberge magique*, tout à fait approprié.

Il y avait fort à parier qu'elle trouverait du travail ici. Elle était prête à prendre un boulot de serveuse ou de femme de ménage, n'importe quoi qui puisse lui permettre de louer une chambre, de s'installer pour de bon, de ne plus être une étrangère enfermée dans son silence et sa solitude.

Et cependant, entrer et s'enquérir immédiatement des possibilités d'embauche la rebutaient. Elle avait envie de prendre son temps, une heure ou deux peut-être, avant de s'attaquer aux problèmes pratiques.

« Tu es beaucoup trop écervelée et naïve pour ton bien, Helen, lui aurait dit Evan. Heureusement que je suis là pour m'occuper de toi. »

Et parce que sa voix résonnait trop clairement à ses oreilles, parce que ses mots ébranlaient sa fragile confiance en elle, elle fit demi-tour et s'éloigna dans la direction opposée.

Elle chercherait un maudit boulot quand elle se sentirait prête pour ça, nom de nom ! Pour l'instant, elle allait se promener, jouer les touristes, explorer les environs. Et quand elle aurait fini de vadrouiller dans le village, elle retournerait à sa voiture et ferait le tour de l'île. Sans même passer prendre une carte au syndicat d'initiative !

Calant son sac à dos sur ses épaules, elle traversa la rue d'un pas décidé. Elle longea des boutiques d'artisanat et de cadeaux aux vitrines remplies de toutes ces jolies choses inutiles, amusantes et colorées qu'elle adorait parce qu'elles mettaient de la gaieté dans une maison.

À la vue d'une librairie, elle s'immobilisa et soupira. Sa future maison serait pleine de livres. Pas des ouvrages de collection, des éditions rares qu'on n'ouvrait jamais. Non, elle aurait des vieux livres écornés, des livres de poche aux couvertures brillantes, des livres qui racontent des histoires. D'ailleurs, pourquoi ne pas s'en offrir un sur-le-champ ? Un roman ne pèserait guère dans son sac si jamais elle devait reprendre la route.

Son regard s'arrêta sur les mots en lettres gothiques qui ornaient la vitrine : *CAFÉ-LIBRAIRIE*. Parfait ! Elle allait fouiner dans les rayons, se dégoter un bouquin distrayant et le feuilleter devant une tasse de café.

Un parfum de fleurs et d'épices l'accueillit dès le seuil, en même temps qu'une musique étrange où le son de la cornemuse se mêlait à celui de la harpe.

Des milliers de livres de toute couleur et de tout format s'alignaient sur des étagères bleu foncé. Le plafond était percé de petits trous dans lesquels étaient dissimulées des ampoules destinées à éclairer la pièce tout en évoquant une voûte étoilée. Un vieux buffet en chêne sculpté où des fées ailées côtoyaient des croissants de lune faisait office de caisse.

Derrière, juchée sur un haut tabouret, une femme aux cheveux noirs un peu hirsutes feuilletait un livre. Elle regarda Nell par-dessus la monture argentée de ses lunettes de lecture.

— Bonjour. Je peux vous aider ?

— Je voudrais juste jeter un œil, si ça ne vous dérange pas.

— Allez-y, ne vous gênez pas. Faites-moi signe si vous avez besoin de moi.

La libraire revint à son livre tandis que Nell déambulait dans la boutique. À l'extrémité de la pièce, deux profonds fauteuils et une table basse sur laquelle se trouvait une lampe faisaient face à une cheminée. Des babioles, figurines en pierre de couleur, œufs en cristal, dragons en céramique ornaient les étagères.

Au fond, un escalier en colimaçon grimpait à l'étage supérieur. Nell le gravit et découvrit d'autres livres, d'autres babioles, et le café.

Une demi-douzaine de tables en bois étaient réparties près de la fenêtre donnant sur la rue, tandis qu'un choix impressionnant de pâtisseries, de sandwiches, ainsi qu'une marmite de la soupe du jour étaient disposés dans une vitrine et sur le comptoir. Les prix étaient plutôt élevés, mais pas déraisonnables. Nell eut envie de s'offrir un bol de soupe avant de boire son café.

Comme elle approchait, des voix lui parvinrent d'une porte ouverte derrière le comptoir.

— Jane, c'est ridicule et totalement irresponsable.

— Pas du tout, c'est une grande chance pour Tim. Et c'est à cent lieues de cette satanée île. On ne va pas laisser filer une pareille occasion !

— Obtenir une audition pour un spectacle qui peut ou non être produit dans un théâtre inconnu n'est *pas* une grande chance. Vous n'avez de travail ni l'un ni l'autre. Vous n'allez…

— On part, Mia. Je t'ai dit que je travaillerais jusqu'à midi ; j'ai travaillé jusqu'à midi.

— Mais tu m'as prévenu il n'y a pas vingt-quatre heures !

Il y avait de l'impatience dans cette voix. Une voix basse, charmante. Poussée par la curiosité, Nell se rapprocha.

— Comment veux-tu que je fasse tourner le café si je n'ai personne pour servir et faire la cuisine ?

— C'est ton problème, non ? Et tu ne nous souhaites même pas bonne chance ?

— Jane, je te souhaite un miracle, parce que c'est ce dont vous aurez besoin. Non, attends, ne te vexe pas !

Percevant un mouvement derrière la porte, Nell s'écarta tout en restant à portée de voix.

— Sois prudente. Sois heureuse. Et puis, zut, sois bénie, Jane.

— Merci, fit la dénommée Jane en reniflant. Je suis désolée de te laisser tomber comme ça. Vraiment. Mais Tim *doit* le faire, et je ne peux pas l'abandonner. Alors… Tu vas me manquer, Mia. Je t'écrirai.

Nell se glissa derrière une étagère à l'instant où une fille en pleurs surgissait de derrière le comptoir, traversait la pièce en courant et disparaissait dans l'escalier.

— Eh bien, voilà, tout va bien !

Nell jeta un coup d'œil furtif hors de sa cachette et demeura un instant éblouie.

La femme qui se tenait sur le pas de la porte était d'une beauté à couper le souffle. Silhouette de rêve, chevelure flamboyante, yeux gris et peau d'albâtre, visage sans défaut, le seul mot qui venait à l'esprit en la contemplant était : vision.

Nell risqua un regard en direction des quelques clients présents dans la pièce, mais personne n'avait l'air particulièrement saisi devant la beauté exceptionnelle de cette apparition dont le regard lançait des éclairs.

Nell fit un pas en avant et les grands yeux gris se fixèrent sur elle.

— Bonjour, je peux vous aider ?

— J'étais… je pensais… je voudrais un cappuccino et un bol de soupe, s'il vous plaît.

Une lueur de contrariété passa dans le regard de Mia, et Nell faillit retourner illico derrière l'étagère.

— Pour la soupe, ça devrait aller. On a de la bisque de homard. Mais je crains que le maniement de la machine à café n'excède mes capacités.

Nell examina le superbe appareil en cuivre et ressentit un léger picotement au creux de l'estomac.

— Je pourrais me servir moi-même.

— Vous savez faire marcher ce truc ?

— Oui.

Mia réfléchit une seconde, puis fit signe à Nell de la rejoindre derrière le comptoir.

— Je peux vous en préparer un pendant que j'y suis.

— Pourquoi pas ?

Mia étudia Nell un instant avant de reprendre :

— Qu'est-ce qui vous amène ici ? Vous faites une randonnée ?

— Non. Oh…

Se rappelant son sac à dos, Nell piqua un fard.

— Euh… j'explore un peu les environs. À vrai dire, je cherche du travail, et une chambre.

— Ah…

— Pardonnez-moi, je sais que c'est terriblement mal élevé, mais j'ai… euh… entendu votre conversation. Si cela peut vous être utile, je sais faire la cuisine…

Mia regarda la vapeur fuser, écouta le sifflement du percolateur.

— Vous savez faire la cuisine ?

— Oui. Je suis une excellente cuisinière.

Elle tendit à Mia une tasse de café mousseux.

— J'ai travaillé dans la restauration, dans la pâtisserie, et aussi comme serveuse.

— Quel âge avez-vous ?

— Vingt-huit ans.

— Est-ce que vous avez un casier judiciaire ?

Nell retint un éclat de rire.

— Non, je suis honnête à périr. Je suis une travailleuse sur qui l'on peut compter et une cuisinière imaginative.

« Pas de baratin, pas de baratin ! » s'exhorta-t-elle en vain.

— J'ai besoin de ce travail parce que je voudrais vivre sur cette île. En plus, j'aime les livres et j'ai été séduite par… l'atmosphère de votre boutique dès que j'ai posé le pied à l'intérieur.

Intriguée, Mia inclina la tête.

— Et qu'est-ce que vous avez ressenti ?

— Des possibilités.

« Excellente réponse », songea Mia.

— Vous croyez aux possibilités ?

Nell réfléchit.

— Oui. Par la force des choses.

— Excusez-nous…

Un couple s'approchait du comptoir.

— Nous voudrions deux mokas glacés et deux de ces éclairs

— Tout de suite.

19

Mia se tourna vers Nell.

— Vous êtes embauchée. Le tablier est accroché là-bas, derrière. On discutera les détails tout à l'heure.

Elle avala une gorgée de son cappuccino.

— Excellent, commenta-t-elle. À propos, comment vous appelez-vous ?

— Nell Channing.

— Bienvenue sur l'île des Trois Sœurs, Nell Channing.

Mia Devlin menait son Café-Librairie comme elle menait sa vie : à l'instinct et pour le plaisir. C'était une femme d'affaires astucieuse qui ne dédaignait pas de gagner de l'argent. Mais toujours à ses propres conditions.

Lorsque quelque chose l'ennuyait, elle se contentait de lui tourner le dos. Mais quand elle était intriguée, elle n'hésitait pas à approfondir la question.

Et, pour le moment, Nell Channing l'intriguait.

Si cette dernière avait exagéré ses compétences, Mia l'aurait mise à la porte sur-le-champ, et sans regret. Sans doute l'aurait-elle aidé à trouver un autre emploi. Mais sans y consacrer trop de temps ni nuire à ses propres intérêts.

Elle aurait pris cette peine uniquement parce que quelque chose chez Nell l'avait attirée à l'instant où ses grands yeux bleus avaient croisé les siens.

L'innocence blessée. Le petit lapin pris dans les phares d'une voiture. Telle avait été la première impression de Mia, qui s'y fiait toujours sans réserve. Elle avait aussi deviné de réelles capacités chez la jeune femme, malgré son manque d'assurance.

Défaut qui s'était estompé à peine avait-elle commencé à travailler.

Mia remonta plusieurs fois de la librairie et nota avec satisfaction qu'elle arrivait à faire face aux com-

mandes, aux clients, à la caisse enregistreuse et surtout à la mystérieuse machine à café.

Il lui faudrait cependant apporter plus de soin à sa
tenue. Les insulaires avaient beau être décontractés,
le vieux jean de Nell l'était un peu trop.

Mia alla inspecter la cuisine. La propreté du plan
de travail et des instruments l'impressionna. Bien
qu'elle préparât ailleurs la plupart des gâteaux,
Jane n'avait jamais réussi à être une cuisinière
ordonnée.

— Nell ?

Surprise, celle-ci sursauta et se détourna brusquement du fourneau dont elle était en train de nettoyer
les brûleurs. Les joues rouges, elle fit face à Mia et à
la jeune fille qui l'accompagnait.

— Excusez-moi, je ne voulais pas vous surprendre.
Voici Peg. C'est elle qui tient le comptoir de 14 heures
à 19 heures.

— Oh, bonjour !

— Salut. J'arrive pas à croire que Jane et Tim partent comme ça, tout d'un coup. Et à New York, en
plus ! s'écria Peg d'un ton légèrement envieux.

De petite taille, la jeune fille avait une frimousse
joyeuse et une crinière bouclée si blonde qu'elle en
paraissait presque blanche.

— Jane faisait des super muffins aux myrtilles,
ajouta-t-elle.

— Oui. Eh bien, Jane et ses muffins ne sont plus là.
Il faut que je parle à Nell, alors occupe-toi du café.

— D'accord. À plus tard, Nell.

— Allons discuter dans mon bureau des conditions
de votre embauche. L'été, nous ouvrons de 10 heures
à 19 heures. L'hiver, nous fermons à 17 heures.
Peg préfère travailler l'après-midi. Elle aime faire la
bringue… Bref, c'est le matin que j'aurai besoin de
vous.

— Ça ne me pose pas de problème, dit Nell en suivant Mia dans un second escalier qu'elle n'avait pas remarqué auparavant.

En fait, la boutique occupait trois niveaux. Quelques mois plus tôt, elle aurait remarqué ce détail dès son arrivée et aurait systématiquement vérifié tous les recoins et toutes les issues.

Se détendre ne signifiait pas se relâcher, se rappelat-elle. Elle devait être constamment prête à s'enfuir.

Elles passèrent devant une pièce remplie de rayonnages de livres et de piles de cartons, et pénétrèrent dans une autre.

Le bureau ancien en merisier était à l'image de sa propriétaire : raffiné. Mia faisait visiblement partie de ces personnes qui ne pouvaient vivre qu'entourées de belles choses. Bouquets de fleurs, plantes vertes, bibelots en cristal et pierres polies disposées dans des coupes, tout avait été choisi avec soin. Dans ce décor baroque, l'ordinateur dernier cri, le fax, l'armoire de rangement à tiroirs et les étagères de livres et de catalogues des maisons d'édition semblaient presque incongrus. Mia lui indiqua une chaise et prit place derrière le bureau.

— Ces deux heures au café vous ont permis d'avoir un aperçu de ce que nous offrons à nos clients : un sandwich et une soupe différents chaque jour, et un petit choix d'autres sandwiches. Deux ou trois variétés de salades froides. Des pâtisseries, des biscuits, des muffins, des toasts. J'ai toujours laissé la cuisinière composer le menu. Est-ce que vous vous en sentez capable ?

— Oui, madame.

— S'il te plaît, je suis à peine plus âgée que toi. Appelle-moi Mia et dis-moi tu. Jusqu'à ce que je sois sûre que ça marche, je désire que tu me soumettes chaque jour le menu du lendemain.

Elle sortit un bloc de papier d'un tiroir et le posa devant Nell.

— Que proposes-tu pour demain ?

La panique envahit la jeune femme dont les mains devinrent moites. Elle prit une profonde inspiration, attendit une seconde d'avoir l'esprit clair, puis commença à écrire.

— En cette saison, je pense qu'il faut des soupes légères. Un consommé aux herbes. Une salade de tortellini, une de haricots blancs et une de crevettes. Un émincé de poulet aux épices pour les sandwiches, ainsi qu'un mélange de légumes pour les végétariens, mais il faudrait que je voie ce qu'on trouve au marché. Je peux préparer des tartes en fonction des fruits de saison. En général, les éclairs et les mille-feuilles au chocolat et à la crème ont du succès… Comme biscuits, on ne se trompe jamais en proposant des tuiles au chocolat et aux noix de macadamia, ainsi que des brownies. Je connais une délicieuse recette au caramel.

— Qu'est-ce que tu peux préparer sur place ?

— Tout, je pense. Mais si on doit servir les muffins et les pâtisseries dès 10 heures du matin, je devrais m'y mettre vers 6 heures.

— Et si tu avais ta propre cuisine ?

— Dans ce cas, répondit Nell que cette idée réjouissait, j'en préparerais une partie la veille, et je garderais la pâtisserie fraîche pour le lendemain matin.

— Bon. De quelle avance as-tu besoin ?

— J'ai ce qu'il me faut.

— Ne te vexe pas. Je peux te prêter cent dollars. En avance sur un salaire de sept dollars de l'heure pour commencer. Tu noteras chaque jour tes dépenses et les heures passées en cuisine. Chez la plupart des commerçants, et en particulier ceux du marché couvert, tu pourras mettre tes achats sur le compte du magasin. Je veux tous les reçus quotidiennement.

Nell ouvrit la bouche pour parler mais Mia leva le doigt pour l'en empêcher.

— Je n'ai pas terminé. Tu devras servir et débarrasser les tables, et, lorsqu'il n'y aura pas trop de monde, conseiller les clients de la librairie de ton étage. Tu as droit à deux poses d'une demi-heure par jour, tes dimanches et une réduction de quinze pour cent sur tous tes achats, à l'exception de la nourriture et des boissons qui font partie des avantages en nature, sauf si je découvre que tu es une gloutonne. Jusque-là ça va ?

— Oui, mais je...

— Bon. Je suis ici tous les jours. Si tu as une question ou un problème que tu n'arrives pas à régler seule, tu m'appelles. Si je ne suis pas disponible, va voir Lulu. En général, elle tient la caisse du rez-de-chaussée, elle est au courant de tout. Tu as l'air assez dégourdie pour t'adapter très vite. Si tu ne sais pas quelque chose, n'hésite pas à demander. Maintenant, si j'ai bien compris, tu cherches à te loger.

— Oui, fit Nell qui avait l'impression d'être emportée par une bourrasque capricieuse. J'espère que je...

— Viens avec moi.

Mia sortit un trousseau de clefs d'un tiroir, se leva et quitta la pièce, ses superbes escarpins cliquetant allégrement sur le sol.

Une fois au rez-de-chaussée, elles se dirigèrent vers une porte située au fond de la librairie.

— Lulu, cria Mia, je serai de retour à 10 heures.

Quelque peu dépassée par les événements, Nell la suivit dans un petit jardin que traversait un sentier dallé. Un énorme chat noir, qui se dorait au soleil en plein milieu du chemin, ouvrit un œil d'or quand Mia l'enjamba avec agilité.

— Elle s'appelle Isis. Elle ne t'embêtera pas.

— Elle est très belle. C'est toi qui entretiens ce jardin ?

— Oui. Sans fleurs, une maison n'est pas une vraie maison. Oh, j'ai oublié : as-tu un moyen de transport ?

— J'ai une voiture. Elle est vieille mais elle roule.

— Parfait. Les commerçants ne sont pas loin, mais ce serait compliqué de trimballer tes courses à pied tous les jours.

Une fois le jardin franchi, Mia tourna à gauche et emprunta d'un pas vif une rue qui serpentait entre l'arrière de boutiques et les façades de jolies maisons bien tenues.

— Mademoiselle… ? Excuse-moi, je ne connais pas ton nom de famille.

— Devlin. Mais je t'ai dit de m'appeler Mia.

— Mia, je te suis très reconnaissante de me confier ce travail. Je te promets que tu n'auras pas à le regretter. Mais… est-ce que je peux savoir où nous allons ?

— Tu cherches un logement, non ?

Elle bifurqua, s'immobilisa et fit un geste.

— Voilà qui devrait convenir.

De l'autre côté d'une rue étroite se dressait une petite maison jaune nichée à la lisière d'un bois. Les volets étaient blancs, de même que les montants du porche. Des fleurs multicolores dansaient dans la brise.

Le cottage était construit un peu en retrait de la rue au milieu d'un carré bien net de pelouse. Le soleil qui jouait entre les arbres jetait des taches d'ombre et de lumière sur la façade.

— Cette maison t'appartient ? demanda Nell.

— Pour le moment, répondit Mia en remontant l'allée pavée. Je l'ai achetée au printemps dernier.

Cela avait été plus fort qu'elle. Elle s'était convaincue qu'il s'agissait d'un investissement pour justifier ce coup de folie. Cependant, bien qu'elle fût femme d'affaires jusqu'au bout des ongles, elle n'avait pas cherché à la louer jusqu'à présent. Elle avait attendu, tout comme la maison avait attendu.

Elle ouvrit la porte et s'effaça devant Nell en murmurant :

— C'est une bénédiction.

— Pardon ?

Mia se contenta de secouer la tête.

— Bienvenue, dit-elle.

Le salon comportait en tout et pour tout un canapé qui avait désespérément besoin d'être retapissé, un fauteuil capitonné et une table basse.

— Les chambres à coucher se trouvent de part et d'autre du couloir ; encore qu'à mon avis, celle de gauche ferait un bureau parfait. La salle de bains est minuscule mais charmante. La cuisine a été rénovée et devrait convenir. C'est juste là, derrière. Je me suis un peu occupée du jardin, cela dit, quelques efforts supplémentaires ne seront pas inutiles. Il n'y a pas l'air conditionné, mais la chaudière est en bon état. Malgré tout, quand viendra janvier, tu ne seras pas mécontente que la cheminée tire bien.

— C'est merveilleux.

Incapable de refréner sa curiosité, Nell parcourut la maison et ouvrit toutes les portes, y compris celle de la chambre à coucher principale qu'occupait un splendide lit orné d'une tête en fer forgé blanc.

— C'est un vrai cottage de conte de fées. Tu dois adorer vivre ici.

— Je n'y habite pas. C'est toi qui vas y habiter.

Nell se retourna lentement. Mia se tenait au milieu du salon, dos aux fenêtres. Le soleil qui pénétrait à flots dans la pièce allumait des flammes dans sa chevelure qui faisait comme un halo incandescent autour de son visage.

— Je ne comprends pas.

— Tu as besoin d'une maison. Moi, j'en ai déjà une, là-haut sur la falaise. Ici, c'est chez toi, pour le moment. Tu ne le sens pas ?

Nell ne savait qu'une chose : à l'instant où elle avait pénétré dans cette maison, elle avait été saisie d'une irrésistible envie de s'étirer, de se vautrer et de ronronner comme un chat.

— Je peux m'installer ici ?

— La vie ne t'a pas fait de cadeaux, on dirait ? murmura Mia. Tu ne crois pas beaucoup à la chance. Tu payeras un loyer, parce que rien de gratuit n'a de valeur. Nous en évaluerons le montant en fonction de ton salaire. Installe-toi. La signature du contrat et tout le tintouin peuvent attendre demain. Je vais prévenir les commerçants de ton arrivée. Les casseroles, les poêles et autre matériel culinaire, c'est à toi de les payer, mais je te ferai crédit jusqu'à la fin du mois. Je t'attends, toi et tes œuvres, à 9 h 30 pile.

Elle fit un pas en avant et laissa tomber les clefs dans la paume tremblante de Nell.

— Pas de questions ?

— J'en ai trop, je crois. Je ne sais comment te remercier.

— Ne gaspille pas tes larmes, petite sœur, répondit Mia. Elles sont trop précieuses. Tu vas devoir travailler dur.

— J'ai hâte de commencer, s'écria Nell en tendant la main. Merci, Mia.

Leurs doigts se touchèrent, se serrèrent, une étincelle bleue jaillit brièvement. Riant à demi, Nell fit un bond en arrière.

— Il doit y avoir de l'électricité statique dans l'air, ou un truc comme ça.

— Oui, un truc comme ça… Bienvenue chez toi, Nell Channing, lança Mia en se dirigeant vers la porte.

— Mia ?

La gorge nouée par l'émotion, Nell dut s'interrompre une fraction de seconde avant de poursuivre :

— Je parlais d'un cottage de conte de fées. Eh bien, tu dois être ma marraine de conte de fées.

Mia eut un sourire éblouissant et son rire jaillit, vif et chaleureux.

— Tu vas bientôt découvrir que j'en suis loin. Je suis juste une sorcière à l'esprit pratique. N'oublie pas de m'apporter les reçus, ajouta-t-elle avant de fermer doucement la porte derrière elle.

2

Nell prit le temps d'explorer le bourg avant d'aller faire son marché. Cela faisait des mois qu'elle s'estimait en sécurité. Et libre. Mais tandis qu'elle se promenait dans ces rues pittoresques en respirant l'air marin à pleins poumons, elle se sentit réellement en sécurité. Et libre.

Personne ne la connaissait mais, un jour prochain, tout le monde, ou presque, connaîtrait Nell Channing, l'excellente cuisinière qui vivait dans le cottage jaune, à la lisière du bois. Elle aurait des amis et une vie agréable. Se bâtirait un avenir. Hors d'atteinte du passé.

Un jour, elle ferait autant partie de l'île que le petit bureau de poste aux murs de bardeaux gris délavé, ou le syndicat d'initiative, bâti à la va-comme-je-te-pousse à l'aide de vieilles briques de mâchefer, ou encore le long quai robuste sur lequel s'affairaient les pêcheurs.

Pour fêter cela, elle s'offrit un carillon à vent fait d'étoiles métalliques. Son premier achat inutile depuis presque un an.

Elle passa sa première nuit sur l'île dans le lit en fer forgé, n'osant croire à son bonheur tandis qu'elle écoutait son carillon tinter au rythme du ressac.

Pressée de se mettre au travail, elle se leva avant l'aube et abaissa la pâte pendant que la soupe du jour frémissait. Elle avait dépensé jusqu'à son dernier sou, y compris l'avance qu'elle avait reçue et une bonne partie de son salaire du mois suivant, pour acheter une batterie de cuisine. Mais elle s'en moquait. Équipée comme elle l'était, elle ferait les meilleurs plats du monde, ou du moins de l'île. Mia Devlin, sa bienfaitrice, ne pourrait que se féliciter de son choix.

Dans la cuisine, elle avait tout disposé à son idée et non selon les conseils d'autrui. Dès qu'elle aurait le temps, elle ferait un saut à la jardinerie pour acheter des herbes qu'elle planterait devant la fenêtre. En désordre. Rien, absolument rien, dans sa maison, celle-ci ou une autre, ne serait uniforme, symétrique, net, d'une élégance sophistiquée. Il n'y aurait pas de dizaines de mètres carrés de marbre, ni de mers de miroirs, ni d'urnes imposantes remplies de fleurs effroyablement exotiques sans chaleur ni parfum. Il n'y aurait pas...

« Arrête ! » s'ordonna-t-elle. Plutôt que de perdre son temps à faire la liste de ce qu'elle ne souhaitait pas, elle ferait mieux de réfléchir à ce qu'elle désirait. L'heure était venue de claquer la porte au nez du passé et de se tourner résolument vers l'avenir.

Le soleil se levait lorsqu'elle enfourna sa première tournée de tartelettes. Elle se souvint de Dorcas Burmingham, une commerçante chaleureuse mais indiscrète, qui, la veille, lui avait posé tout un tas de questions sous prétexte de faire connaissance. Il y a peu, Nell se serait refermée comme une huître. Mais, là, non. Elle avait bavardé normalement, répondant avec assurance à certaines questions, en éludant habilement d'autres.

Elle laissa échapper un soupir de satisfaction. Décidément, son installation dans l'île s'annonçait sous les meilleurs auspices...

Lulu croisa les bras sur sa poitrine décharnée. Sa façon à elle, Mia le savait, de paraître intimidante. Mais avec son mètre cinquante, ses quarante kilos tout habillée et son visage de lutin affligé, il fallait reconnaître qu'elle manquait d'atouts.

— Tu ne sais rien d'elle.

— Je sais qu'elle est seule, qu'elle cherche du travail et qu'elle était au bon endroit au bon moment.

— C'est une inconnue. On n'embauche pas une inconnue sur un coup de tête, en plus en lui prêtant de l'argent et en la logeant, sans au moins vérifier d'où elle sort. Pas une référence, Mia, pas une ! Pour autant que tu saches, ça pourrait aussi bien être une psychopathe en cavale.

— Tu ne crois pas que tu abuses un peu des romans policiers, ces derniers temps ?

Lulu fronça les sourcils et pinça les lèvres, expression qui, sur son visage inoffensif, ressemblait plutôt à un sourire peiné.

— Ça existe, les méchantes gens.

— En effet, ça existe.

Mia lança l'impression des commandes qui étaient arrivées par courrier électronique.

— S'il n'y en avait pas, nous n'aurions pas de défi à relever. Cette fille fuit quelque chose, Lu, mais pas la police. Et c'est le destin qui l'a amenée ici. Jusqu'à moi.

— Parfois, le destin te poignarde dans le dos.

— J'en suis consciente.

Mia ramassa les feuilles imprimées et quitta le bureau, Lulu sur les talons. Le fait que Lulu Cabot l'avait pratiquement élevée était la seule raison pour laquelle elle ne l'envoyait pas balader.

— Et tu devrais savoir que j'ai les moyens de me défendre, ajouta-t-elle cependant.

— Dès que tu recueilles des égarés, tu baisses la garde.

— Ce n'est pas une égarée, c'est une personne en quête de quelque chose. Il y a une différence. J'ai senti des… affinités, expliqua Mia en descendant à la librairie. Quand elle sera plus à l'aise, j'y regarderai de plus près.

— Essaie au moins d'obtenir une référence.

À cet instant, la porte de service s'ouvrit. Mia haussa les sourcils.

— Voilà déjà une bonne nouvelle : elle est ponctuelle. Ne la tarabuste pas, Lulu, dit-elle d'un ton sans appel. Elle est encore fragile. Ah, bonjour, Nell !

— Bonjour.

Les bras chargés de plateaux recouverts de linges propres, la jeune femme fit irruption dans la boutique.

— Je me suis garée derrière, ça ne gêne pas ?

— Pas de problème. Tu veux un coup de main ?

— Non, merci, ça va aller.

— Lulu, je te présente Nell Channing. Vous pourrez faire plus ample connaissance plus tard.

— Enchantée, Lulu. Je me dépêche de monter tout ça.

— Vas-y.

Mia attendit que Nell ait grimpé l'escalier.

— Elle a l'air dangereuse, hein ?

— L'air n'est pas toujours la chanson, marmonna Lulu.

Quelques instants plus tard, Nell dégringolait l'escalier. Elle portait un jean et un T-shirt blanc qu'égayait un petit médaillon.

— J'ai mis en route une première cafetière. Je vous en apporte à mon prochain voyage, mais je ne sais pas comment vous l'aimez.

— Noir pour moi, sucré et léger pour Lu. Merci.

— Euh… Mia, est-ce que ça t'ennuierait de ne pas monter tout de suite ? J'aimerais que tu voies la présentation quand tout sera terminé. Alors, si tu pouvais… attendre un peu, d'accord ?

Tout en parlant, elle avait gagné la porte à reculons, le visage cramoisi. Elle les gratifia d'un petit sourire embarrassé et disparut.

— Désireuse de plaire, commenta Mia tout en remplissant les commandes avec Lulu. Travailleuse. Tu as raison, elle a tout à fait le profil d'une psychopathe. Appelle les flics.

— Tais-toi.

Vingt minutes plus tard, hors d'haleine, les nerfs à vif, Nell redescendit l'escalier.

— Tu peux monter maintenant ? J'ai encore le temps de tout changer si ça ne te plaît pas. Oh, est-ce que vous pouvez venir aussi, Lulu ? Mia m'a dit que vous étiez au courant de tout ici, j'aimerais avoir votre avis.

— Hmm...

À contrecœur, Lulu interrompit sa tâche.

— Le café n'est pas mon rayon.

Elle haussa les épaules, mais emboîta le pas aux deux jeunes femmes.

La vitrine était remplie de pâtisseries appétissantes – dont un grand gâteau recouvert d'un glaçage en chocolat décoré de filets de crème fouettée –, de muffins au sucre et aux myrtilles, de scones aux raisins et d'énormes cookies.

Les plats du jour étaient inscrits sur le tableau noir d'une écriture fine et soignée. L'odeur du café flottait dans l'air, irrésistible, toutes les surfaces reluisaient, et, posé sur le comptoir, un pot en verre bleu proposait des bâtons de cannelle.

Mia passa et repassa devant la vitrine tel un général inspectant ses troupes, sous le regard anxieux de Nell qui se retenait de se tordre les mains.

— Je n'ai pas encore sorti les salades ni la soupe. Je me suis dit que si j'attendais 11 heures, les clients en profiteraient pour commander des pâtisseries. Il y a d'autres tartelettes derrière, et des brownies. Je n'ai disposé qu'une partie des gâteaux parce que… euh… s'il y en a trop, on ne voit plus rien. En revanche, j'ai sorti le gâteau au chocolat dans l'espoir d'appâter les clients et de leur donner envie de revenir pour le déjeuner…

Mia s'interrompit d'un geste.

— Et si on goûtait l'une de ces tartelettes ?

— Oh, bien sûr ! Je vous en rapporte une de la cuisine.

Elle disparut et revint presque aussitôt avec une tartelette posée sur un petit napperon de papier.

Sans mot dire, Mia la cassa en deux et en tendit la moitié à Lulu. Un sourire retroussa ses lèvres dès la première bouchée.

— Ça te va, comme référence ? lui glissa-t-elle.

Puis elle se tourna vers Nell.

— Si tu continues à avoir l'air aussi nerveuse, les clients vont s'inquiéter. Ils ne commanderont rien, et ils manqueront quelque chose d'exceptionnel. Tu as un don, Nell.

— Ça te plaît ? s'écria celle-ci, soulagée. J'ai goûté de tout, ce matin ; je suis à moitié malade, ajouta-t-elle en posant la main sur son estomac. Je voulais que tout soit parfait.

— Et ça l'est. Maintenant, détends-toi, parce que dès que la rumeur se répandra que nous avons embauché une cuisinière de génie, tu vas avoir du boulot.

Nell ne sut jamais jusqu'où la rumeur s'était répandue, mais elle fut très vite si occupée qu'elle en oublia sa nervosité. Dès 10 h 30, elle dut préparer une autre cafetière et réapprovisionner les plateaux. Chaque fois que la caisse enregistreuse tintait, elle éprouvait un petit frisson de plaisir. Et tandis qu'elle emballait une demi-douzaine de muffins pour une cliente qui clamait qu'elle n'en avait jamais mangé d'aussi délicieux, elle dut se retenir pour ne pas danser sur place.

— Merci. Revenez nous voir.

Rayonnante, elle se tourna vers le client suivant.

La première impression que Zack eut d'elle? Une jolie blonde en tablier blanc arborant un immense sourire qui faisait clignoter ses fossettes. Le spectacle lui procura une brève et plaisante petite secousse intérieure.

— On m'avait prévenu, pour les muffins, mais pas pour le sourire, dit-il.

— Le sourire est gratuit. Hélas, pas les muffins!

— J'en prendrai un. Aux myrtilles. Et un grand café noir à emporter. Je m'appelle Zack. Zack Todd.

— Moi, c'est Nell, répondit-elle en attrapant un gobelet avec couvercle.

Elle n'eut pas besoin de lui accorder un second regard. L'expérience lui avait appris à déchiffrer un visage rapidement et à le garder en mémoire. Celui de ce nouveau client restait présent dans sa tête tandis qu'elle s'affairait.

Bronzé, de fines rides d'expression aux coins de ses yeux verts. Le nez droit, la mâchoire ferme, zébrée par une intrigante cicatrice. Des cheveux châtains, un peu longs, que le soleil avait éclaircis ici et là.

Un visage honnête et amical. Nell posa le café sur le comptoir et prit un muffin dans la vitrine, notant au passage ses épaules larges, ses avant-bras musclés que révélaient les manches roulées de sa chemise en jean, ses grandes mains. Elle avait tendance à avoir confiance dans les hommes qui avaient de grandes mains. C'étaient les fines, les manucurées, qu'il fallait craindre.

— Un seul? demanda-t-elle en emballant le muffin.

— Un seul, pour l'instant. Il paraît que vous êtes arrivée hier?

— Au bon moment, apparemment.

— En effet, acquiesça-t-il après avoir humé le contenu de son sac en papier. Et vous venez d'où ?

— De Boston.

Il inclina la tête d'un air sceptique.

— Vous n'avez pas l'accent de Boston, précisa-t-il comme elle le regardait fixement.

— Oh…

D'une main qui ne tremblait pas, elle prit le billet qu'il lui tendait et chercha la monnaie dans le tiroir-caisse.

— Je ne suis pas originaire de Boston. Je viens d'une petite ville du Middle West, près de Columbus. Mais j'ai beaucoup déménagé.

Sans cesser de sourire, elle lui rendit sa monnaie accompagnée du ticket de caisse.

— Cela explique sans doute que je n'aie l'accent de nulle part en particulier, ajouta-t-elle.

— Je suppose, oui.

— Hé, shérif ?

Zack jeta un coup d'œil par-dessus son épaule et hocha la tête.

— Bonjour, madame Macey.

— J'aimerais bien que tu ailles dire deux mots à Peter Stahr à propos de son chien. Cet animal n'a rien trouvé de mieux à faire que de se rouler dans le poisson mort et de venir ensuite s'essuyer sur mon linge qui sèche. J'ai dû tout relaver. J'ai rien contre les chiens, mais il faut que Pete tienne le sien en laisse.

— Je vais lui en toucher un mot ce matin. Vous devriez goûter un de ces muffins, madame Macey.

— Je suis juste venue acheter un livre, répliqua-t-elle en coulant un regard vers la vitrine. Quoi que… C'est vous, la nouvelle cuisinière ? ajouta-t-elle à l'adresse de Nell.

— Oui, fit celle-ci, la gorge soudain rêche et douloureuse. Je m'appelle Nell. Est-ce que quelque chose vous tente ?

Mme Macey fronça les sourcils.

— Finalement, une de ces petites tartelettes aux fruits avec un thé – un bon Orange Pekoe –, ce serait pas de refus. Et, toi, n'oublie pas de dire à Pete de garder son chien à l'écart de mon linge, ajouta-t-elle en se tournant vers Zack.

— Pas de problème, dit-il sans cesser d'observer Nell.

Sa pâleur subite lorsque Gladys Macey l'avait appelé shérif ne lui avait pas échappé.

— Ravi de vous avoir rencontrée, Nell, lança-t-il avec un sourire avant de se diriger vers l'escalier.

La jeune femme répondit d'un petit signe de tête. Elle avait beau garder les mains occupées, celles-ci tremblaient légèrement.

Que pouvait avoir à craindre de la police un joli brin de fille comme ça ? Il est vrai que certaines personnes devenaient nerveuses rien qu'en voyant un flic.

Parvenu au rez-de-chaussée, il repéra Mia qui complétait le rayon des romans policiers. Poser quelques questions de routine ne faisait de mal à personne, décréta-t-il en s'approchant d'elle.

— Ça a l'air de marcher, aujourd'hui.

— Hmm.

Elle inséra un livre dans la rangée sans se retourner.

— Et ce n'est pas fini ! La saison ne fait que commencer, et j'ai une nouvelle arme secrète au café.

— Je viens de faire sa connaissance. Tu lui loues le cottage jaune.

— C'est exact.

— Tu as vérifié ses antécédents, ses références ?

— Écoute, Zack...

Mia pivota pour lui faire face. Ses talons hauts lui permettaient presque de le regarder dans les yeux sans lever la tête. Elle lui tapota gentiment la joue.

— Ça fait longtemps qu'on est amis. Assez longtemps pour que je te demande de te mêler de tes oignons. Je ne veux pas que tu traînes dans mon café et que tu interroges le personnel.

— D'accord. Alors, je vais me contenter de l'emmener au poste et la menacer de ma lance à incendie.

Elle pouffa de rire, et lui planta un baiser sur la joue.

— Espèce de brute ! Ne t'inquiète pas au sujet de Nell. Elle ne cherche pas les ennuis.

— Elle est devenue nerveuse quand elle a appris que j'étais shérif.

— Tu es si beau garçon que tu rends toutes les filles nerveuses, tu n'es pas au courant ?

— Ça n'a jamais marché avec toi, riposta-t-il.

— Qu'est-ce que tu en sais ? Maintenant, du balai ! Laisse-moi faire tourner ma boutique.

— J'y vais. Il faut que je fasse le travail pour lequel on me paye et que j'aille engueuler Peter Stahr à cause de son chien qui pue.

— Quel homme courageux ! s'exclama-t-elle en papillotant des cils. Que deviendraient les habitants de cette île s'ils ne vous avaient pas, ta fidèle sœur et toi, pour les protéger.

— Ha, ha… J'attends Ripley au ferry de midi. Si elle était arrivée plus tôt, je lui aurais refilé la corvée du chien.

— La semaine est déjà finie ? fit Mia avec une grimace. Il est vrai que les bonnes choses ne durent jamais !

— Je ne vais pas me mettre entre vous deux. Je préfère encore m'occuper du chien de Pete.

Elle se remit au travail dès qu'il fut parti, mais sa

remarque à propos de Nell continua de lui trotter dans la tête.

Elle se fit un devoir de ne monter au premier que tard dans la matinée. Nell avait déjà sorti les salades et la soupe, en prévision du déjeuner. La soupe embaumait, et les salades, joliment présentées, étaient appétissantes.

— Comment ça s'est passé ?

— Les affaires ont bien marché, ce matin, répondit la jeune femme en s'essuyant les mains sur son tablier. Ce sont les muffins qui ont gagné la course, à un cheveu des tartelettes.

— Officiellement, c'est ta pause. Si quelqu'un entre, je m'en occupe, sauf s'il faut se servir de cette monstrueuse machine.

Mia entra dans la cuisine et se percha sur un tabouret.

— Passe me voir dans mon bureau quand Peg sera là. Il faut qu'on signe le contrat d'embauche.

— D'accord. J'ai réfléchi au menu de demain.

— On en discutera en même temps. Pourquoi est-ce que tu ne te sers pas une tasse de café pour te détendre ?

— Je suis assez excitée comme ça, répliqua Nell en sortant une petite bouteille d'eau du réfrigérateur. Je vais m'en tenir à ça.

— Tu es bien installée dans la maison ?

— Je ne me souviens pas d'avoir aussi bien dormi, ni de m'être réveillée plus en forme depuis des siècles ! Et tu as vu le lever du soleil ? Spectaculaire.

— Je te crois sur parole. J'ai plutôt tendance à éviter les levers de soleil. Ils s'obstinent à surgir trop tôt le matin.

Elle tendit la main vers la bouteille d'eau. Surprise, Nell la lui donna.

— J'ai appris que tu avais fait la connaissance de Zack Todd, reprit Mia après en avoir bu une gorgée.

— Ah bon?

Nell se rua sur un torchon et entreprit aussitôt d'astiquer la cuisinière.

— Oh, le shérif Todd! Oui, il a pris un café et un muffin aux myrtilles.

— Cela fait des siècles qu'il y a un ou plusieurs Todd sur cette île. Et Zachariah est l'un des meilleurs du lot. C'est un type bien, précisa Mia délibérément. Et qui ne passe pas son temps à vous le faire savoir…

— Est-ce que c'est ton…?

L'expression «petit ami» ne collait pas avec une femme telle que Mia.

— Est-ce que vous êtes liés? risqua Nell.

— Tu veux dire par l'amour? Non, répondit Mia en lui rendant la bouteille. Il est trop bien pour moi. Bien que j'aie eu un petit sentiment pour lui quand j'avais quinze ou seize ans. Après tout, c'est un beau spécimen. Tu as dû le remarquer.

— Les hommes ne m'intéressent pas.

— Je vois. C'est ce que tu fuis? Un homme?

Nell garda le silence. Mia décida de ne pas insister et se leva.

— Bon. Si tu as envie d'en parler, je sais écouter, d'une oreille amicale.

— J'apprécie tout ce que tu as fait pour moi, Mia. Je souhaite seulement m'acquitter correctement de mon travail.

— Parfait.

La clochette tinta, indiquant l'arrivée d'un client.

— Non, c'est ta pause, lui rappela Mia comme la jeune femme bondissait. Je m'en occupe. Et n'aie pas l'air aussi triste, petite sœur. Tu n'as de comptes à rendre à personne d'autre qu'à toi-même.

Mia quitta la pièce et Nell ferma les yeux, curieusement réconfortée. Elle n'avait pas de raison d'être triste, effrayée, ou d'avoir peur du shérif. Il n'avait aucun motif pour s'intéresser à elle et fouiller dans son passé. Le ferait-il qu'il ne trouverait rien. Elle s'était montrée d'une extrême prudence.

Elle termina la bouteille d'eau et sortit de la cuisine. Mia se tourna vers elle à l'instant où l'horloge de la place égrenait lentement les douze coups de midi.

Nell eut soudain la sensation que le sol tremblait sous ses pieds et que la lumière devenait éclatante. Une étrange musique résonna sous son crâne, comme si l'on avait pincé simultanément un millier de cordes de harpe. Le vent… Elle aurait juré qu'un vent chaud lui frôlait le visage et soulevait ses cheveux. Une odeur de bougie et de terre fraîche envahit ses narines.

Le monde frissonna, tournoya, puis se remit d'aplomb en l'espace d'un éclair. Elle secoua la tête, perplexe, et se retrouva les yeux rivés à ceux de Mia.

— Qu'est-ce que c'était? Un tremblement de terre?

Elle jeta un regard autour d'elle. Les clients circulaient le long des rayonnages, ou bavardaient tranquillement en mangeant, sans manifester la moindre inquiétude.

— J'ai cru… J'ai senti…

— Oui, je sais, coupa Mia d'une voix tendue en dépit de son calme apparent. Eh bien, voilà qui explique tout.

— Ça explique quoi?

Nell agrippa le poignet de Mia ; une sorte de flux puissant remonta aussitôt le long de son bras.

— On en reparlera, dit doucement Mia. Plus tard. On va avoir du boulot, le ferry de midi vient d'accoster.

« Et Ripley est de retour », ajouta-t-elle silencieusement. Désormais, les trois étaient réunies sur l'île.

Il était rare que Mia se laisse surprendre, et elle n'aimait pas cela. La force de ce qu'elle avait senti et éprouvé en présence de Nell s'était révélée plus intense, plus intime que prévu. Et cela l'ennuyait. Elle aurait dû s'y préparer. Mieux que quiconque, elle savait et comprenait quel tour le destin avait pris tant d'années auparavant. Et quel virage il pouvait prendre à présent.

Néanmoins, croire au destin n'impliquait pas de demeurer les bras ballants, sans rien faire. Elle pouvait et devait réagir. Mais il lui fallait d'abord réfléchir, mettre un peu d'ordre dans ses idées.

Grands dieux, qu'était-elle censée faire pour arranger les choses alors qu'elle était liée d'un côté à une femme stupide et bornée qui niait systématiquement ses pouvoirs, et de l'autre à un petit lapin effrayé qui ignorait en posséder ?

Elle s'enferma dans son bureau et se mit marcher de long en large. Ici, elle s'occupait rarement de sorcellerie. C'était son lieu de travail, et elle le tenait délibérément séparé de ses autres activités. Mais chaque règle avait ses exceptions, non ?

Elle s'empara d'une boule de cristal qui trônait sur une étagère et la déposa sur son bureau, entre son téléphone et son ordinateur, s'amusant un instant de ce mélange incongru. La sorcellerie respectait le progrès, même si la réciproque n'était pas toujours vraie.

Posant les mains de chaque côté du globe, Mia se concentra.

— Montre-moi ce que je dois voir. Les trois sœurs enfin réunies forgeront leur destin. Que le cristal me révèle l'avenir, et qu'il en soit ainsi, puisque je le veux.

La boule étincela ; sa surface se couvrit d'une sorte de pellicule laiteuse, puis retrouva sa transparence. Et, tout au fond, Mia se vit, au milieu d'une forêt, en compagnie de Nell et de Ripley. Elles formaient un cercle autour d'un anneau de feu. Les arbres flamboyaient des couleurs de l'automne. La lumière scintillante de la pleine lune éclairait la scène.

Une ombre surgit entre les troncs. Un homme. Beau, blond, le regard de glace.

Le cercle se rompit. Et tandis que Nell s'enfuyait, l'homme la rattrapa et la frappa. La jeune femme se brisa comme du verre, en mille morceaux. Un éclair déchira le ciel, suivi d'un coup de tonnerre. Un torrent de pluie s'abattit sur les bois, et l'île bascula dans la mer.

Mia planta les poings sur ses hanches.

— N'est-ce pas toujours ainsi que ça se passe ? marmonna-t-elle, dégoûtée. Un homme survient et gâche tout ! Eh bien, on va s'en occuper.

Elle remit la boule à sa place, sur l'étagère.

— On va même s'en occuper sérieusement.

Lorsque Nell frappa à la porte, Mia achevait de répondre à son courrier électronique.

— Tu arrives au bon moment, déclara-t-elle en éteignant son ordinateur. C'est une sacrément bonne habitude que tu as. Assieds-toi. J'ai besoin que tu remplisses ces formulaires.

Elle désigna une petite pile de feuillets.

— Je les ai datés d'hier. Comment se comporte la foule du déjeuner ?

— Plutôt bien.

Nell s'assit. À présent, remplir ce genre de papiers ne l'affolait plus comme dans les premiers temps. Nom, lieu et date de naissance, numéro de sécurité sociale. Tous ces faits et ces chiffres étaient désormais les siens. Elle y avait veillé personnellement.

— J'ai préparé le menu de demain. Tiens.

— Hmm.

Mia prit la feuille que Nell lui tendait et la parcourut pendant que la jeune femme écrivait.

— Ça a l'air bien. Plus audacieux que ce que Jane faisait.

— Trop audacieux ?

— Non, plus seulement.

Mia jeta un œil sur le premier formulaire rempli.

— Eh bien, Nell Channing sans deuxième prénom, que comptes-tu faire de ton après-midi ?

— Je vais me promener sur la plage, jardiner un peu. Peut-être explorer les bois derrière le cottage.

— Il y a un petit ruisseau où poussent de l'ancolie sauvage et, plus loin, à l'ombre, des alliaires et des fougères. Le genre de plantes où l'on imagine très bien des fées se cacher.

— Je ne te voyais pas comme quelqu'un qui s'intéresse aux fées.

— On ne se connaît pas encore très bien, riposta Mia avec un sourire. L'île des Trois Sœurs est riche en légendes et de traditions, et les bois recèlent toutes sortes de secrets. Tu connais l'histoire des Trois Sœurs ?

— Non.

— Je te la raconterai un de ces jours. Va plutôt prendre un peu l'air et le soleil.

— Mia, qu'est-ce qui s'est passé tout à l'heure ? Au café ?

— C'est à toi de me le dire. Qu'est-il arrivé, selon toi ?

— J'ai senti comme un tremblement de terre, mais ce n'était pas ça. La lumière a changé, et l'air aussi. On aurait dit… une explosion d'énergie. Tu l'as ressentie toi aussi, poursuivit-elle bien qu'elle eût l'impression de dire des sottises. Mais personne d'autre. Aucun des clients n'a perçu quoi que ce soit qui sorte de l'ordinaire.

— La plupart des gens n'attendent que de l'ordinaire et, du coup, ils n'ont que ça.

— Si c'est une devinette, je ne connais pas la réponse, répliqua Nell impatiemment en se levant. En tout cas, toi, tu n'as pas eu l'air surprise. Juste un peu irritée.

Mia s'adossa à son siège et haussa les sourcils.

— C'est assez vrai. Tu lis bien dans les gens.

— Un don nécessaire à la survie.

— Et, chez toi, il est bien affûté, nota Mia. Qu'est-ce qui est arrivé ? Je suppose qu'on pourrait appeler ça une connexion. Que se passe-t-il quand trois charges positives occupent le même espace simultanément ?

Nell secoua la tête.

— Je n'en ai aucune idée.

— Moi non plus. Mais ce serait intéressant de le découvrir. Les semblables se reconnaissent entre eux, tu ne crois pas ? Moi, je t'ai reconnue.

Le sang de Nell se glaça et sa peau se mit à la picoter.

— Je ne comprends pas de quoi tu parles.

— Il ne s'agit pas de qui tu es ou étais, dit Mia doucement, mais de ce que tu es. Tu peux me faire confiance pour respecter ta personnalité, ainsi que ta vie privée. Je n'irai pas fouiller dans ton passé, Nell. C'est l'avenir qui m'intéresse.

Nell ouvrit la bouche. Il s'en fallut de peu, de très peu, pour qu'elle déballe toute son histoire. Ce qu'elle avait fui, ce qui la hantait encore. Mais c'eût été confier son sort à autrui, et elle s'était juré de ne plus jamais recommencer.

— Demain, je servirai un potage de légumes d'été, du poulet, des zucchini et des sandwiches au fromage.

— C'est parfait. Profite bien de ton après-midi.

Mia attendit que la jeune femme ait atteint la porte.

— Nell ? Aussi longtemps que tu auras peur, c'est lui qui gagnera.

— Je me contrefiche de gagner, rétorqua Nell qui sortit sans attendre.

3

Assise sur le sol meuble, près du ruisseau, avec pour toute compagnie le chant des oiseaux, Nell se sentait en paix.

Ici, elle était chez elle. Jamais elle n'avait éprouvé une telle certitude. Elle appartenait à cet endroit comme à nul autre.

Dès son plus jeune âge, elle avait déménagé d'un endroit à un autre au gré des affectations de son père. Son enfance n'était pas rattachée à un lieu précis où ses souvenirs auraient pu s'enraciner et s'épanouir.

Et même si sa mère avait le don de créer un foyer chaleureux où qu'ils aillent, cela ne remplaçait pas cette sensation de permanence, de stabilité que procure la vision, jour après jour, année après année, d'un paysage immuable à la fenêtre de sa chambre.

Cela lui avait toujours manqué. Son erreur avait été de croire qu'Evan l'aiderait à combler ce manque, alors qu'elle aurait dû comprendre que cela ne dépendait que d'elle.

Peut-être y était-elle parvenue, à présent.

C'était ce que Mia avait voulu dire. *Les semblables se reconnaissent*. Elles étaient toutes deux à leur place sur cette île.

Mia était une femme très intuitive. Elle devinait les secrets. Nell avait l'espoir qu'elle était aussi bonne qu'elle le paraissait. Parce que si elle ou quelqu'un d'autre commençait à fouiner dans son passé, elle n'aurait d'autre choix que de quitter l'île.

Et elle ne voulait pas que cela arrive.

Elle se leva, s'étira, et rebroussa chemin. Elle ferait confiance à Mia, décréta-t-elle. Un jour, peut-être, elles deviendraient de vraies amies. Elle apprendrait à son contact à ne pas se remettre sans cesse en question, à acquérir cette assurance qui lui faisait tant défaut. Chaque petite victoire sur elle-même serait une conquête qui lui donnerait du courage pour affronter les combats à venir.

Revigorée à cette pensée, elle décida qu'elle allait claquer le peu d'argent qu'il lui restait à la jardinerie.

Si ce n'était pas de la confiance en soi, ça ?

On l'autorisa à ouvrir un compte. Encore une faveur qu'elle devait à Mia. En tant qu'employée du Café-Librairie, on la regardait favorablement, et on n'hésitait pas à lui faire crédit.

Elle eut beau s'efforcer de ne pas en abuser, elle se retrouva cependant avec une demi-douzaine de plateaux de fleurs, des pots et un gros sac de terreau. Sans parler de cette espèce de gargouille idiote destinée à monter la garde auprès de ses plantations.

Nell était impatiente de se mettre au travail. À peine garée devant chez elle, elle bondit hors de sa voiture, ouvrit la portière arrière et se pencha pour empoigner l'un des plateaux.

«Charmant spectacle», songea Zack en immobilisant son véhicule de l'autre côté de la rue. Un homme qui ne prendrait pas une minute pour contempler un aussi ravissant petit derrière féminin moulé dans un jean ne serait qu'un triste sire.

Il sortit de sa voiture de patrouille, s'appuya contre

la portière et regarda Nell extirper son plateau de pétunias.

— Joli tableau.

Elle sursauta si violemment qu'elle faillit lâcher son chargement. Elle tourna la tête dans sa direction; la lueur de peur qui passa brièvement dans son regard n'échappa pas à Zack. Feignant de n'avoir rien remarqué, il se redressa nonchalamment et traversa la rue.

— Laissez-moi vous donner un coup de main.

— Ça va, merci.

— Il y en a beaucoup d'autres. Vous allez avoir du boulot.

Il la contourna et s'empara de deux autres plateaux.

— Où est-ce que vous les emportez ?

— Derrière la maison pour le moment. Je ne sais pas encore où je vais planter tout cela. Mais, vraiment, ne vous sentez pas obligé…

— Ça sent bon, qu'est-ce que vous avez là ?

— Des herbes. Du romarin, du basilic, de l'estragon, ce genre de choses.

Si elle voulait se débarrasser de lui rapidement, décida Nell, elle avait tout intérêt à le laisser l'aider. Aussi le précéda-t-elle dans le jardin.

— Je voudrais faire une plate-bande d'herbes aromatiques juste à côté de la cuisine. J'y ajouterai peut-être des légumes quand j'aurai un moment.

— Planter des fleurs, c'est planter ses racines, disait ma mère.

— J'ai l'intention de faire les deux. Posez-les sur la marche, s'il vous plaît. Merci, shérif.

— Vous en avez encore deux sur la banquette avant.

— Je peux…

— J'y vais. Est-ce que vous avez pensé à acheter du terreau ?

49

— Oui, dans le coffre.

Il sourit et tendit la main.

— Il me faut les clefs.

— Ah…

Ne voyant pas comment refuser, elle fouilla dans sa poche.

— Merci.

Elle le suivit des yeux tandis qu'il s'éloignait. Elle n'avait aucune raison de s'inquiéter. Il se montrait serviable, point final. Tous les hommes, tous les flics n'étaient pas dangereux, elle le savait pertinemment.

Lorsqu'il revint, chargé comme un baudet, un énorme sac de terreau sur l'épaule et un plateau de géraniums et d'impatiens entre les mains, elle ne put s'empêcher de rire.

— J'ai vu un peu grand, constata-t-elle en le débarrassant. J'étais partie pour acheter des herbes, et avant que j'aie le temps de m'en apercevoir… mon chariot était plein

— C'est ce qu'elles disent toutes. Je vais chercher les pots et les outils.

— Shérif…

Autrefois, elle répondait spontanément à la gentillesse par la gentillesse. Elle eut envie que cette réaction redevienne naturelle.

— J'ai préparé une carafe de citronnade, ce matin. Vous en voulez un verre ?

— Volontiers.

Il lui suffisait de se détendre, d'être elle-même, tout simplement, se sermonna-t-elle tandis qu'elle remplissait deux verres de glaçons et de citronnade. Il était déjà de retour lorsqu'elle sortit de la maison. Son regard s'arrêta un instant sur sa silhouette virile, et elle ressentit une brève secousse.

De l'attirance. Elle reconnut sans peine la sensation, mais se rappela aussitôt que cela lui était désormais interdit.

— Merci pour la livraison.

— De rien.

Il prit le verre qu'elle lui tendait et en avala la moitié. La petite secousse vira à la danse de Saint-Guy.

— C'est de la véritable citronnade ! Je ne sais même plus quand j'en ai bu pour la dernière fois. Vous êtes une vraie trouvaille, on dirait ?

— J'aime bien m'affairer dans la cuisine, répondit-elle en ramassant sa bêche toute neuve.

— Vous n'avez pas acheté de gants ?

— Non, je n'y ai pas pensé.

Elle avait hâte qu'il décampe, comprit Zack, mais elle était trop polie pour le lui dire. Du coup, il s'assit sur l'une des marches du perron.

— Ça vous ennuie si je me pose une minute ? La journée a été longue. Mais que ça ne vous empêche pas de commencer. C'est agréable à regarder, une femme qui travaille dans son jardin.

Elle aussi aurait bien aimé s'asseoir au soleil devant sa porte, pour réfléchir à ses futures plates-bandes. Mais il ne lui laissait pas le choix.

Elle commença par les pots. Si elle n'aimait pas le résultat, il lui serait facile de revoir la disposition.

— Est-ce que vous avez… euh… parlé au type du chien ?

— Pete ? demanda Zack en sirotant sa citronnade. Je pense que nous sommes arrivés à un accord, et que la paix règne à nouveau dans notre petite île.

Elle perçut une note d'humour dans sa voix en même temps qu'une satisfaction nonchalante qui lui parurent sympathiques.

— Ce doit être intéressant d'être shérif ici. De connaître tout le monde.

— Ça a du bon.

Il remarqua qu'elle avait des mains fines et habiles. Qu'elle travaillait rapidement. Et qu'elle évitait son regard. De la timidité, supposa-t-il, associée à ce qui lui parut un manque d'habitude des relations avec ses semblables.

— Une grande partie du travail consiste à arbitrer les litiges et, l'été, à calmer les plus excités des vacanciers. C'est un peu comme conduire un troupeau de trois mille personnes. Ripley et moi, nous suffisons à la tâche.

— Ripley?

— Ma sœur. C'est l'autre flic de l'île. Cela fait cinq générations que les Todd font ce boulot ici. Très joli, ajouta-t-il en désignant de son verre le travail en cours.

— Vous trouvez?

Elle s'assit sur ses talons et examina son œuvre. Elle avait mélangé différentes plantes et le résultat n'était pas aussi incohérent qu'elle le craignait. C'était plein de gaieté. Et son visage aussi quand elle se tourna vers lui.

— C'est un essai.

— Vous avez un don, en tout cas. Mais vous devriez porter un chapeau. Vous avez la peau claire et vous risquez d'attraper un sérieux coup de soleil.

— Oh, fit-elle en se frottant le nez du dos de la main. Vous avez raison.

— J'imagine que vous n'aviez pas de jardin, à Boston.

— Non.

Elle prit un second pot et le remplit de terreau.

— Je n'y suis pas resté longtemps. Je ne me sentais pas chez moi.

— Je vois ce que vous voulez dire. J'ai passé quelque temps sur le continent et je ne m'y suis jamais senti chez moi. Vos parents vivent toujours dans le Middle West?

— Mes parents sont morts.

— Je suis désolé.

— Moi aussi, fit-elle en plantant un géranium.

C'est une conversation, shérif, ou un interrogatoire?

— Une conversation.

Il ramassa une plante qui traînait hors de portée de Nell. Elle était prudente, décida-t-il. Or, l'expérience lui avait appris que les gens n'étaient pas prudents sans raison.

— Je devrais mener un interrogatoire?

— Je ne suis pas recherchée pour quelque motif que ce soit, je n'ai jamais été arrêtée et je ne désire pas d'ennuis.

— Eh bien, voilà qui fait le tour de la question, conclut-il en lui tendant la plante. Nous sommes sur une petite île, mademoiselle Channing. L'ambiance est plutôt amicale. Mais cela ne va pas sans curiosité.

— J'imagine.

Elle ne pouvait se permettre de se le mettre à dos, se souvint-elle. Ni lui ni personne.

— Écoutez, ça fait un certain temps que je voyage, et je commence à être fatiguée. Je suis venue ici parce que je cherchais du travail et un endroit tranquille où vivre.

— Apparemment, vous avez trouvé les deux, observa-t-il en se levant. Merci pour la citronnade.

— Je vous en prie.

— C'est vraiment joli, ce que vous faites. Bonsoir, mademoiselle Channing.

— Bonsoir, shérif.

Tout en regagnant sa voiture, il récapitula ce qu'il avait appris. Elle était seule au monde, elle se méfiait des flics et n'aimait pas les questions. Elle avait des goûts simples et des nerfs capricieux. Et, pour une raison qu'il ne s'expliquait pas, ce résumé lui paraissait insuffisant.

Il jeta un coup d'œil à la voiture de Nell et mémorisa son numéro d'immatriculation. Les plaques du Massachusetts avaient l'air flambant neuves. Ça ne ferait de mal à personne de vérifier. Histoire d'apaiser ses doutes.

Son instinct lui soufflait que si Nell Channing ne cherchait pas les ennuis, son parcours n'en était pas dépourvu.

Nell apporta les chaussons aux pommes caramélisées au jeune couple assis près de la fenêtre avant de débarrasser la table voisine.

Les mains chargées de tasses, elle s'arrêta un instant devant la fenêtre. Le ferry n'allait pas tarder à accoster. Une horde de mouettes tournoyaient dans le ciel et piquaient de temps à autre dans son sillage. La mer était calme, d'un vert tirant sur l'émeraude. Un petit bateau de plaisance aux voiles gonflées par le vent filait au ras de l'eau.

Autrefois, dans une autre vie, elle avait vogué sur une mer semblable. C'était l'un des rares bons souvenirs qu'elle gardait de cette époque. Elle adorait cette sensation de frôler les flots, de vague en vague. Curieux, tout de même, qu'elle ait toujours été attirée par la mer. Et que les grands bouleversements de son existence y aient été liés.

Elle se retourna et buta dans Zack. Comme il lui saisissait le bras pour l'empêcher de perdre l'équilibre, elle fit un bond en arrière.

— Excusez-moi. J'ai renversé quelque chose sur vous ? Je suis maladroite. Je ne regardais pas où…

— Il n'y a pas de mal.

Il glissa les doigts dans les anses de deux tasses et, prenant garde de ne plus la toucher, il l'en débarrassa.

— C'est moi qui me suis mis en travers de votre chemin. Joli bateau, n'est-ce pas ?

— Oui.

Elle s'écarta vivement et se hâta de regagner sa

place derrière le comptoir. Elle *détestait* que quiconque s'approche d'elle à son insu.

— Mais je ne suis pas payée pour regarder les bateaux. Vous désirez quelque chose ?

— Soufflez un peu, Nell.

— Pardon ?

— Soufflez un peu, répéta-t-il doucement en posant les tasses sur le comptoir. Reprenez votre calme.

— Je suis très calme, grommela-t-elle en ramassant d'un geste brusque les tasses qui s'entrechoquèrent. Je ne m'attendais pas que quelqu'un me colle au dos, c'est tout.

— Voilà qui est mieux, commenta Zack avec un petit sourire. Je vais prendre l'un de ces chaussons aux pommes, avec un grand café. Vous avez terminé vos plantations ?

— Presque, répondit-elle en se détournant pour mettre en route le percolateur.

Elle n'avait aucune envie de papoter aimablement avec le flic local dont elle sentait le regard vert rivé sur elle.

— Peut-être trouverez-vous un usage pour ça lorsque vous vous occuperez à nouveau de vos fleurs, fit-il en posant un sac sur le comptoir.

— Qu'est-ce que c'est ?

— Un outil de jardinage.

Elle s'essuya les mains sur son tablier, l'air renfrogné. Incapable, cependant, de résister à la curiosité, elle ouvrit le sac. Une lueur d'amusement étonné éclaira son regard lorsqu'elle découvrit le ridicule chapeau de paille orné de fleurs artificielles.

— C'est le chapeau le plus idiot que j'aie jamais vu.

— Oh, il avait pire ! assura-t-il. Au moins le soleil ne vous brûlera pas le nez.

— C'est très aimable à vous, mais vous n'auriez pas dû...

— Ici, on appelle ça des relations de bon voisinage.

Son *pager* se mit à sonner.

— Le devoir m'appelle, s'excusa-t-il.

Elle réussit à attendre qu'il soit dans l'escalier pour s'emparer du chapeau, foncer dans la cuisine et s'examiner dans la vitre du four, affublée du ridicule couvre-chef.

Ripley Todd sirotait sa seconde tasse de café en regardant par la fenêtre du poste de police. La matinée avait été calme, ce qui lui convenait parfaitement.

Toutefois, il y avait quelque chose dans l'air. Elle avait beau essayer de l'ignorer, c'était un fait. Elle préféra néanmoins attribuer cette sensation à l'énervement. Après tout, elle avait passé une semaine à Boston.

Non qu'elle s'y soit ennuyée. Les ateliers de police et les séminaires l'avaient intéressée et lui avaient donné matière à réflexion. Elle aimait son travail, mais la pression de la ville et son agitation lui avaient semblé pesantes.

Zack lui aurait rétorqué qu'elle n'était pas sociable. Et elle aurait été la dernière à le contredire.

Elle l'aperçut soudain qui descendait la rue. Parcourir la moitié du pâté de maisons lui prendrait bien dix minutes. Les gens l'arrêtaient sans cesse ; ils avaient toujours quelque chose à lui dire.

En fait, songea-t-elle, les gens aimaient simplement être près de lui. Il avait une sorte de… Ripley s'interdit d'employer le mot « aura ». C'était trop dans le style de Mia. De comportement, trancha-t-elle. Zack avait un comportement qui rassurait les gens. Ils savaient que s'ils lui faisaient part de leurs ennuis, il aurait la solution, ou prendrait le temps de la trouver.

Zack était un être sociable. Affable, patient et

juste. Des traits de caractère que personne ne se serait risqué à mentionner à son sujet à elle.

Sans doute était-ce pour cette raison qu'ils formaient une bonne équipe.

— Franck et Alice Purdue ont eu une petite fille – trois kilos six, annonça-t-il en entrant. Ce matin, à 9 heures. Ils l'ont appelée Belinda. Le fils Younger s'est cassé le bras en tombant d'un arbre. Et le cousin de Missy Hachin, celui qui vit à Bangor, s'est acheté une Chevrolet toute neuve.

Tout en parlant, Zack prit le café qu'elle lui tendait, s'assit, posa les pieds sur son bureau. Et lui sourit.

— Et toi, quoi de neuf?

— Un excès de vitesse sur la côte nord, dit Ripley. Je leur ai expliqué que les falaises, le phare et le reste étaient là depuis des siècles et n'avaient pas l'intention de prendre le large dans l'après-midi. Et, ça, c'est pour toi. Nell Channing, ajouta-t-elle en lui tendant un fax. C'est la nouvelle cuisinière de Mia, non?

— Hmm.

Il parcourut le rapport. Pas de contravention. Nell avait un permis de conduire de l'Ohio, à renouveler dans un peu plus de deux ans. La voiture était à son nom. Quant aux plaques, il ne s'était pas trompé : elles dataient de moins de huit jours. Auparavant, la Buick était immatriculée dans le Texas.

Intéressant.

Ripley se percha sur le coin du bureau qu'ils partageaient et but une gorgée du café que son frère semblait dédaigner.

— Pourquoi t'intéresses-tu à elle?

— Elle est curieuse.

— Curieuse comment?

Il réfléchit, puis secoua la tête.

— Pourquoi n'irais-tu pas faire un tour au café à l'heure du déjeuner? J'aimerais avoir ton avis.

— Je verrai.

Fronçant les sourcils, Ripley jeta un coup d'œil par la porte ouverte.

— Je crois qu'on va avoir de l'orage.

— Il n'y a pas le moindre nuage à l'horizon.

— N'empêche que quelque chose se prépare, marmonna-t-elle en attrapant sa casquette de base-ball. Je vais faire un tour ; je m'arrêterai peut-être au café.

— Prends ton temps. Je ferai la patrouille de l'après-midi sur la plage.

— Merci, fit Ripley avant de sortir.

Elle aimait son village et la façon dont la vie y était organisée. Selon elle, chaque chose avait sa place et devait y rester. Les caprices de la mer et de la météo ne la dérangeaient pas. Ils faisaient partie de l'ordre naturel des choses.

Juin signifiait un nouvel afflux de touristes, des températures qui variaient de chaud à très chaud, des fêtes échevelées, les habituels désordres, enfants perdus et querelles d'amoureux. Mais les touristes qui chantaient à tue-tête, buvaient comme des trous et se bagarraient étaient aussi ceux qui apportaient à l'île les dollars qui la maintiendraient à flot durant les tempêtes glacées de l'hiver.

Elle supporterait joyeusement – enfin, peut-être pas si joyeusement que ça – les étrangers et leurs problèmes afin de sauvegarder les Trois Sœurs.

Ces quelque trente kilomètres carrés de rochers, de sable et de terre étaient son univers.

Elle croisa des gens écarlates qui remontaient de la plage. Qu'on puisse rester des journées entières à se faire griller au soleil dépassait son entendement. Outre l'inconfort, l'ennui l'aurait rendue folle en moins d'une heure.

Non pas qu'elle n'aimât pas la plage. Été comme hiver, elle courait tous les matins le long du rivage, puis piquait une tête dans les vagues quand le temps le permettait. Sinon, elle allait faire quelques longueurs dans la piscine couverte de l'hôtel.

Résultat, elle avait un corps mince, athlétique et bronzé. Elle portait presque en permanence une veste et un pantalon kaki, et attachait le plus souvent ses longs cheveux bruns en queue-de-cheval.

Ses traits présentaient un curieux mélange : une bouche large dont la lèvre supérieure était un peu épaisse, un nez court, des sourcils sombres et arqués, et des yeux verts identiques à ceux de son frère. Enfant, elle se sentait mal dans sa peau, mais elle se plaisait à penser que l'habitude et l'âge aidant, elle avait cessé de s'inquiéter de son physique peu banal.

Elle pénétra dans le Café-Librairie, salua Lulu de la main et s'engagea dans l'escalier. Avec un peu de chance, elle éviterait Mia.

Hélas, la chance n'était pas avec elle.

Mia se tenait derrière le comptoir, splendide, comme à l'accoutumée. Bien que retenus en arrière, ses cheveux parvenaient quand même à éclairer son visage de leur exubérance fauve.

En comparaison, la fille qui travaillait à côté d'elle avait l'air soignée, presque collet monté.

Ripley lui accorda immédiatement sa préférence.

Glissant les pouces dans les poches arrière de son pantalon, elle s'approcha du comptoir d'une démarche arrogante.

— Shérif adjoint Todd, fit Mia en inclinant la tête. Qu'est-ce qui t'amène ici ?

Ripley ne prit pas la peine de lui répondre.

— Je prendrai la soupe et le sandwich du jour, dit-elle à Nell tout en l'observant avec attention.

— Nell, je te présente Ripley, l'infortunée sœur de Zack. Le fait qu'elle vienne déjeuner ici nous permet de supposer sans grand risque d'erreur que l'enfer a gelé.

— Ta gueule, Mia. Enchantée de faire votre connaissance, Nell. Donnez-moi aussi un citron pressé.

— Tout de suite, murmura Nell dont le regard se portait de l'une à l'autre.

Elle se hâta de disparaître dans la cuisine.

— J'ai entendu dire que tu l'avais ramassée pratiquement à la descente du ferry, reprit Ripley.

— Plus ou moins, répondit Mia en plongeant la louche dans la soupe. Fiche-lui la paix, Ripley.

— Pourquoi est-ce que je l'embêterais ?

— Parce que tu es toi.

Mia posa le bol de soupe sur le comptoir.

— Tu n'as rien remarqué de particulier en descendant du ferry, hier ?

— Non, répondit trop vite Ripley.

— Menteuse, riposta Mia à mi-voix comme Nell revenait avec le sandwich.

— Vous voulez une table, adjoint Todd ?

— Ouais, merci, répondit Ripley en sortant de l'argent de sa poche. Passe-moi un coup de fil, Mia, si tu as quelque chose à me dire.

Elle fit en sorte de s'asseoir au moment précis où Nell déposait la commande devant elle.

— Ça a l'air excellent.

— J'espère que ça vous plaira.

— J'en suis sûre. Où avez-vous appris à cuisiner ?

— Ici et là. Vous désirez autre chose ?

Ripley leva le doigt pour retenir Nell, prit une cuillerée de soupe et goûta.

— Non. C'est vraiment excellent. Hé, c'est vous qui avez fait ces gâteaux ?

— Oui.

— Un sacré travail.

— Je suis payée pour cela.

— Exact. Ne vous laissez pas faire avec Mia. Elle a tendance à exploiter les bonnes volontés.

— Au contraire, répliqua Nell d'une voix froide. Elle est incroyablement gentille et généreuse. Bon appétit.

Une fille loyale, jugea Ripley en attaquant son repas. Elle n'allait pas le lui reprocher. Polie, aussi, bien qu'un peu guindée. Comme si elle n'avait pas l'habitude d'avoir affaire à ses semblables.

Nerveuse aussi. Elle avait eu un mouvement de recul devant la passe d'armes, pourtant anodine, entre Mia et elle. Visiblement, il y avait des gens qui n'aimaient pas les conflits, même s'ils ne les concernaient pas.

Conclusion : Nell Channing n'était pas dangereuse. Et c'était une sacrée cuisinière.

Le repas la mit de si bonne humeur qu'elle prit le temps de s'arrêter devant le comptoir avant de sortir. C'était d'autant plus facile que Mia était occupée ailleurs.

— Bravo, vous avez gagné.

Nell se figea. Elle s'efforça d'afficher une expression neutre.

— Pardon ?

— À présent, je vais être obligée de venir déjeuner ici régulièrement, alors que ça fait des années que j'évite cet endroit. C'était délicieux.

— Oh, parfait.

— Vous avez peut-être remarqué que Mia et moi ne sommes pas exactement copines.

— Ça ne me regarde pas.

— Vous vivez sur cette île, les affaires de tout le monde sont vos affaires. Mais ne vous inquiétez pas, la plupart du temps nous réussissons à ne pas nous croiser. Vous ne serez pas prise entre deux feux. Je vais emporter deux de ces cookies au chocolat.

— C'est moins cher si vous en prenez trois.

— En voilà un piège ! Va pour trois. J'en donnerai un à Zack, et cela fera de moi une héroïne.

Enfin détendue, Nell glissa les cookies dans un sac en papier et annonça le montant. Mais quand elle prit l'argent de Ripley et que leurs mains se touchèrent, le choc ressenti lui coupa le souffle.

Ripley lui décocha un regard exaspéré, attrapa son sac et se dirigea à grands pas vers l'escalier.

— Adjoint Todd… ? appela Nell en serrant le poing. Vous avez oublié votre monnaie.

— Gardez-la, cria Ripley en dévalant les marches.

Les mains jointes, les sourcils haussés, Mia l'attendait au pied des marches. Ripley se contenta de grogner et poursuivit son chemin.

La tempête menaçait. Le ciel avait beau être dégagé et la mer calme, une tempête approchait. Sa violence rugissait dans les rêves de Nell et la tirait impitoyablement vers le passé.

L'immense maison blanche se dressait sur le tapis verdoyant de la pelouse. À l'intérieur, les angles étaient aigus, les panneaux nus, les couleurs froides.

À l'exception des roses rouge sang qu'il lui offrait jour après jour.

La maison vide semblait attendre.

Dans son sommeil, Nell se détourna, tenta de résister. Elle ne voulait pas entrer. Plus jamais.

Mais la grande porte s'ouvrit sur l'immense vestibule. Marbre, cristal et métal. Éclat froid des surfaces lisses.

Elle entra. Elle portait une élégante robe immaculée aux reflets glacés. Ses lèvres étaient du même rouge que les roses.

Il pénétra dans la maison à sa suite. Elle sentait sa main au creux de ses reins.

Il ressemblait à un prince, dans sa tenue de soirée sombre. Elle avait cru tomber amoureuse d'un personnage de conte de fées, avait cru à ses promesses de bonheur éternel. Ne l'avait-il pas emmenée dans ce palais ? Ne lui avait-il pas offert tout ce dont une femme pouvait rêver ?

Combien de fois ne le lui avait-il pas rappelé ?

Elle savait ce qui allait suivre. Elle était fatiguée et soulagée à la fois parce que la soirée était terminée et que tout s'était bien passé. Elle n'avait pas commis d'erreur, n'avait rien fait qui puisse le décevoir, l'embarrasser ou l'irriter.

Du moins le croyait-elle.

Jusqu'à ce qu'elle se retourne et voie son expression.

À peine le seuil franchi, il tombait le masque.

Et la peur, fidèle au rendez-vous, lui nouait l'estomac tandis qu'elle s'efforçait de deviner quelle sottise elle avait bien pu faire.

— *Tu t'es bien amusée, Helen ?*

— *Oui, c'était une magnifique soirée. Est-ce que tu veux que je te serve un cognac avant que nous allions nous coucher ?*

— *Tu as aimé la musique ?*

— *Beaucoup.*

La musique ? Avait-elle dit une ânerie à ce sujet ? Il lui arrivait d'être complètement stupide pour ce genre de choses. Elle parvint à réprimer un frisson lorsqu'il tendit la main pour jouer avec ses cheveux.

— *C'était agréable de danser dehors, près des fleurs.*

Elle tenta de reculer vers l'escalier, mais il lui agrippa les cheveux et la maintint sur place.

— *Tu n'avais pas l'air de t'ennuyer quand tu dansais avec Mitchell Rowlings, quand tu flirtais avec lui. Tu t'es exhibée. Tu m'as humilié devant mes amis, mes clients.*

— *Evan, je n'ai pas flirté, j'ai seulement…*

La gifle qu'il lui envoya à toute volée l'envoya rouler sur le sol. Aveuglée par la douleur, elle se recroquevilla pour se protéger, mais il se pencha, attrapa une poignée de cheveux et la traîna à travers le hall.

— *Combien de fois a-t-il posé les mains sur toi ?*

Elle eut beau nier, pleurer, il s'obstina à l'accuser de mille trahisons. Jusqu'à ce que, lassé, il la laisse ramper en sanglotant vers un coin de la pièce.

Mais, cette fois, dans son rêve, ce fut dans la pénombre de la forêt qu'elle se réfugia.

Et là, près du ruisseau qui bruissait doucement sur les galets, elle s'endormit.

Un coup de tonnerre ébranla le ciel en même temps qu'un éclair déchirait la nuit. Elle se réveilla, affolée.

À présent, elle courait entre les arbres, dans sa robe blanche trop visible. Le sang pulsait dans ses veines comme dans celles d'un gibier traqué. Les arbres s'écroulaient derrière elle, le sol se soulevait sous ses pieds, laissant échapper des nuages de vapeur.

Elle continuait à courir à perdre haleine, la gorge en feu. Le vent commença à mugir, la forêt s'emplit de cris qui n'étaient pas les siens. La terreur s'empara d'elle, irraisonnée, insurmontable.

Elle atteignit la falaise, l'escalada, s'accrochant tel un lézard à la moindre aspérité. Et soudain, pareil à une lame argentée, le faisceau lumineux du phare trancha l'obscurité, tandis qu'en contrebas la mer en furie se fracassait sur les rochers.

Elle se débattait, hurlait sans cesser de grimper. Elle était incapable de regarder en arrière. Affronter ce qui la poursuivait était au-dessus de ses forces.

Préférant la fuite au combat, elle se précipita dans le vide, à la rencontre des flots, en tournoyant longuement dans les airs. Et la falaise, le phare, les arbres, tout bascula à sa suite.

4

Nell profita de son premier jour de congé pour modifier la disposition des quelques meubles que contenait la maison. Elle arrosa ses plantes, fit sa lessive et mit au four une miche de pain.

Il était à peine 9 heures lorsque, un morceau de pain dans la poche de son short, elle partit faire une longue promenade sur la plage.

De nombreux bateaux voguaient déjà sur la mer calme, d'un bleu brumeux. Les vagues venaient mourir doucement sur le sable, abandonnant derrière elles des dentelles d'écume. Des goélands pirouettaient gracieusement dans le ciel et leurs longs cris stridents couvraient le roulement sourd et continu du ressac.

Nell lança des morceaux de pain en l'air, ravie de voir les grands oiseaux au ventre blanc piquer sur l'aubaine.

Les cloches de l'église se mirent à carillonner, et tandis que l'écho renvoyait le son joyeux, elle se laissa tomber sur le sable. Ici, elle avait trouvé la paix et la joie. Plus jamais elle ne prendrait l'une ou l'autre pour acquise. Et, chaque jour, elle donnerait quelque chose en retour, tendrait une main secourable à qui en aurait besoin.

Elle mériterait ce qui lui était offert et le chérirait.

Elle prendrait plaisir aux choses simples de la vie.

Forte de ces résolutions, elle se leva et entreprit de ramasser des coquillages. Quand ses poches furent pleines, elle ôta ses tennis et les remplit à leur tour. Elle parvint à l'extrémité de la plage, là où les rochers tombaient à pic dans la mer. Des galets gros comme la paume de la main couvraient le sable à cet endroit. Elle commençait à en ramasser, projetant d'en border sa plate-bande d'herbes aromatiques lorsqu'un mouvement sur sa gauche la fit se redresser brusquement. Son cœur se mit à battre à grands coups quand elle reconnut Zack qui descendait les marches en bois d'un escalier en zigzag.

— Bonjour, lança-t-il.

— Bonjour.

Automatiquement, elle jeta un regard par-dessus son épaule. Elle se sentit mal à l'aise. Le village était loin, et si la plage n'était plus déserte, les quelques promeneurs se trouvaient à une certaine distance.

— Belle journée pour se promener sur la plage, commenta-t-il en s'appuyant sur la balustrade. Vous avez fait une sacrée balade.

Il l'observait depuis qu'elle avait sorti du pain de sa poche pour nourrir les goélands. La rapidité avec laquelle son expression était passée de l'allégresse à la réserve craintive le bouleversa.

— Je ne m'étais pas rendu compte que je m'étais autant éloignée.

— Vous n'êtes jamais très loin de quoi que ce soit sur une île de cette dimension. La journée va être chaude, ajouta-t-il tranquillement. D'ici midi, la plage sera bondée. Autant en profiter avant qu'elle ne soit recouverte de serviettes et de corps.

— Oui. Eh bien…

— Montez.

— Pardon ?

— Venez à la maison. Je vais vous donner un sac pour les coquillages et les galets.

— Oh, ça ira ! Je n'ai pas vraiment besoin...

— Nell, ce sont les flics en général, les hommes en général, ou moi en particulier qui vous inquiètent ?

— Je ne suis pas inquiète.

— Prouvez-le.

Sans bouger, il lui tendit la main.

Elle le regarda dans les yeux. Il avait un regard intelligent, gentil. Et patient. Elle s'approcha lentement et prit sa main.

— Qu'est-ce que vous avez l'intention de faire avec ces coquillages ?

— Rien.

Son pouls battait la chamade, mais elle s'obligea à grimper avec lui les marches couvertes de sable.

— Enfin, rien d'extraordinaire. Juste les éparpiller sur le sol, je pense.

Il tenait sa main sans la serrer, mais elle sentait combien sa paume était dure et rugueuse. Il ne portait ni bague ni montre.

Pas de coquetterie, pas de chichi.

Comme elle, il était pieds nus. Son jean était usé aux genoux et l'ourlet était effiloché. Avec ses cheveux en bataille et sa peau bronzée, il ressemblait plus à un vagabond vivant sur la plage qu'à un flic. L'anxiété de Nell s'atténua.

Arrivés en haut des marches, ils suivirent un sentier qui montait légèrement. Baissant les yeux, elle aperçut au bas des rochers un petit bateau à la coque rouge qui dansait paresseusement contre une jetée branlante.

— On dirait un tableau, murmura-t-elle.

— Vous avez déjà fait de la voile ?

— Oui, un peu, dit-elle rapidement. Ce bateau est à vous ?

— Oui.

Il y eut soudain un grand plouf, et une tête noire apparut entre les rochers. La seconde d'après, un énorme chien sortait de l'eau et se secouait frénétiquement.

— Elle aussi, ajouta Zack. Vous n'avez pas peur des chiens ? Dites-le-moi tout de suite. Je peux la retenir et vous laisser une avance raisonnable.

— Non, j'aime bien les chiens.

Puis, clignant des yeux, elle lui glissa un regard oblique.

— Qu'entendez-vous par «une avance raisonnable» ?

Il ne prit pas la peine de répondre, se contentant de sourire tandis que l'animal les rejoignait en quelques bonds puissants. Sa queue dégoulinante fouettant joyeusement l'air, la chienne sauta sur Zack et lui lécha la figure. Après deux brefs aboiements sonores, elle banda ses muscles et aurait fait subir le même sort à Nell si son maître ne l'en avait empêchée.

— Elle s'appelle Lucy. Elle est gentille, mais très mal élevée. Couché, Lucy.

Lucy obéit, le corps vibrant d'énergie. Puis, manifestement incapable de se contrôler, elle sauta de nouveau sur Zack.

— Elle a deux ans, expliqua-t-il en la repoussant fermement. C'est un labrador. Il paraît qu'ils se calment avec l'âge.

— Elle est magnifique.

Nell caressa la douce tête noire. Ravie, la chienne roula sur le dos et offrit son ventre.

— Aucune pudeur, commenta Zack.

À sa grande surprise, Nell s'accroupit et frotta le ventre de Lucy, qui ferma les yeux d'extase.

— Pas besoin d'être pudique quand on est une belle fille, hein, Lucy ? Rien de tel qu'un beau grand chien, non ? J'ai toujours... Oh !

Dans sa joie, Lucy avait bondi sur ses pattes et renversé Nell sur le sol. Zack eut beau réagir prestement, il ne put empêcher la jeune femme de se faire piétiner et lécher.

— Bon sang, Lucy, non ! Je suis désolé. Vraiment.

Il écarta le chien d'une main et, de l'autre, aida Nell à se relever.

— Ça va ? Elle vous a fait mal ?

— Non, tout va bien.

L'incident lui avait certes coupé le souffle, mais si elle haletait légèrement, c'était pour une tout autre raison : Zack avait entrepris de brosser ses vêtements tandis que son chien, tête baissée, restait assis à l'écart, balayant consciencieusement le sol de sa queue. Son maître avait l'air mi-soucieux, mi-contrarié, mais pas le moins du monde irrité.

— Vous ne vous êtes pas cogné la tête, j'espère ? Cet animal pèse presque votre poids. Vous vous êtes fait mal au coude, non ?... Qu'y a-t-il de si drôle ? ajouta-t-il en la voyant pouffer de rire.

— Rien. C'est juste que c'est tellement adorable de la voir simuler la honte. Manifestement, elle a très peur de vous.

— Ouais, je la bats deux fois par semaine, qu'elle le mérite ou non.

Sa main parcourut le bras de Nell de haut en bas.

— Vous êtes sûre que ça va ?

— Certaine.

Elle se rendit compte qu'ils étaient dangereusement près l'un de l'autre, presque enlacés. Et que sa peau s'enflammait au contact de ses mains.

— Certaine, répéta-t-elle en reculant d'un pas. Il n'y a pas de mal.

— Vous êtes plus solide que vous n'en avez l'air.

Les bras de Nell étaient fins et cependant musclés, avait-il noté. Quant à ses jambes, il les avait déjà admirées.

— Venez à l'intérieur. Pas toi, ajouta-t-il en pointant un doigt accusateur sur la chienne. Tu es bannie.

Il ramassa les chaussures de Nell et se dirigea vers un large porche. Curieuse, et incapable de trouver une excuse pour refuser de le suivre, elle franchit la porte-moustiquaire qui ouvrait sur une grande cuisine en désordre.

— C'est la décennie de congé de l'employée de maison.

Visiblement à l'aise dans son propre fouillis, il posa les chaussures sur le sol et alla droit au réfrigérateur.

— Je n'ai pas de citronnade maison à vous offrir, en revanche, nous avons du thé glacé.

— C'est parfait, merci. Quelle merveilleuse cuisine !

— On s'en sert surtout pour réchauffer des plats préparés.

— C'est dommage.

Il y avait des mètres carrés de plans de travail et une multitude de placards munis de portes à petits carreaux. Au-dessus d'un double évier de belle taille, une fenêtre donnait sur la crique.

Avec un peu d'organisation et un brin d'imagination, songea-t-elle, il serait merveilleux de…

Nous ? Il avait dit « nous ». Il était marié ? Cette éventualité ne l'avait même pas effleurée. Non que cela ait une quelconque importance, bien sûr, mais…

Il avait flirté avec elle. Elle avait beau manquer de pratique et d'expérience en ce domaine, elle savait reconnaître quand un homme flirtait.

— Des tas de pensées se bousculent dans votre tête, remarqua Zack en lui tendant un verre. Il n'y en aurait pas une ou deux qu'on pourrait partager ?

— Non. J'étais seulement en train d'admirer cette pièce.

— Elle était beaucoup plus présentable quand ma mère tenait la maison. Maintenant qu'il n'y a plus que Ripley et moi, la cuisine est un peu délaissée.

— Ripley. Oh, je vois.

— Vous vous demandiez si j'étais marié, ou si je vivais avec quelqu'un qui n'était pas ma sœur. C'est gentil.

— Ça ne me regarde pas.

— Je n'ai pas dit que cela, j'ai juste dit que c'était gentil. Je vous ferais bien faire le tour de la maison, mais elle est probablement dans un état pire que la cuisine. Et vous me semblez aimer l'ordre. Venez plutôt par ici.

Il la prit de nouveau par la main et l'entraîna vers la porte.

— Où allons-nous ? Il faut vraiment que je songe à rentrer.

— C'est dimanche, et nous sommes tous deux en congé. J'ai quelque chose à vous montrer qui va vous plaire, poursuivit-il sans la lâcher.

Sur l'un des côtés de la maison se trouvait un jardin broussailleux, semé de quelques arbres noueux. Des marches usées par les intempéries menaient à une terrasse en surplomb qui faisait face à l'Océan.

L'air y était plus vif, et la lumière paraissait plus lumineuse encore. Un télescope se dressait près de la balustrade, à côté d'un pot de géraniums.

— Vous aviez raison, avoua Nell qui s'appuya sur la balustrade et inspira à fond. J'aime beaucoup cet endroit.

— Quand le ciel est bien dégagé, on aperçoit le continent, là-bas.

— Mais ce n'est pas dans cette direction qu'est orienté votre télescope.

— C'est vrai, admit Zack qui s'intéressait pour l'instant aux jambes de Nell.

— Et qu'est-ce que vous regardez ?

— Ce que je trouve joli.

Consciente de son regard insistant, elle s'éloigna, découvrit le village, au loin.

— Ce doit être tentant de rester ici toute la journée, fit-elle. D'observer les gens aller et venir.

— Je vous ai regardée ce matin, lorsque vous nourrissiez les goélands.

Il s'adossa à la balustrade, but une gorgée de thé.

— Ce matin, je me suis réveillé en me disant : aujourd'hui, tu vas te trouver une bonne raison de passer à côté du cottage jaune, histoire de jeter un coup d'œil sur Nell Channing. Puis je suis monté ici avec mon café, et vous étiez là. Du coup, je n'ai même pas eu besoin d'inventer un prétexte pour vous revoir.

— Shérif…

— C'est mon jour de congé, lui rappela-t-il.

Il leva la main pour toucher ses cheveux, mais son mouvement de recul le fit s'arrêter net.

— Et puisque c'est mon jour de congé et le vôtre, pourquoi ne pas en profiter pour passer une heure ou deux sur l'eau ? Ça vous dirait de faire de la voile ?

— Je ne peux pas. Il faut que…

— Vous n'avez pas besoin de vous inventer des excuses. Une autre fois, d'accord ?

— D'accord, répondit-elle, soulagée qu'il n'insiste pas. Il faut vraiment que j'y aille. Merci pour le verre, et pour la vue.

— Nell…

Il lui prit de nouveau la main, mais, sentant ses doigts frémir, il s'abstint de les serrer.

— Il y a une limite entre rendre une femme un peu nerveuse et lui faire peur. C'est une limite que je ne voudrais pas franchir. Quand vous me connaîtrez un peu mieux, vous me croirez, ajouta-t-il.

— En ce moment, je travaille à me connaître un peu mieux moi-même.

— Très bien. Je vais chercher un sac pour vos coquillages et vos galets.

Il mit un point d'honneur à s'arrêter au café tous les matins. Une tasse de café, un muffin, quelques mots. Afin qu'elle s'habitue à lui. Ainsi, pensait-il, lorsque l'occasion de passer un moment avec elle se représenterait, elle n'éprouverait plus l'irrésistible besoin de repérer l'issue de secours.

Il se rendait parfaitement compte que Nell n'était pas la seule à avoir remarqué son manège, mais il se souciait comme d'une guigne des commentaires taquins, des clins d'yeux entendus et des gloussements.

Debout sur le quai, il sirotait son café tout en écoutant Carl Macey pester.

— Trois fois cette semaine que je retrouve mes casiers vides. Et, en plus, ils ne prennent même pas la peine de les refermer. J'ai dans l'idée que ce sont les étudiants qui louent la baraque Boeing. Ouais !

Il s'interrompit, le temps de cracher, puis reprit :

— Je vais donner une leçon à ces gosses de riches ! Et je te prie de croire qu'ils s'en souviendront.

— Écoute, Carl, je crois en effet qu'il s'agit d'un truc de gamins. Le mieux est que j'aille leur dire un mot.

— Je suis allé voir Mia Devlin, et je lui ai demandé de jeter un sort à mes casiers, prévint le pêcheur, l'air sombre.

— Voyons, Carl...

— C'est mieux que de leur botter le cul, non ? Je te jure que c'est ce que je ferai la prochaine fois.

— Laisse-moi m'en occuper.

— Ça ne peut pas faire de mal de couvrir ses arrières, grommela Carl. En plus, pendant que j'y étais, j'ai jeté un coup d'œil à la nouvelle petite du continent.

Le visage ridé de Carl se plissa et il lâcha un hennissement.

— Je comprends pourquoi tu es devenu un habitué. Ah ouais… Des yeux pareils, c'est sûr que ça aide un homme à commencer la journée du bon pied.

— Carl, tu gardes ton revolver dans ton placard, je m'occupe de tout. Compris ?

Il passa au poste pour consulter la liste des locataires de l'été, puis se rendit à la villa Boeing avec la voiture de patrouille afin de donner à sa visite un caractère plus officiel.

La maison se trouvait un peu en retrait de la plage. Serviettes et maillots de bain séchaient sur une corde à linge, sous le porche. La table de pique-nique disparaissait sous les canettes de bière et les restes du dîner de la veille.

Il ne leur était même pas venu à l'idée de camoufler les preuves du délit, constata Zack en jetant un coup d'œil aux carapaces de homard vides. Il sortit son insigne de sa poche et l'épingla sur sa poitrine.

Il frappa à plusieurs reprises. La porte finit par s'ouvrir sur un garçon en caleçon rayé. Une vingtaine d'années, le cheveu ébouriffé, la paupière qui clignait.

— Ouais, coassa-t-il.

— Shérif Todd, de la police de l'île. Je peux entrer ?

— Porkafai ? Kerkilé ?

« Gueule de bois, dure soirée », estima Zack qui traduisit sans peine et répondit aux deux questions :

— Pour vous parler. Dans les 10 h 30. Tes copains sont là ?

— Quequ'part ? Problème ? Bon Dieu…

Le garçon fit la grimace, puis traversa le living-room en trébuchant, contourna le comptoir, ouvrit

74

le robinet à fond et plongea la tête sous le jet.

— Vous avez fait la fête, hein ? lança Zack lorsque le jeune homme refit surface, ruisselant.

— Devinez.

Il attrapa un paquet de serviettes en papier et s'essuya le visage.

— On a fait trop de bruit ?

— Je n'ai pas eu de plainte à ce sujet. Comment t'appelles-tu ?

— Josh. Josh Tanner.

— Eh bien, Josh, tu devrais réveiller tes copains. Je ne voudrais pas te faire perdre ton temps.

— Ouais, bon, d'accord.

Zack attendit en tendant l'oreille. Il y eut des jurons, des chocs sourds, un bruit de robinet, celui d'une chasse d'eau.

Les trois jeunes gens qui rappliquèrent avec Josh n'étaient pas au meilleur de leur forme. Ils avaient du mal à tenir debout, et l'un d'eux finit par s'écrouler sur une chaise en ricanant.

— C'est quoi, l'affaire ?

Un frimeur, jugea Zack.

— Tu t'appelles comment ?

— Steve Hickman.

L'accent de Boston. Le dessus du panier.

— Bien, Steve. Voilà l'affaire : braconner des homards, ça va chercher dans les mille dollars d'amende. Si ça vous amuse de vider en cachette des casiers et de faire bouillir quelques bestiaux, il y a des gens qui en vivent. La rigolade d'un soir pour vous, c'est de l'argent qui ne rentre pas dans leurs poches.

Les garçons se tortillaient d'un air gêné. Celui qui avait ouvert la porte avait rougi et évitait son regard.

— Ce que vous avez mangé hier soir vous aurait coûté dans les quarante dollars au marché. Alors, vous allez chercher un homme du nom de Carl Macey sur les quais. Vous lui donnez quarante dollars, et on oublie tout.

— Je ne sais pas de quoi vous parlez. Est-ce que ce Macey met une étiquette sur ses homards ? répliqua Steve avec un petit sourire arrogant tout en se grattant le ventre. Vous ne pouvez pas prouver qu'on a braconné quoi que ce soit.

— C'est vrai.

Zack examina la pièce, puis revint aux quatre garçons. Lesquels semblaient un peu nerveux, un peu honteux.

— Combien vous louez cette maison ? Dans les douze cent par semaine en pleine saison. Avec le bateau, ajoutez deux cent cinquante. Plus les distractions, la nourriture, les bières. Vous claquez pas loin de mille dollars par tête et par semaine.

— Qui assurent la survie économique de l'île, fit remarquer Steve sans cesser de sourire. C'est plutôt stupide de nous embêter pour deux malheureux homards prétendument braconnés.

— Peut-être. Mais c'est encore plus stupide de ne pas vous fendre de dix dollars chacun pour arranger les choses. Pensez-y. L'île est petite, conclut Zack en se dirigeant vers la porte. Et les gens parlent.

— C'est une menace ? Menacer de simples citoyens, ça pourrait se terminer par une plainte.

Zack secoua la tête.

— Je parie que tu es en première année de droit, lâcha-t-il avant de sortir.

Il traversa la cour et grimpa dans sa voiture. Appuyer sur deux ou trois boutons pour parvenir à ses fins ne lui prendrait guère de temps.

Ripley, qui descendait High Street, rencontra Zack devant *L'Auberge magique*.

— La carte de crédit du garçon aux homards est restée coincée dans la machine de la pizzeria, lui annonça-t-elle. Il a dû aller chercher du liquide pour payer son déjeuner.

— Sans blague ?

— Ouais. Et tu sais quoi ? Toutes les vidéos qu'ils voulaient louer étaient déjà prises.

— Pas de chance.

— Et j'ai entendu dire qu'aujourd'hui, tous les jet-skis étaient déjà réservés ou en panne.

— Une honte.

— Et pour couronner le tout, l'air conditionné de leur villa est tombé en panne.

— Mince. Ils vont avoir du mal à dormir ; il fait une chaleur à crever.

— Tu es un vrai salaud, Zachariah, déclara Ripley. C'est pour ça que je t'aime.

— Il va falloir que je devienne plus méchant. Ce petit Hickman est un dur. Les trois autres devraient rentrer dans le rang assez vite, mais avec celui-là, il faudrait se montrer un peu plus persuasif... Tu vas déjeuner au café ? demanda-t-il en passant le bras autour des épaules de sa sœur.

— Peut-être. Pourquoi ?

— Je pensais que tu pourrais me rendre un petit service, puisque tu m'aimes tant que ça.

Ripley tressaillit et le regarda d'un air suspicieux.

— Si tu comptes sur moi pour convaincre Nell d'accepter un rencard avec toi, laisse tomber.

— Je n'ai pas besoin de toi pour ça, merci.

— Pour l'instant, le score est à zéro.

— Mais je suis toujours en course, répliqua-t-il. En fait, j'aurais aimé que tu dises à Mia qu'on avait l'affaire des homards bien en main et... qu'elle ne fasse rien.

— Comment ça qu'elle ne fasse rien ? Qu'a-t-elle à voir là-dedans ?

Elle s'interrompit et ses yeux lancèrent des éclairs.

— Merde !

— Ne t'énerve pas. C'est juste que Carl a dû lui parler. Je préférerais que notre sorcière locale s'abstienne de concocter un sort, ou je ne sais quoi.

Zack resserra son étreinte sur les épaules de Ripley qui bouillait littéralement de colère.

— J'irais bien moi-même, mais les garçons aux homards devraient passer au poste dans quelques minutes. Je veux qu'ils m'y trouvent, l'air suffisant et autoritaire.

— D'accord, je vais lui parler.

— Vas-y mollo, Rip. Et rappelle-toi que c'est Carl qui est allé la voir.

— Ouais, je sais.

Elle se dégagea de son étreinte et traversa la rue au pas de charge.

Des sorcières et des sortilèges. Tout ça n'était qu'un tissu d'âneries ! se dit-elle. Un type comme Carl Macey devrait quand même le savoir. Que les touristes gobent les légendes des Trois Sœurs, très bien ! Ça faisait partie du folklore de l'île. Mais qu'un autochtone s'y mette, ça la fichait en rogne.

Ripley entra en coup de vent dans le Café-Librairie et lança un regard peu amène à Lulu qui était en train de faire l'addition d'un client.

— Où est-ce qu'elle est ?

— Là-haut. Plutôt occupée, aujourd'hui.

— Ouais, c'est une vraie petite abeille, grommela Ripley en se ruant dans l'escalier.

Mia parlait avec un client devant le rayon des livres de cuisine. Ripley montra les dents. Mia battit des cils. Frémissant d'impatience, Ripley se planta devant le comptoir, attendit son tour, puis commanda un café d'une voix sèche.

— Pas de déjeuner, aujourd'hui ? demanda Nell en déposant sa tasse devant elle.

— J'ai perdu l'appétit.

— Dommage, roucoula Mia dans son dos. La salade de homard est particulièrement bonne, aujourd'hui.

Ripley se contenta de lui faire signe de la suivre avant de se glisser derrière le comptoir pour entrer dans la cuisine. Les poings sur les hanches, elle fit face à Mia.

— Zack et moi, nous nous occupons du problème. Je veux que tu restes en dehors de ça.

— Pour rien au monde je n'interférerais avec la loi de mon pays, protesta Mia d'une voix onctueuse.

— Excusez-moi, fit Nell, du seuil, en se raclant la gorge. Il faut que je prépare des sandwiches.

— Vas-y, dit Mia. Je pense que l'adjoint Fife et moi avons presque terminé.

— On n'est pas dans *Macbeth*. Économise tes commentaires idiots.

— C'est ce que je fais. Je les garde en réserve pour toi.

— Je ne veux pas que tu interviennes de quelque manière que ce soit. Et je veux que tu appelles Carl pour lui dire que tu n'as rien fait.

— Trop tard, répliqua Mia avec un grand sourire. C'est déjà fait. Un sort très simple. Même quelqu'un d'aussi peu doué que toi aurait pu y arriver.

— Annule-le.

— Non. En quoi cela t'ennuie-t-il, d'ailleurs ? Puisque tu affirmes ne pas croire en notre art.

— Je n'y crois pas. Mais je sais comment les rumeurs se propagent dans le coin. Si quoi que ce soit arrive à l'un de ces garçons…

— Ne m'insulte pas ! rétorqua Mia, soudain sérieuse. Tu sais très bien que je ne ferai rien qui puisse les mettre en danger, ni eux ni qui que ce soit. C'est l'essence même de notre art. Et c'est ce qui te fait peur. Tu crains de ne pouvoir contrôler tes pouvoirs.

— Je ne crains rien du tout. N'essaye pas de m'entraîner sur cette voie-là.

Elle désigna Nell qui s'affairait un peu plus loin.

— Et tu n'as pas le droit de l'entraîner, elle non plus.

— Je ne décide pas du scénario, Ripley. Je me contente de le lire. Tout comme toi.

— Parler avec toi est une perte de temps, rugit Ripley en quittant la cuisine à grandes enjambées.

Mia laissa échapper un léger soupir, seul signe de désarroi.

— Les discussions avec Ripley ne mènent jamais à grand-chose. Il ne faut pas que cela t'inquiète, Nell.

— Cela ne me concerne pas.

— Je sens ton anxiété. Les gens se disputent, parfois très fort. Ils n'utilisent pas forcément leurs poings pour résoudre leurs conflits.

Elle se plaça derrière Nell et commença à lui masser les épaules.

— Détends-toi. La tension, c'est mauvais pour la digestion.

À son contact, Nell sentit une douce chaleur l'envahir.

— Je vous aime toutes les deux, c'est pourquoi ça me fait de la peine que vous vous détestiez

— Je ne déteste pas Ripley. Elle m'agace, elle m'exaspère, mais je ne la déteste pas. Tu te demandes de quoi nous parlions, mais tu ne poseras pas la question, n'est-ce pas, petite sœur?

— Non, je n'aime pas les questions.

— Moi, au contraire, elles me fascinent. Il faut qu'on parle sérieusement, toi et moi.

Mia s'écarta, attendit que Nell prenne le plateau qu'elle venait de préparer et pivote vers elle.

— Ce soir, j'ai des choses à faire. Alors, disons demain. Je t'invite à prendre un verre. À 5 heures à *L'Auberge magique*. Dans le salon qui porte le nom de « Rendez-vous des sorcières ». Tu peux laisser tes questions chez toi, si tu préfères. De toute façon, j'apporterai les réponses.

5

Tout se déroula à peu près comme prévu. Trois des étudiants capitulèrent sans résistance. Mais Hickman voulut prouver qu'il était plus malin, plus courageux, et beaucoup plus intelligent que le petit shérif d'une île paumée.

Du quai, Zack vit le bateau de location prendre la direction des casiers à homards. Déjà, le gamin se mettait en tort. Sortir de nuit sans feux de navigation allait lui coûter cher.

Mais ce n'était rien à côté de ce que coûterait à son père ce petit acte de défi.

Enfin, cela lui servirait de leçon, songea Zack qui, voyant le garçon s'apprêter à hisser un casier, lâcha ses jumelles pour saisir sa torche électrique.

Un cri d'une stridence presque féminine le fit sursauter. Un léger brouillard rampait à la surface de l'eau, si bien que le bateau paraissait danser sur un nuage. Immobile, le garçon tenait le casier à deux mains, une expression de pure horreur peinte sur les traits.

Avant que Zack ait le temps de l'appeler, le jeune homme avait rejeté son butin à l'eau où il basculait à son tour.

— Et merde! grommela Zack, irrité à l'idée de devoir terminer sa journée trempé comme une soupe.

Il courut au bout du quai et décrocha une bouée

de sauvetage. Le gamin criait avec plus d'énergie qu'il ne nageait.

— Attrape ça ! cria Zack en lui jetant la bouée. Je n'ai pas envie d'aller te repêcher.

— Au secours !

Le garçon battait des mains, avalait de l'eau, toussait. Il réussit enfin à agripper la bouée.

— Ils me dévorent la figure !

— Tu y es presque, dit Zack en s'agenouillant pour lui tendre la main. Allez, grimpe. Tu es encore en un seul morceau

— Ma tête ! Ma tête !

Steve se hissa sur le quai et s'affala à plat ventre.

— J'ai vu ma tête dans le casier. Ils étaient en train de la dévorer.

— Elle est toujours sur tes épaules, fiston. Reprends ton souffle. Tu as eu une hallucination. Tu as bu un coup de trop, c'est tout.

— J'ai vu... J'ai vu.

Il s'assit et se palpa le visage en tremblant de tous ses membres.

— Le brouillard, la nuit, l'eau, plus deux ou trois bouteilles de bière... ce sont des choses qui arrivent, assura Zack. Tu te sentiras mieux quand tu auras donné ses quarante dollars à Carl. En fait, pourquoi n'irais-tu pas le payer ce soir même ? Tu dormiras mieux, je t'assure.

— Ouais. Sûr. Vous avez raison.

— Parfait, conclut Zack en l'aidant à se mettre debout. Je m'occuperai de ramener le bateau, ne t'inquiète pas.

Sacrée Mia ! On ne pouvait lui reprocher de manquer d'imagination.

Calmer le garçon, le ramener chez lui, régler l'affaire avec Carl, et enfin s'occuper du bateau prirent un sacré bout de temps. Résultat, Zack finit par s'endormir au poste peu avant 3 heures du matin.

Il se réveilla deux heures plus tard, le dos raide et de mauvaise humeur. Ripley assurerait la permanence du matin, décréta-t-il en se dirigeant vers sa voiture.

Il avait l'intention de rentrer droit chez lui, mais, depuis quelques jours, il avait pris l'habitude de faire un détour par le cottage jaune à la fin de son service. Juste pour vérifier que tout allait bien.

C'est donc ce qu'il fit, presque machinalement. Il nota tout de suite qu'il y avait de la lumière. Cédant autant à l'inquiétude qu'à la curiosité, il s'arrêta.

La cuisine étant éclairée, il se dirigea vers la porte de derrière. Il s'apprêtait à frapper lorsqu'il aperçut Nell de l'autre côté de la moustiquaire, brandissant des deux mains un long couteau effilé.

— Si je vous dis que je passais dans le coin, vous n'allez pas m'étriper ?

Nell lâcha le couteau qui tomba bruyamment sur la table.

— Désolé de vous avoir fait peur. J'ai vu de la lumière et… Hé, là !

Voyant qu'elle vacillait, il franchit la porte en trombe, l'empoigna par les bras et l'aida à s'asseoir.

— Respirez à fond. Baissez la tête. Seigneur, Nell, je suis désolé !

Il lui caressa les cheveux, lui tapota le dos, hésitant à courir lui remplir un verre d'eau de crainte qu'elle ne bascule en avant.

— Ça va aller, balbutia-t-elle. J'ai entendu des pas dans la nuit. C'est si calme ici… Les pas se sont rapprochés et… et voilà.

Elle avait eu envie de fuir à toutes jambes dans la direction opposée. Elle ne se souvenait pas de s'être emparée d'un couteau, s'étonnait même d'en avoir eu le courage.

— Je vais vous chercher de l'eau.

— Non, je vais bien.

À vrai dire, elle était mortifiée.

— Je ne m'attendais pas à une visite.

— Normal. Il est à peine 5 h 30.

Il s'assit sur les talons et, scrutant son visage, nota avec soulagement que ses joues avaient repris des couleurs.

— Que faites-vous debout si tôt le matin ?

— D'habitude, je me lève vers…

Le minuteur du four bourdonna et elle se leva d'un bond.

— Mon Dieu, mes muffins ! À ce rythme-là, j'aurai de la chance si je survis jusqu'à l'aube.

Elle se hâta de les sortir du four et d'y glisser la fournée suivante.

— Je ne pensais pas que vous commenciez à travailler d'aussi bonne heure.

Il regarda autour de lui et se rendit compte qu'elle devait être debout depuis déjà un certain temps. Quelque chose frémissait sur le feu. Une grosse boule de pâte attendait dans une jatte, sur le plan de travail. À côté de la cuisinière, un torchon recouvrait un plat creux. Et, visiblement, elle était en train de pétrir le contenu d'un troisième récipient quand il avait surgi sans prévenir.

— Et, moi, je ne pensais pas que vous travailliez aussi tard, dit-elle en se remettant à la tâche.

— D'habitude, non. J'avais un truc à finir hier soir et, quand tout a été bouclé, je me suis endormi dans le fauteuil de mon bureau. Nell, si vous ne me donnez pas une tasse de ce café, je vais me mettre à pleurer. Et ça va nous gêner tous les deux.

— Oh, désolée ! Euh…

— Continuez à travailler. Où sont les tasses ?

— Dans le placard à droite de l'évier.

— Vous voulez que je complète la vôtre ?

— Pourquoi pas ?

Il se versa une tasse et remplit celle de Nell.

— Vous savez, j'ai l'impression qu'il y a quelque chose qui ne va pas dans ces muffins.

La jatte calée au creux du bras, elle se retourna. Son visage reflétait un mélange d'inquiétude et d'indignation.

— Que voulez-vous dire ?

— Je ne sais pas, il y a un truc. Vous devriez me laisser en goûter un, pour vérifier.

Il lui décocha un sourire gamin.

— Pourquoi est-ce que vous ne m'en demandez pas un, tout simplement ? s'écria-t-elle en riant.

— C'était plus drôle comme ça. Non, laissez. Je peux me servir.

Il en préleva un tout chaud sur la plaque, se brûlant les doigts au passage.

— C'est sûr que j'ai un faible pour vos muffins, Nell.

— M. Bigelow préfère mes feuilletés à la crème. Il prétend que si je lui en faisais tous les jours, il m'épouserait et qu'on irait s'installer à Bimini.

— La compétition va être rude.

Célibataire endurci, Lancefort Bigelow affichait quatre-vingt-dix printemps.

Tout en dégustant son muffin, Zack la regarda s'affairer. Il n'y avait pas un temps mort. Elle était parfaitement organisée, et il en fut impressionné.

— Vous êtes très au point, commenta-t-il. Où avez-vous appris à faire de la pâtisserie ?

— Ma mère…

Elle s'interrompit. Le calme de la cuisine, les bonnes odeurs, l'ambiance détendue aidant, il était facile de se laisser aller à en dire trop.

— Ma mère aimait bien ça, reprit-elle. Et j'ai ramassé des recettes et des petits trucs ici et là.

Il n'aimait pas la voir se crisper, aussi n'insista-t-il pas.

— Vous faites parfois des petits pains à la cannelle ? Vous savez, ceux avec un glaçage bien collant ?

— Mmm... fit-elle en commençant à découper la pâte.

— Moi, ça m'arrive d'en préparer.

— Vraiment ? s'étonna-t-elle en lui jetant un coup d'œil.

Il avait l'air tellement... masculin, ainsi appuyé au plan de travail, les chevilles croisées et une tasse de café à la main, qu'elle l'imaginait mal en train de cuisiner de délicates petites choses.

— Je vous donne ma recette, elle est infaillible. Vous achetez ces tubes tout prêts. Vous les tapez sur la table de travail pour en faire sortir la pâte débitée en tronçons que vous mettez au four. Une fois qu'ils sont cuits, il ne reste plus qu'à presser le tube qui contient le glaçage. C'est tout simple !

Elle s'esclaffa.

— Il faudra que j'essaye, un de ces jours.

Elle ouvrit le réfrigérateur et en sortit une jatte.

Il finit sa tasse et la déposa dans l'évier.

— Je ferais mieux de rentrer chez moi et de ne plus traîner dans vos jambes. Merci pour le café.

— Il n'y a pas de quoi.

— Et pour le muffin. Il était parfait.

— Je suis soulagée.

Debout devant la table, elle remplissait méthodiquement les rondelles de pâte. Lorsqu'il fit un pas vers elle, elle se raidit un peu mais continua son travail.

— Nell ?

Elle leva les yeux. La garniture tomba de sa cuillère quand il lui effleura la joue.

— J'espère vraiment que ça ne vous dégoûte pas, fit-il.

Il se pencha et posa ses lèvres sur les siennes.

Elle demeura immobile. Ses yeux grands ouverts demeurèrent soudés à ceux de Zack. Elle le fixait tel un chevreuil pris au piège.

Ses lèvres étaient chaudes, constata-t-elle. Et plus douces qu'il n'y paraissait. Il ne la toucha pas. S'il avait posé les mains sur elle à ce moment-là, elle aurait sûrement fait un bond d'un mètre.

Mais il se contenta de frôler sa bouche.

Il s'était attendu qu'elle soit contrariée, ou que cela ne l'intéresse pas. Pas qu'elle ait peur. Et ce fut ce qu'il perçut, une anxiété qui pouvait facilement se muer en peur. Aussi évita-t-il de la toucher comme il en avait envie, pas même une légère caresse le long des bras.

Si elle avait reculé, il n'aurait pas tenté de la retenir. L'immobilité absolue de Nell constituait son unique défense. Il s'écarta le premier, feignant la désinvolture alors qu'il avait les tripes nouées. En cet instant, ce n'était pas le désir qu'elle lui inspirait qui le rongeait, mais une fureur froide à l'encontre du salaud qui lui avait fait du mal.

— Il semble que j'aie aussi un faible pour autre chose que vos muffins, murmura-t-il en glissant les mains dans ses poches. À plus tard.

Il sortit en espérant que leur baiser ainsi que son départ décontracté donneraient à la jeune femme matière à réflexion.

Après cela, comment dormir ? Résigné, il fit plaisir à Lucy en l'emmenant prendre un bain matinal dans la crique. La nage et les ébats joyeux de la chienne dissipèrent une bonne partie de ses courbatures et de sa frustration.

Il regarda Ripley achever son footing sur la plage puis plonger dans les vagues. Réglée comme du papier à musique, songea-t-il. Il ne savait pas toujours ce qu'elle avait en tête, ni comment fonctionnait son cerveau, mais il était rare qu'il ait à se tracasser pour elle.

Lorsqu'elle fit demi-tour, Lucy se précipita à sa rencontre, et les deux femelles dégoulinantes luttèrent un instant avant de faire la course. Toutes deux le rejoignirent sur le porche. Lucy s'affala à ses pieds, épuisée, tandis que Ripley sifflait une bouteille d'eau.

— Maman a téléphoné, hier soir, fit-elle en se laissant tomber sur une chaise longue. Ils sont arrivés au Grand Canyon. Ils nous envoient six millions de photos que papa a prises avec son appareil numérique. J'ai peur de me mettre au téléchargement.

— Désolé d'avoir raté l'appel.

— Je leur ai dit que tu étais en planque… Tu as du nouveau au sujet de l'affaire des homards ?

— Oh, oui !

Il lui raconta le dénouement de l'histoire, ce qui déclencha un hurlement de rire.

— Je savais bien que j'aurais dû t'accompagner. Quel crétin ! Il devait en tenir une bonne. Je parle du type des homards, pas de toi.

— Je m'en doutais. Il n'était pas si saoul que ça, Rip.

Elle leva la main pour le faire taire.

— Ne commence pas avec ces salades ! Ne me gâche pas ma bonne humeur en me parlant de Mia et de ses fichus trucs de sorcière.

— Comme tu veux.

— Je fais toujours ce que je veux. Et je vais commencer par prendre une douche, et j'enchaînerai avec la première patrouille. Tu dois être lessivé.

— Ça va. Écoute…

Il se tut, cherchant ses mots.

— J'écoute.

— En rentrant, je suis passé près du cottage jaune. Comme il y avait de la lumière, je me suis arrêté.

— Ha, ha, taquina-t-elle.

— Idiote. J'ai pris une tasse de café et un muffin.

— Oh, Zack! Ça me navre d'entendre ça.

En temps normal, il aurait ri. Au lieu de quoi, il se leva et s'approcha de la rambarde.

— Tu la vois presque tous les jours, reprit-il. Vous êtes amies, non?

— Nos relations sont plutôt amicales, en effet. C'est difficile de ne pas l'aimer.

— Lorsqu'elles sont amies, les femmes se font volontiers des confidences, non?

— Probablement. Tu veux que je lui demande si elle t'aime assez pour aller au cours de danse avec toi?

Elle se mit à rire, mais s'interrompit dès qu'il se retourna et qu'elle vit son expression.

— Hé, je suis désolée, je ne savais pas qu'on parlait sérieusement. Qu'y a-t-il?

— Je pense qu'on l'a maltraitée.

— Ça alors! s'exclama Ripley. C'est horrible.

— Une espèce de salaud l'a maltraitée, j'en suis sûr. J'ignore si elle a bénéficié de l'aide d'un psy ou des conseils d'un avocat, mais il me semble que ça lui ferait du bien d'avoir… tu vois ce que je veux dire, une amie. Quelqu'un à qui parler.

— Zack, tu sais que je ne suis pas douée pour ce genre de choses. C'est toi qui l'es.

— Je ne suis pas équipé correctement pour être la confidente de Nell, Rip. Essaie de voir si tu peux passer un peu de temps avec elle. Faire un tour en bateau, ou des courses, ou…

Il fit un geste vague.

— … vous vernir ensemble les ongles de pieds.

— Pardon?

— Arrête. Je ne sais pas ce que vous faites dans vos antres mystérieux quand il n'y a pas d'homme dans les parages.

— On fait des batailles de polochons en sous-vêtements.

Il rit, mais pour lui faire plaisir.

— C'est vrai ? J'avais peur que ce ne soit qu'un mythe. Allez, sois gentille, tu veux ?

— Est-ce que tu as un faible pour elle ?

— Ouais. Et alors ?

— Alors, je pense que je vais être gentille.

Nell pénétra dans le *Rendez-vous des sorcières* à 5 heures pile. La pièce n'était pas sombre et bizarre, comme elle l'avait craint, mais au contraire plutôt douillette.

La lumière était tamisée, les tables rondes ornées d'un bouquet et entourées de fauteuils profonds. Sur le bar bien astiqué, les verres étincelaient. Elle était à peine assise qu'une jeune serveuse posa devant elle un bol argenté rempli de biscuits apéritif.

— Vous voulez boire quelque chose ?

— J'attends quelqu'un. Un verre d'eau minérale pour le moment, merci.

Les seuls autres clients étaient un couple plongé dans une brochure touristique. Des haut-parleurs discrets diffusaient une musique douce qui rappelait celle de la librairie.

Dix minutes plus tard, Mia fit son apparition, vêtue d'une ample jupe longue qui ondoyait autour de ses chevilles, un livre à la main.

— Un verre de cabernet, Betsy, lança-t-elle en adressant un signe amical à la serveuse.

— Le premier verre est sur le compte de Carl Macey, annonça celle-ci avec un clin d'œil.

— Tu le remercieras de ma part, fit Mia en s'installant en face de Nell. Tu bois de l'alcool ? ajouta-t-elle à l'intention de la jeune femme.

— De temps en temps.

— Qu'est-ce qui te ferait plaisir ?

— Le cabernet ira très bien. Merci.

— Deux, Betsy. Hmm, j'adore ces trucs-là, dit Mia en picorant dans le bol. Tiens, je t'ai apporté un cadeau.

Elle poussa le volume vers Nell.

— J'ai pensé que ça te ferait plaisir de lire quelque chose sur l'endroit où tu as choisi de vivre.

— J'en avais justement l'intention. *Les Trois Sœurs, Légendes et Traditions*, lut-elle sur la couverture. Merci.

— Te voilà installée, tu commences à te sentir à l'aise. Je voudrais d'abord te dire que je suis on ne peut plus contente de ton travail.

— Ça me fait plaisir de l'entendre. J'adore travailler au Café-Librairie.

— Ah, c'est vous, Nell ! s'écria Betsy qui apportait les verres. Chaque fois que je passe, vous venez de partir. Super, les cookies.

— Merci.

— Je vous laisse. Faites-moi signe si vous avez besoin de quoi que ce soit.

— Bon, fit Mia en levant son verre qu'elle cogna doucement contre celui de Nell. *Slainte*.

— Pardon ?

— C'est du gaélique. Ça signifie : « À ta santé ».

Mia porta son verre à ses lèvres et regarda Nell par-dessus le bord.

— Que sais-tu sur les sorcières ?

— Quel genre ? Elizabeth Montgomery, dans *Ma sorcière bien-aimée*, ou celles qui portent des breloques en cristal, brûlent des chandelles et vendent des élixirs d'amour ?

— Je ne pensais ni à une actrice ni aux diseuses de bonne aventure, répondit Mia en riant.

— Je ne voulais pas être offensante. Je sais qu'il y a des gens qui prennent la chose très au sérieux. Ils y voient une sorte de religion. Ils méritent le respect.

— Même s'ils sont dingues.

— Tu n'as rien d'une dingue. Enfin, j'ai cru comprendre... Tu en as parlé le premier jour, et puis, hier, avec Ripley.

— Bien. Donc, nous avons établi que j'étais une sorcière.

Elle avala une gorgée de vin et reprit :

— Tu es gentille, Nell. Tu essaies de discuter calmement, intelligemment, alors que tu me trouves... disons... excentrique. Bon, laissons cela de côté pour le moment. Tu as entendu parler du procès des sorcières de Salem ?

— Bien sûr. Des jeunes filles hystériques. Des puritains fanatiques. La populace qui prend peur. Une sorcière brûlée vive.

— Pendue, corrigea Mia. Dix-neuf personnes, toutes innocentes, ont été pendues en 1692. Un homme a été torturé à mort parce qu'il refusait de se déclarer innocent ou coupable. D'autres sont morts en prison. Il y a eu des chasses aux sorcières à toutes les époques. Ici, en Europe, dans le monde entier. Même lorsque la plupart des gens ont cessé de croire, ou même d'admettre que l'on puisse croire à la sorcellerie, il y a eu des persécutions. Le nazisme, le maccarthysme, le Ku Klux Klan, et d'autres mouvements du même acabit. Ce n'étaient que des fanatiques qui possédaient le pouvoir et trouvaient suffisamment d'esprits faibles pour faire le sale boulot à leur place.

« Attention, se dit Mia en reprenant son souffle, il ne faut pas que je me lance sur ce sujet, sinon je ne pourrai plus m'arrêter. »

— Mais, aujourd'hui, nous ne nous intéresserons qu'à un seul point d'histoire.

S'adossant à son siège, elle enchaîna :

— Les puritains ont débarqué en Amérique en quête, prétendaient-ils, de liberté religieuse. En fait, beaucoup d'entre eux ne cherchaient qu'à imposer leurs croyances et leurs craintes. À Salem, ils ont persécuté et assassiné aveuglément, si aveuglément que pas une des dix-neuf âmes qu'ils ont condamnées n'était celle d'une sorcière.

— Les préjugés et la peur interdisent la clair-voyance.

— Bien dit. Il y avait cependant trois sorcières à Salem. Des femmes qui avaient choisi ce lieu pour vivre et exercer leur art. Des femmes qui avaient mis leur pouvoir au service des malades et des malheureux. Ces trois-là ont compris qu'elles ne pouvaient demeurer dans un lieu où, tôt ou tard, elles seraient accusées et condamnées. C'est ainsi qu'a été créée l'île des Trois Sœurs.

— Créée ?

— On raconte qu'elles se sont réunies en secret, qu'elles ont jeté un sort et qu'une partie de la terre fut arrachée du continent. Nous vivons actuellement sur ce morceau de terre qu'elles ont emporté. Un sanctuaire. Un havre. N'est-ce pas ce que tu es venue chercher, Nell ?

— Je suis venue chercher du travail.

— Et tu l'as trouvé. Ces trois sorcières s'appelaient Air, Terre et Feu. Pendant des années, elles ont vécu paisiblement. Et seules. C'est la solitude qui les a affaiblies. Celle qu'on appelait Air désirait aimer et être aimée.

— Tout le monde le désire, murmura Nell.

— Peut-être. Elle rêvait d'un beau prince charmant blond qui l'emmènerait dans quelque endroit magnifique où ils seraient heureux et auraient beaucoup d'enfants. Bref, le genre de rêve que nourrissent d'innombrables femmes en mal d'amour. Un homme est venu, effectivement, et elle n'a vu qu'une chose, qu'il était blond comme les blés et très beau. Elle l'a suivi, a renoncé à son havre de paix. Elle a essayé d'être une épouse dévouée, elle a porté ses enfants et les a aimés. Mais, pour lui, ce n'était pas suffisant. Sous son apparence lumineuse, son âme était noire. Peu à peu, elle s'est mise à avoir peur de lui, et lui s'est nourri de sa peur. Une nuit, cette avidité l'a rendu fou, il l'a tuée pour la punir d'être ce qu'elle était.

— Quelle triste histoire, murmura Nell.

Elle avait la gorge sèche, et cependant ne touchait pas à son verre.

— Ce n'est pas fini, mais cela suffit pour le moment. Chacune des trois sœurs a eu une histoire triste et une fin tragique. Mais toutes ont laissé un héritage. Une fille, qui porterait une fille qui porterait une fille, et ainsi de suite. Un jour viendrait, fut-il prédit, où trois de leurs descendantes seraient réunies sur l'île. Chacune devrait trouver le moyen de réparer l'erreur de son aïeule, empêchant ainsi qu'elle ne se reproduise, comme c'est le cas depuis trois cents ans. Sinon, l'île basculerait dans la mer. Elle disparaîtrait, à l'image de l'Atlantide.

— Les îles ne basculent pas dans la mer.

— Habituellement, les îles ne sont pas non plus créées par trois femmes, répliqua Mia. Si tu crois à la première partie de l'histoire, la seconde n'est pas beaucoup plus étrange.

— Et, toi, tu y crois, observa Nell. Et aussi que tu es l'une des descendantes.

— Oui. Tout comme toi.

— Je ne suis personne.

— Là, c'est lui qui parle, pas toi. Je suis désolée.

Regrettant aussitôt sa remarque, Mia tendit le bras et saisit la main de Nell avant qu'elle ait le temps de se lever.

— J'ai promis de ne pas fourrer le nez dans tes affaires, et je ne le ferai pas. Mais ça m'ennuie de t'entendre dire que tu n'es personne. De sentir que tu le penses vraiment. Oublie tout le reste pour le moment s'il le faut, mais n'oublie pas qui tu es ni ce que tu es. Tu es une femme intelligente et tu as assez de courage pour te faire une vie à toi. Tu as un don – magique – pour la cuisine. Je t'admire.

— Excuse-moi, fit Nell qui, luttant pour se ressaisir, prit son verre. Je reste sans voix.

— Tu as eu le courage de voler de tes propres ailes. De débarquer dans un drôle d'endroit et de t'y intégrer.

— Le courage n'a rien à voir là-dedans.

— Tu te trompes. Il ne t'a pas brisée.

— Si.

Malgré elle, les yeux de Nell s'emplirent de larmes.

— Je me suis contentée de ramasser les morceaux et de m'enfuir.

— Tu as ramassé les morceaux, tu t'es échappée et tu as reconstruit. Est-ce qu'il n'y a pas là de quoi être fière ?

— Je ne peux pas t'expliquer ce que c'était.

— Rien ne t'y oblige. Mais, un jour ou l'autre, tu devras reconnaître tes propres pouvoirs. Tu ne te sentiras entière que lorsque tu l'auras fait.

— Je cherche seulement à mener une vie normale.

— Tu ne peux laisser de côté les possibilités dont tu disposes.

Mia tendit la main, et attendit.

Incapable de résister, Nell l'imita et appliqua sa paume sur la sienne. Et sentit la chaleur, la brûlure indolore d'une puissance étrange qui l'envahissait.

— C'est en toi. Je t'aiderai à le découvrir. Je t'apprendrai, reprit Mia.

Nell, abasourdie, regarda fixement la lueur vacillante entre leurs deux paumes.

— Quand tu seras prête.

Ripley parcourut la plage du regard et ne vit rien qui sortît de l'ordinaire. Un mouflet piquait une colère en hurlant d'une voix stridente : « Non ! Non ! Non ! »

« En voilà un qui serait mieux dans son lit à faire la sieste », songea-t-elle.

Éparpillés sur le sable, les touristes avaient marqué leur territoire à l'aide de serviettes, couvertures, parasols, glacières... Personne ne venait plus à la plage les mains dans les poches. Pour passer une journée au bord de l'eau, ils emportaient autant de choses que s'ils partaient en Europe.

Des vacanciers nomades. Des Bédouins estivaux.

Les laissant à leurs occupations, Ripley prit la route du village. Elle-même ne trimballait rien d'autre que son uniforme, un couteau suisse et quelques dollars. La vie était plus simple ainsi.

Elle tourna dans High Street avec l'intention de dépenser ces quelques dollars dans une pizza accompagnée d'une bière bien fraîche. Elle n'était pas de service, pour autant qu'elle ou Zack pouvait être déchargé de toute obligation.

Nell, l'air ahuri, se tenait devant l'hôtel. Ripley hésita. Pour entamer une amitié, le moment se prêtait aussi bien qu'un autre, décida-t-elle.

— Hé, Nell !

— Quoi ? Oh, salut, Ripley.

— Tu as l'air un peu perdue.

— Non.

Elle savait parfaitement où elle était. C'était d'ailleurs la seule chose dont elle fût certaine pour l'instant.

— Juste un peu distraite.

— Longue journée, hein ? Écoute, je m'apprêtais à dîner rapidement. Il est un peu tôt, mais je meurs de faim. Tu ne veux pas qu'on se partage une pizza ? Je t'invite.

— Oh, fit Nell qui n'en finissait pas de cligner des yeux, comme quelqu'un qui sort d'un rêve.

— Au *Surfside*, ils font les meilleures pizzas de l'île. Remarque, c'est la seule pizzeria, mais quand même… Comment ça va, au café ?

— Bien.

Incapable de se concentrer, les doigts encore parcourus de mille picotements, Nell n'eut d'autre choix que de suivre Ripley.

— Qu'est-ce que tu lis de beau, s'enquit celle-ci en penchant la tête pour lire le titre du livre de Nell. Ah, des trucs sur le vaudou de l'île !

— Le vaudou ? Oh…

Nell fourra le livre sous son bras avec un rire nerveux.

— Puisque j'habite ici, je voulais en savoir un peu plus sur ces… trucs, comme tu dis.

— Sûr, fit Ripley en poussant la porte de la pizzeria. Les touristes adorent ces conneries mystiques. Quand le solstice approchera, on sera inondé de cinglés New Age. Salut, Bart, lança-t-elle à l'adresse de l'homme derrière le comptoir.

Elle choisit un box vide et y entraîna Nell.

Il avait beau être encore tôt, la salle était bondée. Le juke-box marchait à fond, et les deux jeux vidéo installés dans une petite alcôve clignotaient à qui mieux mieux.

— Bart et sa femme, Terry, tiennent le restaurant, expliqua Ripley en s'asseyant sur la banquette. Ils

98

ont des tas de plats italiens, mais leur spécialité, c'est la pizza. Ça te va? demanda-t-elle en tendant la carte à Nell.

— Ça me va.

— Super. Il y a des choses que tu n'aimes pas, dans la garniture?

Nell parcourut la carte. Pourquoi n'arrivait-elle pas à réfléchir, bon sang?

— Non.

— C'est encore mieux. On va en prendre une grande, bien garnie. Et ce qu'on n'aura pas mangé, je l'apporterai à Zack. Il enlèvera les champignons et les oignons, et il sera content.

Elle se glissa hors du box.

— Tu veux une bière?

— Non merci. Juste de l'eau.

— J'arrive.

Incapable d'attendre qu'on les serve, Ripley s'approcha du comptoir. Nell l'étudia tandis qu'elle plaisantait avec le grand type maigre derrière le bar. Elle admira ses bras lisses et bronzés qui se tendaient pour prendre les boissons. La façon dont ses cheveux noirs ondoyèrent lorsqu'elle pivota pour retourner à son box.

Le brouhaha diminua, tels des échos dans un rêve, jusqu'à devenir un son neutre que couvrit soudain un rugissement croissant. Telle l'explosion de vagues sur des rochers. Ripley reprit sa place en face de Nell qui vit ses lèvres remuer, mais n'entendit rien. Rien du tout.

Et, tout à coup, comme si une porte s'était ouverte brusquement, tout redevint normal.

— ... jusqu'à la Fête du Travail, terminait Ripley en prenant sa bière.

— C'est toi, la troisième, lâcha Nell à brûle-pourpoint.

— Hein?

— La troisième. Tu es la troisième sœur.

Ripley ouvrit la bouche, la referma et ses lèvres ne formèrent plus qu'un long trait mince.

— Mia ! grommela-t-elle avant de siffler la moitié de sa bière. Ne m'embête pas avec ça.

— Je ne comprends pas.

— Il n'y a rien à comprendre. Laisse tomber, c'est tout.

Elle reposa bruyamment son verre sur la table et se pencha en avant.

— Voilà le marché. Mia peut penser, croire ce qu'elle veut. Elle peut faire tout ce qui lui passe par la tête, du moment qu'elle n'enfreint pas la loi. Mais, moi, je ne suis pas obligée de marcher dans la combine. Si toi tu le veux, c'est ton affaire. Je suis ici pour manger une pizza et boire une bière, point.

— Je ne sais pas dans quoi je me lance. Mais je constate que ça te met en colère. Alors que moi, ça me trouble.

— Écoute, tu m'as l'air d'une fille sensée. Les filles sensées ne vont pas clamer sur les toits qu'elles sont les descendantes d'un trio de sorcières qui ont découpé une île en prélevant un morceau du Massachusetts.

— Oui, mais...

— Pas de mais. Il y a la réalité et il y a l'imagination. Nous, on va coller à la réalité, parce que le reste risque de me dégoûter de ma pizza. Alors, est-ce que tu comptes sortir avec mon frère ?

— Sortir...

Perplexe, Nell se passa la main dans les cheveux.

— Tu peux reformuler ta question ?

— Zack se prépare à te demander de sortir avec lui. Ça t'intéresse ? Avant de répondre, laisse-moi te dire que ses vaccins sont à jour, qu'il a une bonne hygiène personnelle et que, bien qu'il ait quelques habitudes agaçantes, on peut le considérer comme raisonnablement équilibré. Alors réfléchis. Je vais chercher la pizza.

Nell s'appuya contre son dossier en expirant lentement.

Cela faisait décidément beaucoup trop de sujets de réflexion pour une seule soirée.

6

Ripley avait raison à propos du solstice. La boutique ne désemplit pas, si bien que Mia dut embaucher deux employées à mi-temps pour la librairie et une troisième pour le café.

Pendant deux jours de suite, la ruée sur les plats végétariens maintint Nell dans un climat constant de panique.

— On va manquer d'aubergines et de salade, lança-t-elle à Peg qui arrivait pour prendre son service. Je pensais avoir calculé large… Mince !

Elle arracha son tablier.

— Je cours au marché. Je prendrai ce que je trouverai. Je serai peut-être obligée de changer la carte pour l'après-midi.

— Hé, quoi que tu fasses, ne te mets pas dans cet état !

Facile à dire, pensa Nell en dévalant l'escalier. Il n'y avait déjà plus de muffins et, au rythme où partaient les cookies, ils en manqueraient avant la fin de la journée. Sa mission était de s'assurer que tout marchait exactement comme Mia le souhaitait. Si elle commettait une erreur…

Dans sa course, elle faillit renverser Lulu.

— Excuse-moi. Je suis désolée. Je ne t'ai pas fait mal ?

— Je survivrai.

Lulu brossa sa jupe avec un soin maniaque. Nell avait beau travailler d'arrache-pied depuis trois bonnes semaines, elle n'était toujours pas prête à lui accorder sa confiance.

— Pas si vite. Ce n'est pas parce que tu as terminé ton service qu'il faut partir en courant comme s'il y avait le feu.

— Je suis désolée. Est-ce que Mia… est-ce que tu pourrais lui dire que je suis désolée, et que je reviens tout de suite ?

Elle se rua dehors, et ne s'arrêta de courir qu'en arrivant à la section fruits et légumes du marché. La panique et la peur lui soulevaient l'estomac. Comment avait-elle pu se montrer aussi stupide ? L'achat des provisions constituait une partie essentielle de son travail. Ne l'avait-on pas prévenue de s'attendre à plus de monde durant le week-end du solstice ? Une demeurée se serait mieux débrouillée qu'elle.

L'étau qui lui comprimait la poitrine se resserra insensiblement tandis qu'elle choisissait à toute allure les produits qui lui manquaient. À la caisse, elle faillit trépigner sur place, agacée par la nonchalance de Dorcas, parvint à marmonner quelques réponses approximatives à ses questions tout en essayant de faire taire la voix dans sa tête qui lui hurlait de se grouiller.

Elle s'empara des trois gros sacs en se maudissant de n'avoir pas pris sa voiture, et se hâta vers la boutique.

— Nell ! Nell, attendez !

Comme elle ne répondait pas, Zack traversa la rue au pas de course.

— Laissez-moi vous aider.

Nell s'étonna de ne pas avoir bondi hors de ses chaussures lorsque deux sacs lui furent ôtés des mains.

— Je peux les porter, je peux y arriver. Je suis très pressée.

— Vous irez plus vite si vous êtes moins chargée. Ce sont des provisions pour le café ?

— Oui, oui.

Elle courait presque, à présent. Elle aurait le temps de faire une autre salade. En dix minutes, quinze maximum. Il lui fallait aussi préparer des garnitures les sandwiches. Ensuite, elle s'occuperait des desserts. En s'y mettant tout de suite, ça devrait aller.

— Je vois que vous êtes très occupée.

Il n'aimait pas son expression. À la fois tendue et sinistre. Comme celle d'un soldat s'apprêtant à partir à la guerre.

— J'aurais dû prévoir. Je n'ai aucune excuse.

Elle poussa la porte de service et fonça dans l'escalier. Le temps qu'il la rejoigne à la cuisine, elle déballait déjà ses achats.

— Merci. Je peux me débrouiller maintenant. Je sais quoi faire.

Elle tournait comme un derviche. Zack nota son teint livide et ses yeux vitreux.

— Je croyais que vous finissiez votre service à 2 heures ?

— 2 heures ? répéta-t-elle sans le regarder.

Ses mains s'affolaient, empoignaient un couteau, se mettaient à gratter, à couper, à émincer.

— Non, j'ai commis une erreur, je dois la réparer. Tout va rentrer dans l'ordre. Ça va aller. Personne n'en souffrira, personne ne va se fâcher. C'est ma faute, j'aurais dû prévoir. La prochaine fois, c'est ce que je ferai, je le promets.

— Deux sandwiches du jour et une pita aux légumes… Seigneur, Nell ! murmura Peg comme elle franchissait le seuil.

Zack posa la main sur son bras.

— Va chercher Mia.

— Deux sandwiches du jour et une pita aux légumes. D'accord, d'accord.

Nell repoussa la salade qu'elle était en train de préparer et s'attaqua aux sandwiches.

— J'ai rapporté des aubergines, ça va aller. Juste comme il faut.

— Personne ne se plaint, Nell. Inutile de vous inquiéter. Asseyez-vous donc une minute.

— J'en ai seulement pour une demi-heure. Vingt minutes. Pas un client ne s'en apercevra.

Elle s'empara du plateau, pivota et se figea en voyant entrer Mia.

— Ça va. Vraiment, ça va. Nous aurons assez de tout.

— Je m'en occupe, dit Peg en la débarrassant du plateau de sandwiches. Ils ont l'air super.

— Je suis en train de préparer une autre salade.

L'étau qui lui étreignait la poitrine avait gagné son crâne. Il se resserrait, se resserrait.

— Ça ne prendra qu'une minute. Ensuite, je m'occuperai du reste. Je m'occupe de tout. Ne te fâche pas.

— Personne n'est fâché, Nell. Tu devrais faire une pause maintenant.

— Je n'en ai pas besoin. Je vais finir, d'abord, affirma-t-elle d'une voix désespérée en attrapant un sac de noix. Je sais que j'aurais dû mieux prévoir, je suis terriblement désolée, mais je veillerai à ce que tout soit parfait.

Zack n'en pouvait plus. La voir ainsi, tremblante et livide, était insoutenable.

— Ça suffit! intervint-il en faisant un pas en avant.

— Non!

Elle recula en trébuchant, lâcha le sac et leva les bras comme pour parer un coup. Aussitôt, la honte remplaça la panique.

— Oh, Nell, souffla Zack d'une voix emplie de compassion qui la fit se détourner.

— Viens avec moi maintenant, proposa Mia en prenant la main de la jeune femme. D'accord ? Viens.

Honteuse et bouleversée, Nell se laissa emmener. Se sentant odieusement inutile, Zack fourra les mains dans ses poches.

— Je ne comprends pas ce qui m'a pris.

En fait, la dernière heure était complètement floue dans sa tête.

— Je dirais que tu as eu une attaque de panique monstre. Assieds-toi.

Mia ouvrit ce que Nell avait pris pour un petit meuble de rangement et qui se révéla être un mini-frigo.

— Tu n'es pas obligée de me prendre pour confidente, reprit-elle en lui tendant une bouteille d'eau, mais tu devrais songer à parler à quelqu'un.

— Je sais.

Nell frotta la bouteille glacée sur son visage. Piquer une crise pour une histoire d'aubergines était d'un ridicule achevé.

— Je pensais en être sortie. Ça ne m'était pas arrivé depuis très longtemps. Des mois. On avait tellement à faire, et les provisions commençaient à manquer. Ça a grossi, grossi dans ma tête, et soudain, j'ai eu la certitude que si je n'allais pas acheter sur-le-champ des aubergines, le monde allait s'écrouler.

Elle but longuement.

— C'est idiot.

— Ça ne l'est pas si tu as eu l'habitude par le passé d'être punie pour quelque chose d'aussi insignifiant.

— Il n'est pas ici. Il ne peut pas me faire de mal.

— Tu crois ça ? Petite sœur, il n'a jamais cessé de te faire du mal.

— Si c'est le cas, c'est mon problème. Je ne suis plus une lavette. Je ne suis pas un punching-ball ou une carpette.

— Ça fait plaisir à entendre.

Nell pressa les doigts sur ses tempes. Elle avait besoin de se libérer, elle s'en rendait compte. De se soulager du fardeau qui l'accablait, sinon elle risquait de rechuter.

— Un jour, nous avons donné un cocktail, et on a manqué d'olives pour les Martini. C'est ce soir-là qu'il m'a frappée pour la première fois.

Le visage de Mia ne trahit ni surprise ni jugement.

— Combien de temps es-tu restée avec lui?

La question avait été posée simplement, comme allant de soi. Pas trace de critique, de pitié ou de suffisance dans la voix. Nell répondit sur le même ton :

— Trois ans. S'il me trouve, il me tuera. Je le savais quand je l'ai quitté. C'est un homme important. Riche, avec des relations.

— Il te cherche?

— Non. Il me croit morte. Depuis près de neuf mois maintenant. À vrai dire, je préférerais être morte plutôt que de revivre ce que j'ai vécu. Ça a l'air mélodramatique, mais…

— Non, pas du tout. Les formulaires que je t'ai fait remplir ne risquent pas de le mettre sur ta piste?

— Non. Channing, c'est le nom de jeune fille de ma grand-mère. J'ai contrevenu à quelques lois. J'ai fait du piratage informatique, des déclarations mensongères, j'ai falsifié des documents pour obtenir ma nouvelle identité, un permis de conduire et un numéro de sécurité sociale.

— Du piratage? répéta Mia en haussant les sourcils. Nell, tu me surprends.

— Je ne suis pas mauvaise en informatique. Autrefois…

— Tu n'es pas obligée de me raconter.

— Ça n'a pas d'importance. J'aidais ma mère à gérer son entreprise de restauration, autrefois. Les archives, les comptes, tout était sur informatique. Lorsque j'ai envisagé de m'enfuir, j'ai fait un tas de recherches. Je savais que je n'aurais qu'une seule chance… Mon Dieu, c'est la première fois que j'arrive à en parler ! Je ne pensais pas y parvenir un jour.

— Tu veux me raconter le reste ?

— Je ne suis pas sûre. Ça reste bloqué là, dit Nell en se frappant la poitrine.

— Si tu changes d'avis, monte chez moi ce soir. Je te montrerai mes jardins. Ma falaise. En attendant, va te promener un peu ou faire une sieste.

— Mia, je voudrais finir ce que j'ai commencé au café. Non pas parce que je suis bouleversée ou inquiète. J'aimerais juste achever ce que j'ai commencé.

— D'accord.

La route qui longeait la côte était sinueuse et belle à couper le souffle, avec des virages aigus et inattendus. Les souvenirs que cette balade réveillait auraient dû l'accabler. Au lieu de quoi, poussant sa vieille guimbarde essoufflée, Nell se sentait grisée. Comme si elle abandonnait des kilos superflus à mesure qu'elle grimpait.

Droit devant le phare se détachait sur le ciel d'été, à côté de la mélancolique maison en pierre. Vieux, solides, mystérieux, les deux édifices semblaient tout droit sortis d'un livre de contes.

Négociant le dernier virage, elle aperçut Mia, debout entre deux parterres de fleurs, vêtue d'une robe bleue, sa longue chevelure rousse flottant dans le vent.

Nell se gara derrière le cabriolet rutilant de Mia.

— J'espère que tu ne vas pas le prendre mal, commença Nell.

— Je prends toujours tout bien.

— Mais j'étais en train de me dire que si j'étais un homme, je te promettrais tout et n'importe quoi.

Mia se contenta de rire. Nell leva la tête pour admirer la pierre austère, les pignons fantasques et le belvédère romantique.

— C'est superbe. Ça te convient tout à fait.

— Ça, c'est sûr.

— Mais c'est très loin de tout. Tu ne te sens pas trop seule, ici ?

— J'apprécie ma propre compagnie. Tu as le vertige ?

— Non, pas du tout.

— Viens sur le promontoire. La vue est spectaculaire.

Nell lui emboîta le pas. Elles passèrent entre le phare et la maison, et gagnèrent un amoncellement chaotique de rochers qui surplombaient l'Océan.

En bas, les vagues se ruaient à l'assaut de la falaise en rugissant, se brisaient contre la roche en une gerbe irisée. Au-delà, la mer d'un bleu profond s'étendait à l'infini.

— Quand j'étais petite, j'adorais venir ici – je ne me lassais pas de ce spectacle. Ça m'arrive encore de temps en temps.

— Tu as passé ton enfance ici ? s'étonna Nell.

— Oui, dans cette maison. Mes parents aimaient la mer. En ce moment, ils sont quelque part dans le Pacifique Sud, je crois. Nous ne formions pas une vraie famille ; plutôt un couple plus un enfant. Cela dit, on s'entendait quand même assez bien.

Elle eut un petit haussement d'épaules, et se détourna.

— Le phare est là depuis presque trois cents ans, mais il y a quand même eu des naufrages. On raconte que, certaines nuits, quand le vent s'y prête, on peut entendre les appels désespérés des noyés.

— Ce n'est pas le genre d'histoire à raconter le soir aux enfants.

— Non. La mer n'est pas toujours gentille.

Et, cependant, elle l'attirait. Ses caprices, son charme et ses accès de violence la fascinaient. Feu attirée par Eau.

— La maison existait avant le phare. C'est la première construite sur l'île.

— Apparue par magie au clair de lune, dit Nell. J'ai lu le livre.

— Quoi qu'il en soit, elle est toujours là. Le jardin fait ma joie ; c'est l'endroit où je suis le plus heureuse.

Nell suivit le regard de Mia et, clignant des yeux, découvrit, à l'arrière de la maison, une féerie de fleurs, de charmilles, de sentiers. La juxtaposition des falaises dénudées et de ce paradis luxuriant donnait le vertige.

— Mon Dieu, Mia, c'est fabuleux ! C'est toi qui as fait tout cela ?

— Hum. De temps en temps, j'attrape un tour de reins, mais, en général, je me débrouille.

Le jardin recelait quantité de recoins secrets. Ici, un croisillon en fer enfoui sous la glycine. Là, une statue de déesse au milieu d'un petit bassin où flottaient des nénuphars. Et encore des statuettes de fées, des taches de lavande odorante, des dragons en marbre et des flaques de capucines.

— Pas étonnant que tu ne te sentes pas seule ici.

Mia suivit un sentier tortueux et s'arrêta sur une petite île rocheuse au milieu de laquelle se dressait une gargouille ailée et riante.

— Nous allons boire du champagne pour célébrer le solstice, annonça-t-elle.

— Je n'ai jamais rencontré personne qui te ressemble.

Mia tira la bouteille d'un seau à glace en cuivre.

— J'espère bien. Je tiens à être unique.

Elle remplit deux coupes, s'assit et, étendant ses jambes nues, demanda :

— Raconte-moi comment tu es morte, Nell.

— Je suis tombée en voiture d'une falaise. Nous habitions la Californie. Beverly Hills et Monterey. Au début, j'avais l'impression d'être une princesse en son château. Il m'a fait perdre pied.

Incapable de rester assise, elle se mit à arpenter la petite île. Un carillon tinta, tout près – le même que celui qu'elle s'était offert le jour de son arrivée, constata-t-elle.

— Mon père était dans l'armée. Nous avons beaucoup déménagé, ce qui était assez pénible. Mais je le trouvais formidable. Si beau, et brave, et fort. Exigeant aussi, mais jamais dur. Je l'adorais. Évidemment, il était souvent absent, et il nous manquait beaucoup. Il a été tué pendant la guerre du Golfe. Il me manque toujours.

Elle poussa un profond soupir.

— Se retrouver veuve n'a pas été facile, pour ma mère, mais elle a fait face. Elle a monté cette entreprise de restauration dont je t'ai parlé. Elle a toujours été une excellente cuisinière et elle adorait recevoir. C'est elle qui m'a tout appris.

« Nous sommes allées vivre à Chicago, et elle s'est bâti une solide réputation. J'étudiais à l'université, mais en dehors des cours, je tenais sa comptabilité et je mettais la main à la pâte. Quand j'ai eu vingt et un ans, j'ai travaillé avec elle à plein temps. L'entreprise s'est développée et nous nous sommes constitué une clientèle haut de gamme. C'est comme ça que j'ai rencontré Evan, à une soirée dont nous assurions le buffet. J'avais vingt-quatre ans. Il en avait dix de plus, et était tout ce que je n'étais pas : raffiné, brillant, cultivé.

Mia l'interrompit :

— Pourquoi dis-tu cela ? Tu es cultivée, tu as voyagé, étudié, et tu possèdes un talent enviable.

— Je n'avais absolument pas cette impression quand j'étais avec lui, soupira Nell. En tout cas, je n'appartenais pas au même milieu. Je faisais la cuisine pour les riches et les puissants, mais je ne partageais pas leur table. Je lui étais… reconnaissante qu'il me prête attention. Comme s'il me faisait un extraordinaire compliment, je m'en rends compte à l'instant.

Elle secoua la tête d'un air écœuré.

— Il a flirté avec moi, et c'était très excitant. Le lendemain, il m'a envoyé deux douzaines de roses rouges. Puis il a commencé à m'emmener au théâtre, dans des réceptions, dans de somptueux restaurants. Il est resté à Chicago deux semaines en me faisant clairement comprendre que s'il réorganisait son emploi du temps, s'il annulait des rendez-vous avec des clients, s'il négligeait son travail et sa vie privée, c'était pour moi.

Nell se tut un instant, et frotta ses bras, soudain glacés.

— Il ne cessait de répéter que nous étions destinés l'un à l'autre. Sur le moment, je trouvais cela merveilleux. Plus tard, mais pas tellement plus tard, ça m'a paru terrifiant. Il disait des choses qui me paraissaient romantiques. Que nous ne nous quitterions jamais. Qu'il ne me laisserait jamais partir. Il me fascinait, et quand il m'a demandée en mariage, je n'y ai pas réfléchi à deux fois. Ma mère a émis des réserves et m'a conseillé d'attendre un peu. Mais je n'en ai fait qu'à ma tête et je l'ai suivi en Californie. Selon la presse, c'était le roman d'amour de la décennie.

— Ah, oui, fit Mia. Ça colle. Tu avais une autre allure, à l'époque. Plutôt genre chaton bichonné.

— J'avais l'allure qu'il voulait que j'aie, et je me comportais comme il voulait que je me comporte. Au début, je n'ai rien trouvé à redire. Il était plus âgé, plus sage, je débarquais dans son univers. S'il me faisait des reproches, c'était pour mon bien. Il savait tout mieux que moi. Ainsi, s'il m'ordonnait de changer de robe avant de m'autoriser à sortir, c'était pour parfaire mon image. Au début, ces piques, ces exigences se manifestaient très subtilement. Et quand il était content de moi, il me faisait un cadeau. Comme lorsqu'on dresse un chiot. Tiens, tu t'es bien comportée hier soir, voici un bracelet de diamants. Seigneur, ça me dégoûte de m'être laissé manipuler aussi facilement !

— Tu étais amoureuse.

— Oui, je l'aimais. Enfin, j'aimais l'homme que je croyais qu'il était. Et il était si intelligent, si énergique. La première fois qu'il m'a frappée, ça a été un choc terrible, mais il ne m'est pas venu à l'esprit que je ne l'avais pas mérité. Le dressage avait été parfait. Ensuite, les choses ont empiré, lentement, progressivement. Ma mère est morte dans un accident à peine un an après mon départ. Un conducteur ivre, précisa Nell d'une voix enrouée.

— Et tu t'es retrouvée seule. Je suis navrée.

— Il a été parfait. Il s'est occupé de tout, a annulé ses rendez-vous pour m'emmener à Chicago. Il a fait tout ce qu'on peut attendre d'un mari aimant. Mais, le jour de notre retour, il s'est déchaîné. Il a renvoyé les domestiques, puis il a commencé à me frapper. Il délirait et il cognait. Pas avec les poings, toujours la main ouverte. D'une certaine manière, c'était plus dégradant. Il m'a accusée d'avoir une liaison avec un vieil ami de mes parents qui assistait aux obsèques.

Elle fit une pause, remplit sa coupe vide.

— Inutile d'entrer dans les détails. Il m'a maltraitée, je l'ai supporté.

Elle leva sa coupe, but une gorgée et poursuivit :

— Une fois, je suis allée au commissariat. Il avait beaucoup d'amis dans la police, c'était un homme influent. Les flics ne m'ont pas prise au sérieux. Bien sûr, j'avais quelques bleus, mais ma vie ne semblait pas en danger. Quand il l'a appris, il m'a annoncé sans détour que si jamais je recommençais, il me tuerait. Une autre fois, je me suis enfuie, mais il m'a retrouvée. Il m'a déclaré que je lui appartenais, qu'il ne me laisserait jamais partir. Que si j'essayais de le quitter, il se débrouillerait pour me tuer, et que personne ne le saurait jamais. Et je l'ai cru.

— Mais tu l'as quitté quand même.

— J'ai préparé ma fuite pendant six mois, en veillant à ne pas le contrarier, à ne pas éveiller ses soupçons. Nous offrions l'image du couple parfait, mais les coups continuaient à pleuvoir. Il me reprochait tout et n'importe quoi et, chaque fois, je m'excusais, j'acceptais la sanction. Dès que l'occasion se présentait, je fauchais de l'argent et je le cachais. Je me suis procuré un faux permis de conduire et l'ai dissimulé au même endroit. Et, un jour, j'ai enfin été prête.

« Il avait une sœur qui habitait Big Sur. Elle m'avait invitée à un thé très chic. Le matin, je me suis plainte de maux de tête, ce qui, bien sûr, l'a contrarié. Certaines de ses clientes devaient y assister, et il m'a accusée de chercher à le mettre dans l'embarras. Alors, j'ai dit que j'irais. Je savais que mes réticences endormiraient ses éventuels soupçons et qu'il me laisserait partir.

Elle avait fini par apprendre à tromper et à feindre. Elle était même devenue très forte à ce jeu-là.

— À ce moment-là, je n'avais même pas peur. Il est allé jouer au golf, et j'ai mis ce dont j'avais besoin dans le coffre de ma voiture. J'ai emporté aussi un vélo que j'avais acheté d'occasion la semaine précédente. Je me suis arrêtée en route pour cacher tout cela dans un endroit que j'avais repéré, puis j'ai filé à la réception.

Nell s'assit enfin et reprit son récit :

— J'ai veillé à ce qu'un certain nombre de personnes remarquent que je ne me sentais pas bien. Lorsque je suis partie, dans les dernières, Barbara, la sœur d'Evan, avait l'air inquiète. Elle m'a avoué qu'elle me trouvait mauvaise mine. J'ai pris congé et je suis montée dans ma voiture.

Elle parlait d'une voix posée, presque monocorde, comme la mésaventure qu'elle racontait était arrivée à quelqu'un d'autre.

Et, au fond, n'était-ce pas le cas ?

— La nuit était tombée. J'ai appelé Evan de mon portable pour lui dire que j'étais sur la route. Il tenait à savoir où je me trouvais à tout moment. J'ai roulé jusqu'à l'endroit où j'avais caché mes affaires. Il n'y avait pas de voiture en vue. J'ai détaché ma ceinture. Et j'ai cessé de penser. J'avais répété l'opération mille fois dans ma tête. J'ai ouvert la portière tout en faisant des embardées et en accélérant. Si j'échouais, la mort ne pouvait être pire que l'existence que je menais. J'ai sauté. La voiture a bondi par-dessus le bord du précipice, mais, au lieu de planer, elle a heurté les rochers avec un bruit épouvantable, encore et encore, jusqu'à ce que la mer l'engloutisse. Alors, j'ai couru jusqu'à ma cachette. J'ai enfilé un vieux jean, un pull et une perruque brune. Je n'avais toujours pas peur.

Non, à aucun moment, elle n'avait eu peur. Mais, à présent, en le revivant, elle ne put empêcher sa voix de trembler. Finalement, ce n'était pas à quelqu'un d'autre que c'était arrivé.

— J'ai pédalé comme une folle jusqu'à Carmel, je suis allée droit à la gare routière et j'ai acheté un billet pour Las Vegas. Ce n'est qu'une fois dans le car que j'ai commencé à avoir peur. Peur qu'il n'arrive et n'interdise au chauffeur de démarrer. Et que j'aie perdu. Mais ça ne s'est pas produit. À Las Vegas, j'ai pris un autre car pour Albuquerque où j'ai acheté un journal et appris la mort tragique d'Helen Remington.

— Nell...

Mia tendit la main et serra celle de Nell qui ne s'était probablement pas rendu compte qu'elle pleurait depuis dix bonnes minutes.

— Moi non plus, je n'ai jamais rencontré quelqu'un qui te ressemble.

Les joues ruisselantes de larmes, Nell leva sa coupe.

— Merci.

Sur l'insistance de Mia, elle resta dormir. Sans protester, elle enfila une chemise de nuit appartenant à son amie, se glissa entre les draps et s'endormit instantanément dans le grand lit à baldaquin.

Elle ouvrit soudain les yeux dans la lumière blanche du clair de lune.

Il lui fallut un moment pour se rappeler où elle était et comprendre ce qui l'avait réveillée.

Quelque part, des gens chantaient.

Non, ils psalmodiaient. Attirée par le son mélodieux, à la limite de l'audible, elle se leva et se dirigea vers la porte donnant sur la terrasse.

Elle l'ouvrit. Un vent tiède lui fouetta le visage tandis qu'elle sortait dans la lumière perlée d'une lune aux trois quarts pleine. Le parfum des fleurs monta jusqu'à elle, puissant, enivrant.

La pulsation de la mer était rapide, presque rageuse, et le cœur de Nell se mit à battre à l'unisson.

C'est alors qu'elle vit Mia émerger d'entre les arbres qui oscillaient, tels des danseurs.

Elle alla jusqu'au bord de la falaise. Sa robe aux reflets d'argent et sa chevelure flamboyante tourbillonnaient autour d'elle. Dressée face à la mer, elle leva les bras vers la voûte céleste.

Une clameur joyeuse lui répondit. Émerveillée, les yeux écarquillés et brûlants de larmes, Nell vit des rayons étincelants descendre du firmament, toucher les doigts de Mia et ses cheveux que le vent soulevait.

Mince, droite, incandescente, elle ressembla, l'espace d'un instant, à une flamme éclairant le monde.

Puis il n'y eut plus que le bruit du ressac, la clarté lunaire, et une femme debout au bord d'une falaise.

Mia pivota lentement. Elle leva la tête et ses yeux croisèrent ceux de Nell. Longuement.

Elle eut un doux sourire avant de disparaître dans l'ombre de la maison.

7

Il faisait encore nuit lorsque Nell descendit à la cuisine sur la pointe des pieds. La maison était grande, et elle dut chercher son chemin. Elle prépara un pot de café, écrivit un petit mot de remerciement à l'intention de Mia, puis s'éclipsa.

Il faudrait qu'elles discutent, songea-t-elle en roulant dans la lumière naissante de l'aube. Dès qu'elle saurait par quel bout commencer.

Elle arrivait presque à se persuader que ce qu'elle avait vu sous la lune n'était qu'un rêve dû à l'excès de champagne. *Presque.* Seulement, voilà, la vision qu'elle en conservait était trop nette pour n'être que cela.

Et si cette scène avait réellement eu lieu, et qu'elle-même avait un rôle à jouer dans le scénario, elle avait besoin d'en savoir plus.

Pour la première fois depuis près de quatre ans, elle se sentait d'un calme et d'une absolue sérénité. Et pour l'heure, cela lui suffisait.

Il était presque midi, Nell avait en poche son chèque de salaire, et un jour de congé devant elle.

— Un cappuccino glacé aux noisettes, s'il vous plaît.

Le client s'accouda au comptoir pendant qu'elle préparait sa commande. Il devait avoir la trentaine, entretenait sa forme dans un gymnase et ne vivait pas sur l'île, estima-t-elle, ravie d'être maintenant capable d'identifier quelqu'un du continent au premier coup d'œil. Elle était tout aussi douée lorsqu'il s'agissait d'un insulaire, d'ailleurs.

— Dites-moi, vous mettez de l'aphrodisiaque dans vos cookies, ou quoi ? lança-t-il.

— Pardon ? fit-elle en levant les yeux

— Depuis que j'ai goûté ceux aux raisins, je n'arrive plus à vous sortir de ma tête.

— Vraiment ? J'aurais pourtant juré avoir mis tout l'aphrodisiaque dont je disposais dans les cookies aux noix.

— Alors, donnez-m'en trois. Je m'appelle Jim, et vous m'avez complètement séduit avec vos gâteaux.

— Dans ce cas, je vous conseille d'éviter ma salade aux trois haricots. Vous seriez perdu pour la totalité de la gente féminine.

— Si j'achète le saladier entier, est-ce que vous m'épouserez et porterez mes enfants ?

— Ç'aurait été avec plaisir, Jim, mais j'ai fait le vœu de rester libre afin de cuisiner pour le monde entier.

Elle versa de la crème sur le café et referma le gobelet.

— Vous voulez vraiment ces cookies ?

— Et comment ! Que diriez-vous d'un pique-nique ? J'ai loué une maison avec des amis. On se fait un barbecue, ce soir.

— Aujourd'hui, un barbecue, et demain une maison en banlieue et un cocker, répliqua-t-elle en prenant son billet avec un sourire. Mieux vaut prévenir que guérir, mais merci quand même.

— Vous me fendez le cœur, soupira-t-il en s'éloignant.

— Dis donc, il est craquant, ce type, murmura Pegg qui se tordait le cou pour le suivre des yeux. Tu n'es vraiment pas intéressée ?

— Non, répondit Nell en dénouant son tablier.

— Alors, tu ne vois pas d'inconvénient à ce que je tente ma chance ?

— Je t'en prie. Il y a plein de salade de haricots dans le frigo. Oh, Peg, merci pour hier.

— Hé, ça arrive à tout le monde de disjoncter de temps à autre. Salut, à lundi.

« À lundi », se répéta Nell. C'était aussi simple que cela. Elle faisait partie d'une équipe, elle avait des amis, et elle avait repoussé les avances d'un beau garçon sans paniquer.

À vrai dire, elle avait même apprécié ce petit flirt, exactement comme autrefois. Et un jour viendrait où elle ne se sentirait plus obligée de refuser les invitations.

Un jour, elle serait capable d'aller à un pique-nique avec un homme et ses amis. De parler, de rire, de jouir de leur compagnie. De nouer des amitiés légères et détendues. Mais il ne pourrait jamais être question de relation sérieuse, même si elle apprenait à maîtriser ses émotions.

Car d'un point de vue légal, elle était toujours mariée.

Pour l'heure, ce mariage était plus un filet de sécurité que le cauchemar qu'il avait été. Elle était libre d'être qui elle voulait, pas assez libre cependant pour s'engager à nouveau.

Elle décida de s'offrir une glace et un petit tour à la plage.

Elle marchait sur le sable, lorsqu'elle repéra Peter Stahr et son affreux chien. L'air penaud, tous deux regardaient Zack qui leur faisait face, les poings sur les hanches.

Celui-ci ne portait jamais de chapeau comme il le lui avait pourtant conseillé. Résultat, ses cheveux étaient plus clairs aux pointes, et presque toujours emmêlés. Elle avait aussi remarqué qu'il portait rarement son insigne ; uniquement son pistolet dans l'étui accroché à sa ceinture.

Le chien tendit la patte, plein d'espoir, mais Zack secoua la tête et désigna la laisse que son maître avait à la main. Ce dernier obtempéra, puis l'homme et le chien s'éloignèrent, tête basse.

Zack se tourna, et le soleil se refléta sur ses lunettes noires. Nell sut instinctivement qu'il la regardait. S'armant de courage, elle le rejoignit.

— Bonjour, shérif.

— Bonjour, Nell. Pete a encore laissé son chien en liberté, et ce pauvre clébard pue comme une soute à poissons. Votre glace coule.

— C'est qu'il fait chaud.

Elle lécha le cornet et décida de prendre le taureau par les cornes.

— À propos d'hier…

— Vous vous sentez mieux ?

— Oui.

— Bon. Vous voulez partager ?

— Quoi ? Oh, bien sûr !

Elle tendit son cornet, et sentit son pouls s'accélérer lorsqu'il entreprit de le lécher juste au-dessus de ses doigts. Curieux, avec le type du barbecue elle n'avait rien ressenti.

— Vous ne me posez pas de questions ?

— Non, dans la mesure où vous préférez que je m'en abstienne.

Oui, il l'avait bien regardée, et il avait remarqué comme elle avait redressé les épaules avant de se diriger vers lui.

— Pourquoi ne pas marcher un peu ? proposa-t-il. Il y a une brise marine pas désagréable.

— Je me demandais… que fait Lucy toute la journée pendant que vous êtes occupé à maintenir l'ordre ?

— Des trucs de chien.

— Des trucs de chien? répéta-t-elle avec un petit rire

— Mais oui. Il y a des jours où un chien doit traîner autour de la maison, se rouler dans l'herbe, et réfléchir longuement. D'autres fois, quand elle est d'humeur, elle m'accompagne au bureau. Sur le trajet, elle nage un peu et, une fois arrivée au poste, elle s'installe confortablement pour mâchonner mes chaussures. Je songe à lui acheter un frère ou une sœur.

— Moi, je pensais prendre un chat. Je ne suis pas certaine d'être capable d'éduquer un chiot. Un chat me paraît plus facile. J'ai vu une annonce, au marché. Des chatons gratuits.

— Ce sont ceux de la fille Stubens. Il lui en restait deux ou trois, la dernière fois que j'en ai entendu parler. Ils habitent près de la baie. Une petite maison blanche, un peu de guingois, avec des volets bleus.

Elle hocha la tête puis s'immobilisa. Jusqu'à présent, ses impulsions avaient été plutôt heureuses. Pourquoi s'arrêter en si bon chemin?

— Zack, je m'apprête à essayer une nouvelle recette ce soir. Des courgettes au thon avec des tomates séchées et de la feta. J'aurais bien besoin d'un cobaye.

Il lui prit la main pour lever le cornet et goûta encore un peu de sa glace.

— Eh bien, il se trouve que je n'avais pas de projet urgent pour ce soir et, en tant que shérif, je dois faire tout mon possible pour répondre aux besoins de la communauté. À quelle heure?

— 7 heures, ça vous va?

— Impeccable.

— Très bien. À tout à l'heure. Apportez votre appétit, lança-t-elle avant de s'éloigner rapidement.

— Vous pouvez compter dessus, dit-il en abaissant ses lunettes de soleil pour la suivre du regard.

À 7 heures, les amuse-gueule étaient prêts et le vin au frais. Nell avait acheté une table d'occasion, et comptait passer une partie de sa journée de congé à la poncer puis à la peindre. En attendant, elle cacha sous un drap la peinture écaillée.

Elle l'avait installée sur la pelouse derrière la maison, avec deux vieilles chaises achetées pour une bouchée de pain. Telles quelles, elles n'étaient pas particulièrement jolies, mais il y avait de quoi en tirer quelque chose. Et elles avaient le mérite d'être là.

Elle avait dressé le couvert pour deux. Les assiettes, les bols et les verres à vin étaient dépareillés, mais le résultat était gai et charmant.

Et aussi éloigné que possible de la porcelaine guindée et de la lourde argenterie de son passé.

Son jardin commençait à avoir belle allure, et elle prévoyait de planter tomates, poivrons, potirons et courgettes dès le lendemain.

Elle était de nouveau pratiquement fauchée, et absolument ravie.

— Dites donc, c'est vraiment très sympathique ici.

Nell pivota sur ses talons. Gladys Macey se tenait au bord de la pelouse, serrant contre elle un énorme sac à main blanc.

— On dirait un tableau.

— Bonsoir, madame Macey.

— J'espère que ça ne vous ennuie pas que je déboule sans crier gare. Je vous aurais bien passé un coup de fil, mais vous n'avez pas le téléphone.

— Ça ne m'ennuie pas du tout ! Euh… est-ce que je peux vous offrir quelque chose à boire ?

— Non, non, ne vous dérangez pas. Je viens pour affaires.

— Affaires ?

— Absolument.

Le casque de cheveux noirs de Gladys Macey frémit à peine lorsqu'elle hocha la tête.

— Carl et moi allons fêter notre trentième anniversaire de mariage fin juillet.

— Félicitations.

— Vous pouvez le dire. Enfin, bref, je veux faire une fête, et j'étais justement en train d'expliquer à Carl qu'il ne s'en tirerait pas sans mettre un costume. Je me demandais si vous pourriez vous occuper du buffet ?

— Euh… eh bien…

— Je veux un buffet complet, enchaîna Gladys. Et consistant. Quand j'ai marié ma fille, il y a eu deux ans, nous avons pris un traiteur du continent. Chichiteux, pas grand-chose à manger à mon goût, et trop cher au goût de Carl. Mais on n'avait pas vraiment le choix. Je ne vous imagine pas me laissant sur ma faim ni demandant une rançon royale à Carl pour un bol de crevettes froides.

— Madame Macey, je vous remercie d'avoir pensé à moi, mais je ne suis pas vraiment équipée pour faire de la restauration.

— Écoutez, vous avez tout le temps d'y réfléchir. J'ai ici une liste avec le nombre approximatif d'invités et le genre de menu que j'envisage.

Elle sortit une chemise en carton de son sac et la tendit à Nell.

— Je désire que ça se passe chez nous. J'ai un magnifique service en porcelaine qui me vient de ma mère et tout ce qu'il faut. Jetez donc un coup d'œil sur mes notes et on en discutera demain. Passez me voir dans l'après-midi.

— J'aimerais vraiment vous aider. Peut-être que je pourrais…

Elle baissa les yeux sur la chemise. Les mots *Trentième Anniversaire* et le dessin d'un cœur entourant les initiales des époux Macey s'étalaient en plein milieu.

Touchée, elle glissa le dossier sous son bras.

— Je vais voir ce que je peux faire.

— Vous êtes gentille, Nell.

Un bruit de moteur fit se retourner Gladys. Reconnaissant la voiture de patrouille de Zack, elle haussa les sourcils.

— Et, en plus, vous avez bon goût. À demain. Et bon dîner.

Elle regagna sa voiture, s'arrêta pour échanger quelques mots avec Zack, remarquer les fleurs qu'il avait à la main et lui tapoter la joue. Lorsqu'elle s'installa au volant, elle avait déjà décidé qui appeler en premier afin de répandre la nouvelle : Zachariah Todd courtisait la petite Channing.

— Je suis un peu en retard, je suis désolé. J'ai été retenu par un accrochage.

— Pas de problème.

— J'ai pensé que ça vous ferait plaisir, pour votre jardin, dit-il en lui tendant un pot de reines-marguerites.

— Elles sont ravissantes. Merci.

Elle sourit, prit les fleurs qu'elle déposa près des marches de la cuisine.

— Je vais chercher le vin et les biscuits apéritif.

Il la suivit à l'intérieur.

— Il y a quelque chose qui sent drôlement bon.

— Sur ma lancée, j'ai essayé deux recettes différentes. Vous allez avoir du boulot.

— Je suis prêt. Tiens, qu'est-ce que c'est que ça ?

Il s'accroupit et caressa du doigt le petit chaton gris roulé en boule sur un coussin.

— Il s'appelle Diego. Nous vivons ensemble.

Le chaton miaula, s'étira et se mit aussitôt à mordiller les lacets de Zack.

— Vous avez été drôlement active. Cuisiner, acheter des meubles, trouver un colocataire. Bravo, dit-il en se redressant, le chaton dans les bras. On ne risque pas de trouver de la mousse sur vous, Nell.

Il se tenait là, grand et séduisant, un chaton blotti au creux de l'épaule.

Et il lui avait apporté un pot de marguerites blanches.

— Oh, mince, fit-elle en reposant son plateau. Autant mettre les choses au clair dès maintenant. Je ne veux pas que vous vous fassiez des idées au sujet de ce dîner et… de tout le reste. Vous me plaisez beaucoup, mais je ne suis pas en position d'agir selon mes sentiments. Ça me paraît plus loyal de vous prévenir. J'ai de bonnes raisons, mais je n'ai pas envie de me lancer dans des explications. Alors, si vous préférez partir, je ne vous en voudrai pas.

Il l'écouta gravement, tout en caressant le chaton entre les oreilles.

— Je vous remercie d'avoir mis les points sur les *i*. Mais ce serait dommage de gaspiller toute cette nourriture.

Il piqua une olive et la fourra dans sa bouche.

— Je crois que je vais rester, si ça ne vous gêne pas. On emporte le vin dehors ?

Il prit la bouteille, et, maintenant Diego sur son épaule, poussa la porte d'un coup de hanche.

— Oh, histoire d'être fair-play, je tiens à vous prévenir que j'ai l'intention de vous déloger de cette fichue position où vous dites vous trouver.

Ces paroles prononcées d'un ton désinvolte, il lui tint la porte ouverte.

— Après vous.

— Ce ne sera pas aussi facile que vous pourriez le croire, riposta-t-elle.

— Mon ange, rien n'est facile avec vous.

Elle ramassa son plateau et passa devant lui.

— Je le prends comme un compliment.

— C'en était un. Et, maintenant, pourquoi ne pas boire un peu de vin, se détendre, et me raconter ce que voulait Gladys Macey ?

Ils s'assirent. Nell versa le vin et Zack posa le chaton sur les genoux.

— Je pensais qu'en tant shérif vous étiez au courant de tout ce qui se passait sur cette île.

— Eh bien, fit-il en prenant un gnocchi, en bon observateur que je suis, je peux essayer de déduire ce que j'ignore de ce que je vois. Primo, il y a, dans la cuisine, une chemise portant l'écriture de Gladys et dont le titre laisse à penser qu'elle prévoit une réception d'anniversaire. Secundo, étant en route pour le paradis grâce au truc que je viens de mettre dans ma bouche – et sachant que Gladys est une femme maligne –, je supposerais qu'elle est venue vous demander de vous occuper de son buffet. Alors ?

— En plein dans le mille.

— Vous allez accepter ?

— Je vais y réfléchir.

— Vous feriez un travail formidable.

Il choisit un autre amuse-gueule et l'examina d'un air soupçonneux.

— Est-ce qu'il y a des champignons là-dedans ? Je déteste les champignons.

— Non. C'est un jour sans. Pourquoi pensez-vous que je ferais du bon travail ?

— J'ai dit un travail formidable.

Il enfourna le petit chausson de pâte feuilletée.

— Parce que vous cuisinez comme une magicienne, que vous ressemblez à un ange et que vous êtes plus organisée qu'un ordinateur. Vous faites les choses à fond, et avec style. Vous ne mangez rien ?

— J'attends de voir si vous survivez.

Il sourit et se resservit. Elle s'appuya au dossier de sa chaise et but une gorgée de vin.

— Je suis bonne cuisinière. Mettez-moi dans une cuisine, et je prends les commandes, c'est vrai. Je suis présentable, mais je ne ressemble pas à un ange.

— C'est moi qui vous regarde.

— Je suis organisée, enchaîna-t-elle, parce que je fais en sorte de mener une vie simple.

— Ce qui est une autre façon de dire que vous n'avez pas l'intention de vous la compliquer avec moi.

— En plein dans le mille, une fois de plus. Je vais chercher la salade.

Zack attendit qu'elle ait le dos tourné pour laisser paraître son amusement.

— C'est assez facile de lui ébouriffer les plumes, confia-t-il à Diego, quand on sait où gratter. Je vais te dire une chose que l'expérience m'a apprise sur les femmes : change sans cesse de rythme, elles ne sauront pas où t'attendre la fois suivante.

Lorsque Nell revint, Zack se lança dans l'histoire de l'accrochage qui l'avait retardé : un pédiatre de Washington et un agent de change new-yorkais s'étaient rentrés dedans et avaient échangé quelques mots vifs.

Il la fit rire et la mit de nouveau à l'aise. Avant qu'elle ait le temps de s'en apercevoir, elle était en train de lui raconter des querelles de cuisine auxquelles elle avait assisté dans les restaurants où elle avait travaillé.

— Des tempéraments coléreux et des instruments dangereux, la combinaison peut s'avérer désastreuse, dit-elle. Une fois, un chef m'a menacée avec un batteur électrique.

La nuit commençait à tomber et il alluma la grosse bougie rouge qu'elle avait placée sur la table.

— Je ne savais pas qu'il y avait tant de dangers et d'intrigues derrière ces portes battantes.

— Et de tension sexuelle, ajouta-t-elle tout en enroulant des linguini autour de sa fourchette. Des coups d'œil ardents qui s'échangent au-dessus de casseroles fumantes, des cœurs brisés qui se fracassent dans la crème fouettée. Ça bouillonne.

— C'est la nourriture qui éveille toute cette sensualité. Le goût, la texture, le parfum. Ce thon m'excite vraiment.

— Alors, ce plat est reçu à l'examen ?

— Largement.

La lumière de la bougie lui allait bien, constata Zack. Elle allumait des petites lumières dorées dans les grands lacs bleus de ses yeux

— C'est vous qui inventez tout ça ou vous collectez des recettes ?

— Les deux. J'aime bien faire des expériences. Quand ma mère…

Elle s'interrompit. Zack prit la bouteille de vin et compléta leurs verres.

— Elle aimait cuisiner, résuma Nell. Et recevoir.

— Ma mère à moi… je dirais simplement que la cuisine n'était pas sa pièce préférée. Il a fallu que j'attende d'avoir vingt ans pour découvrir qu'une côte de porc n'est pas censée rebondir quand on la laisse tomber. Elle a vécu sur une île la plus grande partie de sa vie mais, pour elle, le thon ne se trouvait que dans des boîtes. En revanche, elle était très bonne pour les chiffres.

— Les chiffres ?

— Elle était expert-comptable. À la retraite, maintenant. Mon père et elle se sont acheté une de ces grandes boîtes de conserve à roulettes qu'on appelle caravanes et ils se sont lancés sur les autoroutes américaines. Ils s'amusent comme des fous.

— C'est sympathique.

Tout comme l'affection très nette qu'on percevait dans la voix de leur fils.

— Ils vous manquent ?

— Oui. Je ne dirais pas que je regrette la cuisine de ma mère, mais leur présence me manque. Mon père avait l'habitude de s'asseoir sur le porche, derrière la maison, et de jouer du banjo. Ça, ça me manque.

— Du banjo? répéta-t-elle, séduite. Vous en jouez?

— Non, mes doigts ont toujours refusé de coopérer.

— Mon père jouait du piano. Lui avait l'habitude de…

Elle s'arrêta une fois de plus et se leva.

— Moi non plus, je n'ai jamais réussi à jouer d'un instrument, reprit-elle. Pour le dessert, il y a une tarte sablée aux fraises. Vous y arriverez?

— Je pense pouvoir m'étouffer encore un peu, histoire d'être poli. Laissez-moi vous aider.

— Non, protesta-t-elle en lui faisant signe de rester assis. J'en ai pour une…

Baissant les yeux pour le débarrasser de son assiette, elle vit Diego, le ventre en l'air, sur les genoux de Zack, visiblement en pleine extase.

— Vous n'auriez pas piqué de la nourriture pour en donner au chat?

— Moi?

Zack affichait une expression outragée.

— Je ne sais pas ce qui vous fait croire ça.

— Vous allez le rendre malade.

Elle tendit la main pour récupérer le chaton, puis se ravisa; compte tenu de l'endroit où il se prélassait, le geste eût été embarrassant.

— Posez-le par terre, qu'il coure un peu et digère ce thon avant que je ne le rentre. Sinon, il sera malade dans la maison.

— Bien, m'dame.

Elle avait mis le café en route et s'apprêtait à couper la tarte quand Zack la rejoignit avec le plat sale.

— Merci, mais les invités ne sont pas censés débarrasser

— Chez moi, si.

130

Il regarda la tarte, tout de blanc moelleux et de rouge succulent. Et son regard revint se poser sur Nell.

— Mon ange, il faut que je vous le dise : c'est une œuvre d'art.

— La présentation, c'est la moitié de la bataille, dit-elle, enchantée.

Elle se figea quand il posa la main sur la sienne, et se détendit lorsqu'elle comprit qu'il voulait seulement déplacer le couteau pour augmenter la taille de sa part.

— Je suis un grand client en ce qui concerne les œuvres d'art.

— À ce rythme, Diego ne va pas être le seul à être malade.

Elle lui coupa cependant une part deux fois plus grande que la sienne.

— J'apporte le café.

Il prit les assiettes servies et maintint la porte ouverte.

— Il faut que je vous dise autre chose, commença-t-il comme elle passait devant lui. J'envisage de vous toucher. Beaucoup. Peut-être que vous pourriez essayer de vous y habituer, peu à peu.

— Je n'aime pas qu'on me manipule.

— Je n'en avais pas l'intention, protesta-t-il en posant les assiettes sur la table. Quoique les manipulations, des deux côtés, donnent parfois des résultats satisfaisants. Je ne marque pas les femmes, Nell. Je n'emploie pas mes mains ainsi.

— Je n'ai pas envie de parler de ça, jeta-t-elle sèchement.

— Je ne vous le demande pas. Je parle de moi, et de vous, et de là où en sont les choses en ce moment.

— Les choses n'en sont nulle part... dans ce domaine.

— Mais elles vont l'être.

Il prit une cuillerée de tarte et la goûta.

— Seigneur, si vous vendez ça au marché, vous serez millionnaire en six mois !

— Je ne tiens pas à être riche.

— Vous voilà de nouveau dressée sur vos ergots, observa-t-il. Ça ne me dérange pas. Il y a des hommes qui recherchent des femmes qui plient, qui suivent le mouvement, des dociles, quoi.

Haussant les épaules, il planta sa fourchette dans une grosse fraise.

— Je me demande bien pourquoi. De mon point de vue, j'ai l'impression que ça doit vite devenir lassant pour les deux. Pas d'étincelles, si vous voyez ce que je veux dire.

— Je n'ai pas non plus besoin d'étincelles.

— Tout le monde en a besoin. Cela dit, quand ça crépite en permanence dans un couple, ça doit quand même finir par être usant.

Quelque chose soufflait à Nell qu'il en faudrait beaucoup pour user un homme tel que Zack.

— Mais si on ne provoque pas une étincelle de temps à autre, continua-t-il, ça manque de piquant. De même que si l'on cuisine sans épices ni assaisonnement, il en sort quelque chose de comestible, mais qui ne procure aucune satisfaction.

— Très malin. Mais il y a des gens qui se portent mieux en se contentant d'une alimentation insipide.

— Mon grand-oncle Franck, par exemple, dit Zack avec un grand geste de sa fourchette. Il avait des ulcères. Selon certains, ils étaient dus à son sale caractère, ce qui est difficilement contestable. Quoi qu'il en soit, c'était un Yankee réaliste et avare. Il ne s'est jamais marié. Il préférait coucher avec ses livres de comptes plutôt qu'avec une femme. Il a vécu jusqu'à quatre-vingt-dix-huit ans.

— Et la morale de l'histoire ?

— Oh, je ne pensais pas à une morale. Juste au grand-oncle Franck. Quand j'étais petit, nous allions déjeuner chez ma grand-mère le troisième dimanche de chaque mois. Elle faisait le meilleur rôti en cocotte… vous savez, entouré de carottes et de pommes de terre ? Bref, grand-oncle Franck venait aussi et mangeait du riz au lait pendant que tous les autres se régalaient. Ce type me fichait une de ces trouilles. Je ne peux toujours pas voir un plat de riz au lait sans trembler.

Était-ce de la magie ? En tout cas, il était impossible de ne pas se détendre en compagnie de Zachariah Todd, songea Nell.

— Je parie que la moitié est inventée.

— Certainement pas. Vous trouverez son nom dans le registre de l'église méthodiste de l'île. Francis Morris Bigelow. Ma grand-mère avait épousé un Ripley, mais elle était née Bigelow. C'était la sœur aînée de Franck. Elle-même a dépassé les cent ans. On vit plutôt vieux dans la famille. Ce qui explique que la plupart d'entre nous ne se marient pas et ne procréent pas avant trente ans bien sonnés.

— Je vois.

Constatant qu'il avait fini sa tarte, Nell poussa son assiette devant lui et ne s'étonna pas de le voir piquer sa fourchette dans ce qui y restait.

— Je croyais que les Yankees de Nouvelle-Angleterre étaient plutôt taciturnes. Genre : ouais, non, peut-être.

— Dans ma famille, on aime bien parler. Excepté Ripley, mais il faut dire qu'elle n'est pas folle de l'espèce humaine. C'est le meilleur repas que j'ai mangé depuis les déjeuners du dimanche chez ma grand-mère.

— C'est le compliment suprême.

— Une promenade sur la plage serait une façon parfaite de le terminer.

Elle ne trouva aucune raison de refuser. Peut-être, n'en avait-elle pas envie, tout simplement.

La nuit était presque tombée. Un trait fin comme une aiguille brillait à l'horizon tandis qu'à l'ouest, une traînée rose teintait le ciel. En se retirant, la mer avait laissé une large avenue de sable sombre. Les vagues venaient y déposer des rubans d'écume, et des oiseaux perchés sur leurs hautes pattes picoraient leur dîner.

D'autres promeneurs arpentaient la plage. Presque uniquement des couples, nota Nell. Main dans la main ou bras dessus bras dessous. Par précaution, après avoir enlevé ses chaussures et roulé le bas de son jean, elle fourra les mains dans ses poches.

Ici et là se découpait la silhouette de gros tas de bois flotté prêts à flamber dès que l'obscurité serait complète.

— Je ne vous ai toujours pas vu y aller.

— Y aller ?

— Dans l'eau, précisa Zack.

Elle ne possédait pas de maillot de bain, mais n'avait aucune raison de le lui avouer.

— Je me suis trempée une fois ou deux.

— Vous ne savez pas nager ?

— Bien sûr que si !

— Allons-y.

Il la souleva si vite que son cœur se coinça entre sa poitrine et sa gorge. Elle arrivait à peine à respirer. Encore moins à crier. Et elle se retrouva dans l'eau avant même que la panique ait eu le temps de l'envahir.

Zack riait. Il pivota pour la protéger d'une vague qu'il prit dans le dos. Elle glissait, roulait, luttait pour se retrouver sur ses pieds quand il l'attrapa par la taille et la remit debout.

— On ne peut habiter aux Trois Sœurs sans être baptisé.

Rejetant ses cheveux mouillés en arrière, il l'entraîna plus loin.

— Elle est glacée.

— Elle est délicieuse, corrigea-t-il. Votre sang est encore trop fluide. Ah, en voilà une belle ! Cramponnez-vous à moi.

— Je ne veux pas…

La mer se moquait bien de ce que voulait ou pas Nell. La vague frappa, lui fit perdre l'équilibre et emmêla ses jambes à celles de Zack.

— Espèce d'idiot ! s'écria-t-elle tandis qu'elle refaisait surface en riant.

Sentant l'air frais, elle se hâta de se replonger jusqu'au cou.

— Un shérif a sûrement mieux à faire que de se jeter tout habillé dans la mer.

— Je me serais volontiers déshabillé, mais on ne se connaît pas depuis assez longtemps.

Il bascula sur le dos et se laissa flotter paresseusement.

— Les premières étoiles apparaissent. Il n'y a rien de plus beau au monde. Allez, faites comme moi.

Elle obéit et se laissa bercer par la mer. Avec l'impression de flotter en apesanteur, elle regarda la couleur du ciel se modifier. Et, tandis qu'il s'assombrissait, les étoiles prenaient vie les unes après les autres.

— Vous avez raison, il n'y a rien de plus beau. N'empêche qu'il gèle.

— Il suffira d'un hiver sur l'île pour vous épaissir un peu le sang.

Il la prit par la main et ils se laissèrent dériver à une longueur de bras l'un de l'autre.

— Je n'ai jamais passé plus de trois mois d'affilée hors de l'île, et c'était quand j'étais à l'université. Ça a duré trois ans, et je n'aurais pas supporté une année de plus. De toute façon, je savais ce que je voulais. Et c'est ce que j'ai obtenu.

Le mouvement régulier des vagues, le ciel immense, le débit paisible de la voix de Zack dans la nuit, le vent humide et frais qui lui caressait le visage… Nell soupira.

— C'est un peu magique, non, de savoir à l'avance ce qu'on veut ? Simplement savoir. Et ensuite l'obtenir.

— La magie ne fait pas de mal, mais le travail aide bien. Ainsi que la patience.

— Je sais ce que je veux à présent, et je suis en train de l'obtenir. Pour moi, c'est magique.

— L'île n'a jamais manqué de ce type de denrées. Ça vient de ce qu'elle a été fondée par des sorcières, je suppose.

— Vous croyez à ce genre de choses ? s'écria Nell, surprise.

— Pourquoi pas ? Les choses existent, que les gens y croient ou pas. La nuit dernière, il y avait un scintillement dans le ciel qui ne provenait pas des étoiles. On pouvait choisir de regarder ailleurs, il aurait été tout de même là.

Il posa les pieds sur le fond et souleva Nell jusqu'à ce qu'elle soit debout face à lui, l'eau à la hauteur de la poitrine. La nuit était complètement tombée, et les étoiles se reflétaient à la surface de l'eau.

— On peut se détourner de ce genre de choses, reprit-il.

Il écarta les cheveux qui collaient au visage de Nell. Et y laissa les mains.

— Mais elles seront là quand même, acheva-t-il.

Lorsqu'il s'inclina vers elle, Nell posa la main sur son torse. Pour le repousser. Pour revenir à une situation simple, ordonnée, sans surprise.

Mais l'étincelle qu'il avait mentionnée un peu plus tôt crépita en elle, chaude et claire. Elle agrippa sa chemise mouillée et s'abandonna à ses sensations.

Elle était vivante. Fraîche là où le vent caressait sa peau. Chaude au creux de son ventre, là où le désir commençait à monter. Prudemment, avec l'idée de se mettre à l'épreuve et d'observer ses propres réactions, elle s'appuya contre lui et entrouvrit les lèvres.

Il prit son temps, autant pour lui-même que pour la ménager. Goûtant, savourant. Elle sentait l'iode et les embruns. Durant un instant, bercé par la houle étoilée, il eut l'impression de perdre pied.

Il s'écarta doucement, laissa ses mains glisser sur les épaules de Nell puis le long de ses bras avant de nouer ses doigts aux siens.

— Tu vois, ce n'est pas si compliqué.

Il l'embrassa encore, légèrement, bien que cette légèreté lui coûtât.

— Je te ramène chez toi.

8

— Mia, je peux te parler ? demanda Nell, dix minutes avant l'ouverture.

Lulu, qui était en train d'enregistrer les commandes arrivées par courrier, lui lança son habituel regard soupçonneux tandis que Mia mettait la touche finale à un nouveau présentoir.

— Bien sûr. De quoi s'agit-il ?

— Eh bien...

Elle hésita. Lulu était à portée de voix.

— On pourrait aller deux minutes dans ton bureau ?

— Ici, ce sera très bien. Ne te laisse pas impressionner par le visage revêche de Lulu. Elle craint que tu ne viennes m'emprunter de l'argent. Vu que je suis facile à émouvoir et bête à manger du foin, elle est convaincue que je me laisserai dépouiller, et que je mourrai sans le sou et abandonnée de tous dans quelque bas-fonds. Pas vrai, Lu ?

Celle-ci se contenta de renifler sans cesser de taper sur les touches de sa caisse.

— Oh, non, il ne s'agit pas d'argent ! Je n'oserais jamais te demander... alors que tu t'es montrée si... oh, bon sang !

Nell se tourna vers Lulu.

— Je comprends que vous vouliez protéger Mia et que vous ne voyiez aucune raison de me faire confiance. Après tout, j'ai débarqué de nulle part, sans un sou. Mais je ne suis ni une voleuse ni une droguée. J'ai assumé ma part de travail et j'ai l'intention de continuer. Et si Mia me demandait d'essayer de servir les sandwiches debout sur un pied en chantant *Yankee Doodle Dandy*, je ferais de mon mieux. Parce qu'elle m'a donné ma chance.

Lulu renifla à nouveau.

— Je voudrais bien voir ça. Ça nous amènerait peut-être une nouvelle clientèle. Je n'ai jamais dit que vous ne faisiez pas votre part de travail, ajouta-t-elle, mais ça ne m'empêchera pas de garder un œil sur vous.

— Ça ne me dérange pas. Je comprends très bien.

— Cette débauche de sentiments nuit à mon mascara, remarqua Mia en se tamponnant les cils.

Elle s'écarta du présentoir, hocha la tête d'un air satisfait.

— Alors, que veux-tu me dire ?

— Mme Macey donne une réception d'anniversaire le mois prochain. Elle voudrait un beau buffet.

— Oui, je sais, dit Mia en redressant des livres sur une étagère. Elle va te rendre folle avec ses suggestions et ses questions. Mais tu devrais t'en sortir.

— Je n'ai pas encore accepté... Je voulais t'en parler d'abord.

— Tu n'as pas besoin de mon autorisation pour assurer un buffet à l'extérieur, Nell. Ton temps libre t'appartient.

— Je voulais juste que tu saches que si j'acceptais, ça n'interférerait pas avec mon travail ici.

— J'espère bien que non, surtout après l'augmentation que je vais t'accorder... Il est temps d'ouvrir, Lu, fit-elle en consultant sa montre.

— Tu m'augmentes ?

— Tu l'as méritée. Je t'ai engagée avec un salaire provisoire. Ta période d'essai est officiellement terminée.

Elle déverrouilla la porte, puis mit la musique en sourdine.

— Comment s'est passé ton dîner avec Zack, l'autre soir ? s'enquit-elle, amusée. L'île est petite, les nouvelles circulent vite.

— Très bien. C'était juste un petit dîner amical.

— C'est un beau garçon, remarqua Lulu. Et un type bien.

— Je n'essaye pas de l'induire en tentation.

— Alors, il y a quelque chose qui cloche chez vous.

Lulu abaissa ses lunettes et scruta Nell par-dessus la monture en métal.

— Si j'avais quelques années de moins, je lui aurais tendu quelques pièges. Il a de belles mains, et je parie qu'il sait s'en servir.

— Aucun doute, intervint Mia. Mais tu embarrasses notre Nell. Bon, où en étais-je ? L'anniversaire de Gladys, c'est fait. L'augmentation, c'est fait. Le dîner avec Zack, c'est fait.

Elle fit une pause et tapota ses lèvres de l'index.

— Ah oui ! Nell, je voulais te demander : est-ce que tes convictions religieuses ou politiques t'empêchent de porter bijoux et maquillage ?

Nell ne put que secouer la tête, abasourdie.

— Ouf ! je suis soulagée. Tiens.

Mia ôta ses boucles d'oreilles en argent et les lui tendit.

— Essaie celles-ci. Si quelqu'un te demande où tu les as achetées, elles viennent de *Tout ce qui brille*, à deux pas d'ici. Nous aimons bien faire la promotion des autres commerçants. Tu me les rendras à la fin de ton service. Demain, tu pourrais essayer de mettre un peu de blush, du rouge à lèvres, et même une touche de mascara.

— Je n'en ai pas.

— Pardon ?

Mia leva la main, pressa l'autre sur son cœur et tituba jusqu'au comptoir pour y prendre appui.

— Excuse-moi, je me sens un peu faible. Tu as bien dit que tu n'avais *pas* de rouge à lèvres ?

Les fossettes de Nell se creusèrent.

— Je crains que oui.

— Lulu, il faut qu'on aide cette malheureuse. C'est notre devoir. Les réserves d'urgence. Vite.

Un frémissement de la bouche qui ressemblait à un sourire, Lulu sortit une trousse de toilette de dessous le comptoir.

— Elle a une belle peau.

— C'est une toile vierge, Lu. Suis-moi, ordonna-t-elle à Nell.

— Et le café... ? Les habitués ne vont pas tarder...

— Je suis rapide, et expérimentée. Allons-y.

Dix minutes plus tard, Nell servait ses premiers clients en arborant les boucles d'oreilles en argent, un rouge à lèvres couleur pêche, et un mascara ardoise posé avec expertise.

Se sentir à nouveau féminine procurait un réconfort indéniable, décréta-t-elle.

Elle accepta de faire le buffet des Macey en croisant les doigts. Quand Zack lui proposa un tour en bateau, elle dit oui et se sentit forte.

Lorsqu'un client lui demanda si elle pouvait faire un gâteau d'anniversaire en forme de ballerine, elle ne se déroba pas. Et elle acheta une paire de boucles d'oreilles avec l'argent ainsi gagné.

La rumeur se répandit, elle se retrouva avec un pique-nique d'une vingtaine de personnes à préparer pour la fête du 4 Juillet et dix paniers-repas pour l'équipage d'un bateau loué à la journée.

Ses notes, ses classeurs et ses menus étalés sur la table de la cuisine, Nell réalisa qu'elle était en train de créer sa propre entreprise.

On frappa soudain à la porte. Levant les yeux, elle reconnut Ripley qu'elle accueillit avec joie.

— Tu as une minute ?

— Bien sûr. Assieds-toi. Tu veux boire quelque chose ?

— Ça va, merci.

Ripley prit un siège, et attrapa Diego qui s'était approché pour renifler ses chaussures.

— Tu planifies tes repas ?

— Oui. Si j'avais un ordinateur… Enfin, on verra ça plus tard. Pour l'instant, je vendrais mon âme pour un mixeur. Et mes jambes contre un robot ménager professionnel. En attendant, je fais avec ce que j'ai.

— Pourquoi tu n'utilises pas l'ordinateur de la librairie ?

— Mia en a déjà fait beaucoup pour moi.

— Bon, écoute : j'ai un rendez-vous le 4. Un rendez-vous avec du potentiel. Informel parce que Zack et moi sommes plus ou moins de service ce jour-là jusque tard dans la nuit. Les feux d'artifice et la bière rendent parfois les gens trop joyeux pour leur bien.

« Bref, ce type – il est consultant en sécurité sur le continent – s'est entiché de moi, et j'ai décidé de lui donner sa chance.

— Waouh, Ripley, c'est romantique !

— Et en plus il est bien fichu, poursuivit Ripley en caressant les oreilles de Diego. Le feu d'artifice d'après les feux d'artifice promet d'être du tonnerre, si tu vois ce que je veux dire. Je suis plutôt en manque, côté sexe. Donc, on a décidé de pique-niquer de nuit et, je ne sais pas comment, je me suis retrouvée chargée de la nourriture. Comme j'ai dans l'idée de lui sauter dessus, je préfère ne pas l'empoisonner avant.

— Un pique-nique romantique pour deux, nota Nell. Végétarien ou carnivore ?

— Carnivore. Pas trop compliqué, hein ?

Ripley piqua un grain de raisin dans la coupe sur la table et le fourra dans sa bouche.

— Je ne tiens pas à ce qu'il s'intéresse plus à la nourriture qu'à moi.

— Compris. Tu viens le chercher ou il faut le livrer ?

— C'est super ! s'exclama Ripley en prélevant un autre grain de raisin. Je viendrai le chercher. Tu peux me faire ça pour moins de cinquante dollars ?

— Entendu. Dis-lui d'apporter un petit vin blanc bien frais. Si tu avais un panier à pique-nique…

— On doit en avoir quelque part.

— Parfait. Apporte-le. Côté nourriture, je m'en occupe. Pour la partie de jambes en l'air, c'est de ton ressort.

— Je devrais me débrouiller. Tu sais, si tu veux, je peux demander autour de moi si quelqu'un n'aurait pas un ordinateur d'occasion à vendre.

— Ce serait formidable. Je suis contente que tu sois passée, déclara Nell en se levant pour sortir deux verres. J'avais peur de t'avoir agacée, l'autre jour.

— Non, ce n'est pas toi. C'est ce sujet particulier qui m'exaspère. C'est un tas de conneries…

Elle s'interrompit, fronça les sourcils.

— Quand on parle du loup…

— Moi, j'essaye de l'éviter. Pourquoi chercher les ennuis ? lança Mia en entrant d'une démarche nonchalante. Un message pour toi, Nell, ajouta-t-elle en posant un bout de papier sur le plan de travail. De Gladys Macey.

— Je suis confuse. Je vais lui demander encore une fois de ne pas appeler à la librairie, et je te promets de faire installer le téléphone.

— Ne t'en fais pas, j'avais envie de prendre l'air. Je veux bien un verre de cette sympathique citronnade.

— Elle a besoin d'un ordinateur, lâcha tranquillement Ripley. Elle ne veut pas utiliser celui de la librairie de peur de t'embêter.

— Voyons, Ripley ! s'écria Nell. Travailler ainsi me convient parfaitement.

— Elle peut tout à fait utiliser l'ordinateur du magasin quand il est disponible, répliqua Mia à l'adresse de Ripley. Et elle n'a pas besoin que tu t'immisces entre nous.

— Elle n'en aurait pas besoin si tu n'essayais pas tout le temps de lui imposer tes idioties psychotiques.

— « Idioties psychotiques », on dirait le nom d'un orchestre de rock de second ordre, et ça n'a rien à voir avec ce que je suis. Mais même cela, c'est mieux que le déni aveugle et obstiné. Le savoir est toujours préférable à l'ignorance.

— Tu en veux, de l'ignorance ? rugit Ripley en bondissant sur ses pieds.

— Arrêtez tout de suite ! cria Nell, bouleversée, en s'interposant. C'est ridicule. Est-ce que vous vous comportez toujours ainsi, toutes les deux ?

— Oui, répondit Mia en prenant délicatement son verre pour boire une gorgée. Ça nous plaît beaucoup, n'est-ce pas, shérif adjoint ?

— Ce qui me plairait, ce serait de te flanquer un bon coup de poing, mais ça m'obligerait à me mettre en état d'arrestation.

— Essaie voir, répliqua Mia en tendant le menton. Je te promets de ne pas porter plainte.

— Personne ne frappera personne. Pas dans ma maison.

Prise de remords, Mia posa son verre et caressa le bras de Nell. Il était d'une rigidité d'acier.

— Je suis désolée, petite sœur. Ripley et moi, nous nous exaspérons l'une l'autre, c'est une vieille habitude. Mais on ne devrait pas te mettre entre nous.

On ne devrait pas, insista-t-elle en se tournant vers Ripley. Ce n'est pas juste.

— Voilà un point sur lequel nous sommes d'accord. Que dirais-tu de déclarer cette maison zone neutre ? Interdite de guerre.

— Je dirais que je suis d'accord, fit Mia en distribuant les verres. Tu vois, Nell, tu as déjà une bonne influence sur nous. Buvons aux influences positives.

Ripley hésita, se racla la gorge.

— Allez, tant pis ! Aux influences positives.

Les trois femmes qui formaient un vague cercle heurtèrent leurs verres. Un son clair retentit et un éclair jaillit.

Mia sourit tandis que Nell laissait échapper un gloussement.

— Merde ! marmonna Ripley en avalant sa citronnade. J'ai horreur de ça.

Un flot de touristes débarquait sans discontinuer pour fêter le 4 Juillet. Toutes les vitrines dans High Street arboraient des bannières et des guirlandes qui claquaient joyeusement au vent. La foule grouillait dans les rues et sur la plage.

Nell ne chômait pas, mais cela n'altérait en rien sa bonne humeur. Pour la première fois depuis neuf mois, elle s'autorisait à faire des projets d'avenir.

Elle s'arrêta un instant devant la vitrine de *Côté plage*. Le mannequin était vêtu d'un adorable pantalon d'été, rayé marine et blanc, et d'un petit haut blanc joliment décolleté. Ses sandales avaient l'air aussi amusantes que peu pratiques.

Nell se mordit la lèvre. Son salaire brûlait dans la poche de son vieux jean. Cela avait toujours été son problème. Dès qu'elle avait dix dollars, elle trouvait sans peine le moyen d'en dépenser neuf.

Elle avait appris à économiser, à lésiner et à résister à ses envies. À faire durer un billet de cinq dollars.

Mais cela faisait si longtemps qu'elle ne s'était rien offert de joli. Et Mia lui avait fait remarquer, avec une pointe d'agacement, qu'elle pourrait soigner sa tenue pour travailler.

En outre, ses nouvelles activités de traiteur exigeaient qu'elle se montre à son avantage. Et même si la décontraction était de rigueur sur l'île, cela ne signifiait pas qu'elle devait s'interdire d'être séduisante.

D'un autre côté, il aurait été plus raisonnable d'économiser cet argent pour investir dans l'équipement de sa cuisine.

— Qui vas-tu écouter? Le bon ange ou le mauvais?

— Mia...

Un peu gênée d'avoir été surprise en train de rêvasser devant une paire de chaussures, Nell se mit à rire.

— Superbes, ces sandales! s'exclama Mia. Et, en solde, en plus.

— C'est vrai?

Son amie désigna l'écriteau marqué *Soldes* sur la vitrine.

— C'est le mot de six lettres que je préfère. Je sens des possibilités, Nell. Entrons.

— Je ne devrais pas. Je n'ai besoin de rien.

— Tu as besoin que je te convainque.

Sur ce, elle prit Nell par le coude d'une main ferme.

— Acheter des chaussures n'a rien à voir avec le besoin, et tout avec le désir. Sais-tu combien j'en ai de paires?

— Non.

— Moi non plus, avoua Mia en entraînant Nell dans la boutique. Regarde ce pantalon rouge cerise! Il t'irait à merveille. Tu fais du 36?

— Oui, mais il faut absolument que j'économise pour acheter un robot ménager.

Malgré elle, elle tendit la main pour tâter le tissu du pantalon que Mia avait décroché du portant.

— Essaye-le avec ça, ordonna Mia en sortant un dos-nu blanc. N'oublie pas d'enlever ton soutien-gorge. Tu as des petits pieds. Du 36 aussi ?

— Oui.

Nell jeta un coup d'œil discret aux prix. Même en solde, c'était plus qu'elle n'avait dépensé pour elle-même en plusieurs mois. Elle tenta de protester, mais Mia la poussait déjà dans la cabine d'essayage.

Le rideau tiré, elle se résigna plutôt aisément. Après tout, essayer n'était pas acheter.

Mia avait raison pour le pantalon, constata-t-elle. Le rouge vous remontait le moral instantanément. Mais le haut… Porter sans soutien-gorge quelque chose d'aussi moulant lui parut indécent. Quant au dos, elle pivota pour l'examiner dans la glace. Eh bien, il n'y en avait quasiment pas.

Evan ne lui aurait jamais permis de l'acheter.

Nell se reprocha aussitôt d'avoir une telle pensée.

« Bon, on efface tout et on recommence », s'ordonna-t-elle.

— Comment ça va, là-dedans ?

— Bien. C'est une tenue adorable, mais je ne crois pas que…

Avant qu'elle ait le temps d'achever, Mia tira le rideau et, les sandales à la main, l'examina tout en se tapotant les lèvres.

— Parfait. Jeune fille rangée et cependant sexy, décontractée mais chic. Enfile ces chaussures. J'ai vu un petit sac, exactement ce qu'il te faut. Je reviens.

Nell avait l'impression d'être un vulgaire fantassin exécutant les ordres d'un général.

Vingt minutes plus tard, son vieux jean, son T-shirt et ses tennis gisaient au fond d'un sac en plastique. Le peu de liquide qu'il lui restait avait été englouti par le sac qui ballottait contre sa hanche.

— Comment te sens-tu ?

— Coupable, et enchantée, répondit Nell en frétillant des orteils dans ses sandales.

— Bien. Maintenant, allons acheter des boucles d'oreilles pour parfaire cette charmante tenue.

Nell abandonna toute idée de résistance. N'était-ce pas la fête de l'Indépendance ? Elle craqua pour une paire en quartz rose absolument ravissante.

— Pourquoi de simples boucles d'oreilles procurent-elles un tel sentiment de confiance en soi ?

— Les bijoux montrent que nous sommes conscientes de notre corps et que nous attendons des autres qu'ils le soient aussi. Et, maintenant, un petit tour sur la plage, histoire de voir les réactions.

Nell effleura les pierres rose pâle à ses oreilles.

— Est-ce que je peux te poser une question ?

— Vas-y.

— Cela fait un mois que je vis ici, et je ne t'ai jamais vue avec personne. Un homme, je veux dire.

— Je ne m'intéresse à personne en ce moment, répondit Mia qui, la main en visière, examinait la plage. Il y a eu quelqu'un. Mais c'était à une autre période de ma vie.

— Tu l'aimais ?

— Oui. Beaucoup.

— Excuse-moi. Ça ne me regarde pas.

— Ce n'est pas un secret, fit Mia avec désinvolture. Et ça fait longtemps que la blessure est cicatrisée. J'aime bien être seule, maîtresse de mon destin, ainsi que de toutes les petites décisions quotidiennes. La vie à deux exige une certaine dose d'altruisme. Et je suis d'une nature égoïste.

— Ce n'est pas vrai.

— Il y a des degrés dans la générosité, répliqua Mia qui, offrant son visage à la brise, se mit à marcher. Et elle n'est pas synonyme d'altruisme. Je suis généreuse quand j'en ai envie et avec qui j'ai envie. Je ne trouve pas qu'il y ait là matière à s'excuser.

— Je sais d'expérience ce qu'est l'égoïsme. Tu agis peut-être à ta guise, Mia, mais tu ne ferais jamais de mal à qui que ce soit.

— Éviter de faire du mal est une responsabilité dont on hérite. Tu es comme moi.

— Je ne vois pas en quoi. J'ai été impuissante.

— C'est pourquoi tu ressens de la compassion pour ceux qui souffrent. Rien ne nous arrive sans raison, petite sœur. Ce que nous faisons ensuite est la clef de ce que nous sommes.

Nell laissa son regard errer au loin. Elle pouvait ignorer ce que Mia était en train de lui dire, et se contenter d'une petite vie tranquille, normale.

Ou bien obtenir plus.

— La nuit où j'ai dormi chez toi, quand je t'ai vue sur la falaise, je me suis dit que je rêvais.

— Est-ce ce que tu veux croire ? demanda Mia sans la regarder.

— Je n'en suis pas totalement sûre. Enfant déjà, j'avais rêvé de cet endroit. Pendant très longtemps, j'ai fait l'impasse sur ces rêves. Quand j'ai vu ce tableau qui représentait la falaise, le phare et ta maison, je me suis sentie irrésistiblement attirée par cet endroit. C'était un peu comme si l'on m'autorisait enfin à rentrer chez moi.

Elle fit une pause puis se tourna vers Mia.

— Autrefois, je croyais aux contes de fées. Et puis j'ai appris à ne plus y croire. À mes dépens.

Il en était de même pour Mia. Aucun homme n'avait jamais levé la main sur elle, mais il y avait d'autres façons de laisser des bleus et des cicatrices.

— La vie n'est pas un conte de fées, et le don a son prix.

Un frisson parcourut l'épine dorsale de Nell. Il était plus facile de se détourner. Plus rassurant de s'enfuir.

Au large, une fusée siffla dans les airs puis explosa en déversant une pluie d'étoiles. Une clameur joyeuse s'éleva de la plage.

— Tu m'as dit que tu m'apprendrais, murmura Nell.

Mia expira lentement. Enfin ! Tant de choses reposaient sur cet accord timide.

— Chose promise, chose due.

Elles contemplèrent en silence la fusée suivante.

— Tu comptes rester ici pour admirer le feu d'artifice ? s'enquit Nell.

— Non, j'y assisterai de ma falaise. Ce sera plus tranquille. De plus, je déteste être la cinquième roue du carrosse.

— La cinquième roue ?

— Mesdames, fit Zack qui les rejoignait.

Fait rare, il portait son insigne de shérif épinglé sur sa chemise.

— Je vais être obligé de vous demander de circuler. Deux jolies jeunes femmes sur la plage risquent de perturber l'ordre public.

— Est-ce qu'il n'est pas mignon ? s'écria Mia en prenant son visage entre ses mains pour lui donner un gros baiser bruyant. Quand j'étais en CM2, j'envisageais de me marier avec lui et d'habiter un château de sable.

— Tu aurais pu me mettre au courant.

— Tu n'avais d'yeux que pour Hester Burmingham.

— Non. Je ne nourrissais des pensées concupiscentes qu'à propos de son vélo rouge. L'année suivante, le père Noël m'en a apporté un, et Hester a cessé d'exister pour moi.

— Les hommes sont des salauds.

150

— Possible, mais j'ai encore le vélo, et Hester a des jumelles et un minibus. Tout est bien qui finit bien.

— Hester continue à regarder ton arrière-train quand tu t'éloignes, déclara Mia, ravie de le voir béer d'étonnement. Sur ce, bonsoir. Profitez bien du feu d'artifice.

— Cette fille se débrouille toujours pour avoir le dernier mot, marmonna Zack. Le temps qu'il faut à un homme pour délier sa langue, hop! elle est partie. Et, à propos de subjuguer les hommes, tu es splendide.

— Merci, dit Nell qui écarta les bras pour se faire admirer. J'ai fait des folies.

— Aux bonnes adresses. Laisse-moi porter ça, ajouta-t-il en la débarrassant du sac qui contenait ses vieux vêtements.

— Il faut que je rentre chez moi. J'ai pas mal de choses à faire.

— Je peux faire un bout de chemin avec toi. J'espérais bien te voir, aujourd'hui. J'ai entendu dire que tu avais eu beaucoup de travail, à livrer de la salade de pommes de terre dans toute l'île.

— J'ai bien dû en préparer dix kilos, et assez de poulet frit pour qu'on soit à court de volaille pendant les trois mois à venir.

— Je suppose qu'il ne t'en reste plus.

— Peut-être que si, fit-elle avec un sourire espiègle.

— Avec la surveillance de la circulation et les patrouilles sur la plage, je n'ai pas eu le temps de prendre un vrai repas. J'ai confisqué assez de pétards, de feux de Bengale et de fusées pour monter ma propre insurrection. Et tout ça avec seulement deux hot-dogs dans le ventre.

— Ce n'est vraiment pas juste.

— Non, en effet. J'ai repéré un ou deux de tes paniers-repas. Il m'a semblé voir de la tarte aux pommes.

— Tu as une bonne vue. Je pourrais sans doute dénicher quelques pilons et récupérer une livre de salade de pommes de terre au fond d'un saladier. Et j'arriverai peut-être même à reconstituer une portion de tarte aux pommes pour en faire don à un fonctionnaire méritant.

— Si ça se trouve, tu pourrais même le déduire de tes impôts. Maintenant, il faut que j'aille surveiller la préparation du feu d'artifice, dit-il en s'arrêtant au bout de la rue. En général, ça commence vers 9 heures.

Il posa le sac de Nell et lui caressa les bras.

— Les choses se tassent entre 9 h 30 et 10 heures. J'ai perdu à la courte paille contre Ripley, du coup, c'est à moi d'effectuer la dernière patrouille et de vérifier que personne n'a fichu le feu à sa maison. Ça te plairait de faire un tour en voiture ?

— Peut-être.

Les doigts de Zack se promenèrent sur le dos nu de Nell.

— Fais-moi une faveur, dit-il. Pose tes mains sur mes épaules. J'aimerais que tu te cramponnes à moi quand je t'embrasserai, cette fois-ci.

— Zack…

Elle respira à fond deux fois et reprit :

— J'aimerais que toi aussi tu te cramponnes à moi.

Il la prit dans ses bras. Elle noua les doigts sur sa nuque. Ils demeurèrent ainsi un instant, si proches que chacun sentait le souffle de l'autre. Un frisson d'anticipation parcourut le corps de Nell.

Leurs lèvres se frôlèrent, se séparèrent, se frôlèrent à nouveau. Ce fut elle qui gémit, qui écrasa sa bouche sur celle de Zack dans un accès de désir qui la prit par surprise.

Elle ne s'était pas autorisée à désirer. Même quand il avait réveillé ses sens assoupis, elle avait pris garde de rester en deçà du désir. Jusqu'à présent.

Mais, soudain, elle avait envie de se presser contre ce corps dur et viril. Elle avait besoin de sentir son odeur, sa chaleur.

Leurs langues se mêlèrent, douces et soyeuses, en un voluptueux ballet. Elle laissa échapper un petit halètement de plaisir quand il changea l'angle du baiser.

Et s'y abandonna totalement.

La reddition de Nell déclencha en lui des spasmes de désir presque douloureux. Ses gémissements étouffés lui incendièrent les veines tandis que des visions érotiques se bousculaient dans son cerveau sur fond de ciel nocturne.

Le bruit assourdi d'une fusée qui explosait lui parvint, suivi d'exclamations montant de la plage.

En deux minutes, il pouvait l'entraîner dans le cottage ; en trois, la déshabiller et la prendre.

— Nell...

Hors d'haleine, il interrompit leur baiser.

Elle lui sourit, confiante. Ses pupilles étaient dilatées de plaisir.

— Nell, répéta-t-il en appuyant le front contre celui de la jeune femme.

Il y avait un temps pour prendre, il le savait, et un temps pour attendre.

— Il faut que je fasse ma ronde.

— D'accord.

Il ramassa le sac et le lui tendit.

— Tu reviendras ?

— Oui, je reviendrai.

Lorsqu'elle se détourna et se dirigea vers sa maison, elle eut la sensation de flotter dans les airs.

9

— Le pouvoir, expliquait Mia à Nell, implique le sens des responsabilités et le respect de la tradition. Il doit être tempéré par la compassion et l'intelligence, ainsi que par la compréhension des faiblesses humaines. Il ne doit jamais être utilisé avec désinvolture, bien qu'il ne faille pas exclure l'humour. Et, surtout, il ne faut jamais s'en servir pour faire le mal.

— Comment as-tu découvert que tu étais...?

— Une sorcière.

Mia s'assit sur ses talons. Elle était en train d'arracher des mauvaises herbes dans son jardin. Avec son ample robe munie de poches profondes, ses gants de jardinage et son chapeau de paille à large bord, elle n'avait vraiment rien d'une sorcière.

— Tu peux dire le mot. Ça n'a rien d'illégal. Nous ne sommes pas les harpies ricanantes chevauchant des balais que l'on décrit habituellement. Nous sommes des gens normaux... Notre façon de vivre est affaire de choix personnel.

— Et les sabbats?

— Encore un choix personnel. En ce qui me concerne, je n'ai pas l'instinct grégaire. La plupart des gens qui se rassemblent pour étudier notre art le font à titre de passe-temps, ou pour trouver une réponse. Il n'y a pas de mal à ça. Se prétendre sorcière et accomplir des rituels est une chose, être une sorcière en est une autre.

— Comment déceler la différence ?

— Comment te répondre, Nell ?

Elle se pencha de nouveau pour supprimer des fleurs fanées.

— Il y a quelque chose en toi qui brûle. Un chant dans ta tête, un murmure à ton oreille. Tu connais ces choses aussi bien que moi. Simplement, tu ne les as pas reconnues pour ce qu'elles étaient.

Les fleurs fanées rejoignirent les mauvaises herbes dans le panier.

— Quand tu pèles une pomme, tu ne t'es jamais dit que si tu parvenais à dérouler la pelure sans la déchirer, ton vœu serait exaucé ou bien la chance te sourirait ? N'as-tu jamais cassé un bréchet ? Croisé les doigts ? Ce sont de petits charmes. De vieilles traditions.

— Ça ne peut être aussi simple que ça.

— Aussi simple qu'un vœu, aussi compliqué que l'amour. Aussi dangereux, potentiellement, que la foudre. Le pouvoir est risqué, c'est aussi une source de joie.

Elle ramassa une fleur fanée, sa main se referma dessus. Elle la rouvrit et offrit à Nell un bouton sur le point de s'épanouir

Fascinée, celle-ci le fit tourner entre ses doigts.

— Si tu parviens à faire ceci, pourquoi laisses-tu les autres mourir ?

— Il y a un cycle, un ordre naturel. Il faut le respecter. Le renouvellement est nécessaire.

Mia se leva, prit le panier et alla vider son contenu sur un tas de compost.

— Autrement, il n'y aurait pas de progrès, pas de renaissance, pas d'espoir.

— Une fleur se fane pour faire place à une autre, observa Nell.

— Une grande partie de notre art relève de la philosophie. Ça te dirait d'essayer quelque chose de plus pratique ?

— Moi ?

— Oui. Un sort très simple. Un mouvement d'air, peut-être. La journée est chaude, une petite brise serait la bienvenue.

— Tu veux que je… que je remue l'air ? balbutia Nell.

— C'est une question de technique. Il faut que tu te concentres, que tu sentes l'air passer sur ton visage, sur ton corps. Que tu le voies dans ta tête se rider, tourbillonner. Entends-le, écoute sa musique.

— Mia…

— Non. Laisse tes doutes de côté et concentre-toi. C'est un objectif facile à atteindre. L'air t'environne. Il te suffit de le remuer. Prends-le dans tes mains, dit Mia en levant les siennes, et prononce ces mots : « L'air est respiration et la respiration est air. Qu'il tourne d'ici à là. Que la brise virevolte légèrement. » Et qu'il en soit, Nell, comme tu le veux. Répète ces phrases trois fois.

Sidérée, Nell répéta l'incantation, et sentit un souffle caresser sa joue. Elle recommença et vit les cheveux de Mia se soulever. La troisième fois, Mia joignit sa voix à la sienne.

Et le vent se mit à tourbillonner autour d'elles, frais et parfumé, accompagné d'un fredonnement allègre. Le même fredonnement résonna en elle lorsque Nell se mit à danser en rond.

— C'est merveilleux ! Tu y es arrivée !

— Je n'ai fait que donner le petit coup de pouce final, s'esclaffa Mia. Mais c'est toi qui l'as initié. Bien joué pour une première fois. Maintenant, il faut le calmer. Utilise ton cerveau. Visualise-le en train de s'apaiser. C'est ça. Bien. Tu te représentes bien les choses.

— Oh la la! j'ai le vertige! s'exclama Nell, hors d'haleine.

Elle se laissa tomber sur le sol.

— J'ai senti des picotements à l'intérieur de mon corps. Pas déplaisants. Presque comme quand on pense – quand on pense *vraiment* – à faire l'amour.

— La magie est érotique. Surtout quand on détient le pouvoir. Tu as eu beaucoup de pensées érotiques?

— Pas une seule en huit mois, avoua Nell qui avait retrouvé son calme. Je doutais même que cela m'arrive à nouveau. Depuis la fête du 4 Juillet, ça m'est revenu. Le genre de pensées qui donnent des démangeaisons.

— Je vois, je suis passée par là. Pourquoi ne pas remédier au problème? Gratter là où ça démange?

— Je pensais, j'étais même sûre, qu'après les feux d'artifice de la semaine dernière, Zack et moi finirions au lit. Mais, après avoir fait le tour de l'île, sa ronde finie, il m'a ramenée à la maison. Il m'a donné un baiser d'adieu, de quoi me mettre dans tous mes états, et puis chacun est rentré chez soi.

— Je suppose qu'il ne t'est pas venu à l'esprit de l'entraîner à l'intérieur, de le jeter par terre et de lui arracher ses vêtements.

L'idée fit pouffer Nell de rire.

— Je suis incapable de faire ce genre de choses.

— Il y a une minute, tu ne pensais pas non plus être capable de faire se lever la brise. Tu as le pouvoir, petite sœur. Zachariah Todd est homme à te laisser le choix du lieu et de l'heure. Si j'étais attirée par un homme tel que lui et que ce soit réciproque, je ne me le ferais pas dire deux fois.

— Je ne saurais pas par où commencer, protesta Nell qui sentit à nouveau le picotement dans son corps.

— Visualise, petite sœur, riposta Mia malicieusement. Visualise.

Zack ne pouvait imaginer une meilleure façon de passer un dimanche matin qu'en prenant un bain à poil avec la fille qu'il aimait. L'eau était fraîche, le soleil chaud, et la crique suffisamment intime pour se permettre de telles activités.

Ils avaient émis l'idée de faire de la voile plus tard, et l'adoration qu'il lisait dans ses beaux yeux bruns l'assurait qu'elle le suivrait n'importe où. Il la caressa, et elle frétilla d'extase, puis ils nagèrent côte à côte.

Qu'est-ce qu'un homme pouvait désirer de plus, songea-t-il, lorsqu'il avait une compagne aussi fidèle et peu exigeante.

C'est alors qu'elle poussa un jappement d'excitation et fonça vers le rivage.

Sans hésiter, sa meilleure amie venait de l'abandonner pour rejoindre la femme qui se tenait sur le sable.

Lucy se rua sur Nell, la fit chanceler, puis s'ébroua, l'aspergeant d'eau de mer.

La jeune femme éclata de rire et se pencha pour frotter avec enthousiasme sa fourrure mouillée. Somme toute, le propriétaire d'un beau chien avait peut-être encore quelque chose à désirer.

— Hé ? Comment ça va ? cria-t-il.

— Bien.

Ces épaules... Ce type avait des épaules étonnantes, remarqua-t-elle.

— Comment est l'eau ?

— Presque parfaite. Viens voir par toi-même.

— Merci, mais je n'ai pas apporté de maillot de bain.

— Moi non plus, répliqua-t-il avec un grand sourire. C'est pour ça que je n'ai pas suivi l'exemple de Lucy.

— Oh...

Le regard de Nell s'abaissa, puis revint aussitôt se stabiliser vingt centimètres au-dessus de la tête de Zack.

Visualise, avait dit Mia. Mais le moment semblait mal choisi.

— Je te promets de ne pas regarder. Tu es déjà mouillée.

— Finalement, je crois que je vais rester ici.

Lucy plongea dans l'eau et en sortit une balle en caoutchouc qu'elle courut déposer aux pieds de Nell.

— Elle a envie de jouer, expliqua Zack.

Et lui aussi.

Obligeante, Nell ramassa la balle et la jeta. Avant même qu'elle n'ait heurté la surface de l'eau, Lucy se rua à sa poursuite.

— Beau lancer, commenta Zack en se laissant dériver vers le rivage. Une partie de softball est prévue dans quelques semaines, si ça t'intéresse.

Nell ramassa la balle que Lucy avait rapportée et la lança de nouveau.

— Peut-être. Je pensais essayer une nouvelle recette.

— C'est vrai ?

— Mes activités de traiteur à domicile sont en train de devenir une véritable entreprise. Si je veux la développer, il faut que je sois en mesure d'offrir un large échantillonnage de plats.

— Je suis un fervent adepte du capitalisme, alors, si je peux faire quoi que ce soit pour t'aider.

Elle posa les yeux sur lui. Elle allait se concentrer sur son visage et ne pas penser au reste de son corps. En tout cas, dans l'immédiat.

— Merci, shérif, j'apprécie. Jusqu'à présent, j'ai improvisé, mais il est temps que je mette les choses noir sur blanc, avec les prix et les services. Du coup, il faudra que je demande une licence d'exploitation.

Ce qui ne devrait pas poser de problème. Ses papiers étaient en règle.

— Tu vas être très occupée.

— J'aime ça. Il n'y a rien de pire que d'être incapable de faire quelque chose de son temps ou de ses

159

talents... Je ne t'ennuie pas ? s'inquiéta-t-elle soudain.

Non, mais la gravité de son ton l'avait surpris.

— Et que penses-tu des loisirs ?

— Je n'ai rien contre... Qu'est-ce que c'est que
ça ?

La main de Zack avait agrippé sa cheville.

— C'est le bras de la justice.

— Tu es trop gentil pour me flanquer à l'eau alors
que je suis venue t'inviter à déjeuner.

— Je ne suis pas si gentil que ça, répliqua-t-il en
tirant légèrement sur sa cheville. Mais je veux bien
te laisser une chance de te déshabiller d'abord.

— Comme c'est aimable à toi.

— Ma mère m'a bien élevé. Allez, viens jouer, Nell.

Il jeta un coup d'œil à Lucy qui pataugeait, la balle
dans la gueule.

— Nous avons un chaperon.

Après tout, pourquoi pas ? Elle voulait être avec
lui. Plus encore, elle voulait être le genre de femme
qui pouvait être avec lui. Une femme sûre d'elle et
suffisamment large d'esprit pour faire quelque chose
d'amusant et d'idiot comme de se débarrasser de ses
vêtements et de plonger.

Elle lui décocha un petit sourire insouciant.

— J'ai changé d'avis. Je vais regarder, la prévint-il.
Je t'ai dit que je ne regarderais pas, mais je mentais.

— Ça t'arrive de mentir ?

— Pas si je peux l'éviter. Aussi, je ne vais pas te
promettre de ne pas te toucher quand tu seras dans
l'eau. Je te veux nue et mouillée, Nell. En fait, je te
veux, tout simplement.

— Si je ne souhaitais pas que tu me touches, je ne
serais pas là.

Elle prit une profonde inspiration et commença à
ôter son T-shirt.

— Shérif Todd ! Shérif Todd !

— Il n'y a pas de Bon Dieu, grommela Zack tandis que la bande de chair crémeuse qu'il avait entraperçue disparaissait sous le T-shirt que Nell avait promptement rabattu.

— Par ici ! cria-t-il. C'est toi, Ricky ? Ça ne me prendra que deux ou trois minutes de le noyer, dit-il à Nell. Attends.

— Shérif ?

La figure rouge d'excitation, un blondinet d'environ dix ans dévalait la pente rocheuse.

— B'jour, m'dame, fit-il en saluant Nell d'un hochement de tête. Shérif, ma mère m'a dit de vous prévenir : les locataires de la maison Abbot sont en train de se bagarrer. On entend des hurlements, et des coups, et tout ça.

— C'est la maison de Dale Abbott ou celle de Buster ?

— Celle de Buster, shérif. Celle qui est juste en face de chez nous. Ma mère dit que le type doit battre sa femme quelque chose de bien.

— J'y vais. Retourne là-bas. Et rentre directement chez toi.

— Oui, m'sieur.

Pétrifiée, Nell vit dans une sorte de brouillard le corps bronzé et musclé de Zack émerger de l'eau.

— Désolé, Nell.

— Il faut y aller. Il faut que tu ailles au secours de cette femme.

Elle avait l'impression de le regarder enfiler son jean à travers une paroi de verre dépoli.

— Dépêche-toi, le supplia-t-elle en se tordant les mains.

— Je reviens dès possible, promit-il.

Il détestait l'idée de l'abandonner ainsi, mais il n'avait pas le choix. Il monta quatre à quatre les marches menant chez lui pour aller chercher une chemise.

Quatre minutes plus tard, il arrivait sur place. Une poignée de gens s'étaient rassemblés dans la rue. Des cris et des bruits de verre brisé sortaient de la maison. Comme il prenait l'escalier de la terrasse, un homme que Zack ne reconnut pas le rejoignit en courant.

— C'est vous, le shérif ? Je m'appelle Bob Delano, je loue la maison d'à côté. J'ai essayé de voir ce que je pouvais faire, mais la porte est fermée à clef. J'ai pensé la défoncer, mais on m'a dit que vous arriviez.

— Je m'en occupe, monsieur Delano. Peut-être pourriez-vous maintenir ces gens à l'écart ?

— Sûr. J'ai vu ce type, shérif. Une grande brute. Faites attention à vous.

— Merci. Reculez, maintenant.

Zack tapa du poing sur la porte. Il aurait préféré avoir Ripley à ses côtés, mais il ignorait où elle était et ne pouvait prendre le risque d'attendre qu'elle réponde à l'appel de son bip.

— Ici, le shérif Todd, cria-t-il. Ouvrez immédiatement.

Quelque chose se fracassa à l'intérieur, et une femme se mit à gémir.

— Si vous n'ouvrez pas cette porte dans les cinq secondes, je la défonce.

La porte s'ouvrit. Delano avait raison. L'homme était une véritable brute. Un mètre quatre-vingt-dix au bas mot, et un bon cent vingt kilos. Visiblement, il avait bu et semblait fou de rage.

— Qu'est-ce que vous voulez, nom de Dieu ?

— Je veux d'abord que vous reculiez, monsieur, et que vous leviez les mains de façon que je puisse les voir.

— Vous n'avez pas le droit d'entrer. Je loue cette baraque et j'ai payé tout ce que je devais.

162

— Votre contrat de location ne vous donne pas le droit de détruire ce qui s'y trouve. Maintenant, reculez.

— Vous n'entrerez pas ici sans mandat.

— On parie ?

Rapide comme l'éclair, la main de Zack attrapa le poignet du type et le tordit.

— Maintenant, si vous voulez me frapper, reprit-il d'un ton calme, on ajoutera entrave à la force publique et voies de fait contre un représentant de l'ordre. Un peu plus de paperasserie, mais je suis payé pour ça.

— Quand mon avocat aura fini son boulot, j'aurai de quoi acheter la totalité de cette putain d'île.

— Vous pourrez l'appeler, mais du poste de police.

Zack lui passait les menottes lorsque Ripley le rejoignit, grimpant bruyamment les marches.

— Désolée. J'étais à l'autre bout de l'île, à Broken Shell. Qu'est-ce qui se passe ? Une dispute conjugale ?

— Entre autres. Voici mon adjoint, dit Zack à son prisonnier. Croyez-moi, elle est tout à fait capable de vous faire obéir. Emmène-le dans la voiture, Ripley. Note son identité. Lis-lui ses droits.

— Votre nom ?

— J't'emmerde.

— Très bien, monsieur J't'emmerde. Vous êtes en état d'arrestation pour...

Elle jeta un coup d'œil à Zack qui pénétrait déjà dans la maison. Enjambant les débris de verre et d'assiettes, il s'approcha de la femme qui sanglotait, assise sur le sol, le visage entre les mains.

— Destruction de biens privés, atteinte à l'ordre public et agression, annonça-t-il.

— Vous avez entendu ? Alors, à moins que vous ne souhaitiez que je ne vous botte les fesses devant tous ces braves gens, on va aller s'asseoir tranquillement dans la voiture de patrouille et faire une petite balade. Vous avez le droit de vous taire, poursuivit-elle en lui donnant une petite poussée pour l'aider à se mettre en route.

— Madame ? fit Zack.

Elle avait la quarantaine. Et aurait été sans doute jolie, sans sa lèvre fendue et les coquards autour de ses yeux bruns.

— Venez. Je vous emmène chez le médecin.

— Je n'ai pas besoin de médecin, répondit-elle d'une voix étouffée en se recroquevillant.

Zack nota qu'elle avait des coupures superficielles sur les bras.

— Qu'est-ce qui va arriver à Joe ?

— Nous en parlerons tout à l'heure. Pouvez-vous me dire votre nom ?

— Diane. Diane McCoy.

— Laissez-moi vous aider, madame McCoy.

Les épaules voûtées, Diane McCoy était assise sur une chaise et maintenait une poche de glace sur son œil gauche. Elle s'obstinait à refuser toute assistance médicale. Zack lui offrit une tasse de café puis, espérant la mettre à l'aise, écarta sa propre chaise du bureau.

— Madame McCoy, j'essaye de vous aider.

— Je vais bien. Nous payerons les dégâts. Vous n'avez qu'à demander à l'agence de location de faire l'inventaire.

— Nous verrons cela plus tard. Pour le moment, j'aimerais que vous m'expliquiez ce qui s'est passé.

— On s'est bagarrés, c'est tout. Ça arrive à tout le monde. Vous n'aviez pas besoin d'enfermer Joe pour ça. S'il y a une amende, nous la payerons.

— Madame McCoy, vous êtes assise, là, devant moi, avec la lèvre fendue, un œil au beurre noir et des écorchures et des bleus plein les bras. Votre mari vous a agressée.

— Ça ne s'est pas passé comme ça.

— Alors, comment ça s'est passé ?

— C'est moi qui l'ai cherché.

Zack entendit Ripley émettre un soupir hargneux de l'autre côté de la pièce ; il lui lança un regard d'avertissement.

— Vous lui avez demandé de vous frapper, madame McCoy ? De vous jeter à terre, de vous fendre la lèvre ?

— Je l'ai provoqué. Il est très stressé en ce moment.

Les mots se bousculaient dans sa bouche.

— Il est censé être en vacances, je n'aurais pas dû le provoquer ainsi.

Elle dut sentir la désapprobation de Ripley, car elle tourna la tête et le défia du regard.

— Joe travaille dur, cinquante semaines par an. Le moins que je puisse faire, c'est de lui ficher la paix pendant ses vacances.

— Il me semble, intervint Ripley, que le moins qu'il puisse faire, c'est de s'abstenir de vous tabasser pendant vos vacances.

— Ripley, va chercher un verre d'eau pour Mme McCoy.

Et tais-toi ! Il n'eut pas besoin de l'ajouter à voix haute tant l'expression de son visage l'exprimait clairement.

— Comment cela a-t-il commencé, madame McCoy ?

— Je pense que je me suis levée du pied gauche. Joe s'était couché tard, il avait bu. Pendant ses vacances, un homme a le droit de regarder la télé en avalant quelques bières. Il avait laissé un vrai bazar… Des canettes, des chips écrasées sur le tapis, des mégots et de la cendre un peu partout. Ça m'a agacée, et je lui ai sauté sur le poil dès son réveil. Si je l'avais bouclée quand il me l'a demandé, rien de tout ça ne serait arrivé.

— Et ne pas vous taire quand il vous l'a demandé lui donne le droit de vous frapper, madame McCoy ?

— Ce qui se passe entre un mari et sa femme ne regarde qu'eux, protesta-t-elle, irritée. Nous n'aurions pas dû casser la vaisselle, d'accord, mais nous payerons pour la remplacer. Et le nettoyage, c'est moi qui m'en chargerai.

— Madame McCoy, il existe un service d'aide psychosociale à Newark, commença Zack. Et des refuges pour les femmes qui ont besoin de se mettre à l'abri. Je peux passer quelques coups de fil et vous obtenir des informations.

Elle lui décocha un regard furieux entre ses paupières gonflées.

— Je n'ai pas besoin d'informations. Vous n'avez pas le droit de garder Joe en prison si je ne porte pas plainte, et je ne le ferai pas.

— Là, vous vous trompez. Je peux le garder pour atteinte à l'ordre public. Et les propriétaires sont en droit de porter plainte.

— Ça ne fera qu'empirer les choses, gémit-elle en se mettant à pleurer.

Ripley lui apporta un verre d'eau et elle en but une longue rasade.

— Vous ne comprenez pas ? reprit-elle. Ça ne fera qu'empirer les choses. Joe est un brave homme. Il est juste un peu soupe au lait. J'ai dit que nous payerions. Je vais vous faire un chèque. Nous ne voulons pas d'ennuis. C'est moi qui l'ai rendu dingue. Je lui ai aussi jeté des choses à la figure. Vous allez devoir m'enfermer avec lui. À quoi ça va servir ?

À quoi ça va servir ? se répétait Zack un peu plus tard. Il n'était parvenu à rien avec elle, et il imaginait sans peine qu'il n'était pas le premier à avoir essayé. On ne pouvait aider les gens contre leur volonté. Les McCoy étaient pris dans une spirale infernale qui, fatalement, se terminerait mal.

Tout ce qu'il pouvait faire, c'était les éloigner de l'île.

Il lui fallut une demi-journée pour régler le problème et s'assurer que l'agence de location acceptait les deux mille dollars de dédommagement. Les McCoy finissaient de boucler leurs valises lorsque arriva l'équipe de nettoyage. Sans un mot, Zack attendit que Joe McCoy ait chargé ses bagages à l'arrière d'une Cherokee dernier modèle.

Le couple monta dans la voiture. Diane portait des lunettes noires pour masquer les dégâts. Tous deux ignorèrent Zack qui prit sa voiture de patrouille et les suivit jusqu'au ferry.

Il resta sur le quai, jusqu'à ce que la Jeep et ses occupants ne soient plus qu'un point en route vers le continent.

Nell ne l'avait pas attendu. Il n'en fut pas surpris et se dit que c'était aussi bien. Il était trop déprimé et beaucoup trop irrité pour offrir une compagnie agréable. Au lieu de quoi, il s'installa à la cuisine avec Lucy et prit une bière. Il songeait à s'en offrir une deuxième quand Ripley entra.

— Je ne comprends pas, fulmina-t-elle. Je ne comprendrai jamais ce genre de femmes. Le mec pèse soixante-quinze kilos de plus qu'elle, mais c'est sa faute à elle s'il lui flanque une beigne. Et elle le croit.

Elle sortit une canette de bière du réfrigérateur et en détacha la languette.

— Peut-être qu'elle a besoin de ça.

— Des clous, Zack ! Des clous.

Encore toute vibrante de colère, elle se laissa tomber sur une chaise.

— Elle n'est pas impotente et elle a un cerveau apparemment en état de marche. Qu'est-ce qu'elle gagne à rester accrochée à un type qui se sert d'elle comme d'un punching-ball chaque fois que l'envie lui en prend ? Si elle avait porté plainte, nous aurions pu le retenir ; au moins le temps qu'elle fasse ses valises et se tire. On aurait mieux fait de le mettre au trou, de toute façon.

— Elle ne serait pas partie. Ça n'aurait rien changé.

— D'accord, tu as raison, je le sais. C'est juste que ça m'énerve.

Elle prit une gorgée de bière en regardant son frère.

— Tu penses à Nell, enchaîna-t-elle. Tu te dis que ça devait être comme ça pour elle.

— Je ne sais pas comment c'était pour Nell. Elle n'en parle jamais.

— Tu lui as demandé ?

— Si elle voulait me le dire, elle l'aurait fait !

— Hé, ne te fâche pas !

Ripley posa les pieds sur la chaise voisine.

— Je te pose cette question parce que je te connais, grand frère. Si tu as un faible pour elle, et que ça tourne au Grand Sentiment, tu te sentiras mal tant que tu ne connaîtras pas le fin mot de l'histoire. Sans l'histoire, tu ne peux rien faire pour elle, et l'impuissance, ça te rend dingue. Tu broies du noir en ce moment parce que tu n'as pas pu aider cette femme, alors que tu ne la connaissais pas et que tu ne la reverras sans doute jamais. C'est ton côté bon Samaritain.

— Il n'y a personne d'autre sur cette île que tu puisses aller embêter ?

— Non, parce que c'est toi que je préfère. Maintenant, au lieu de prendre une autre bière, pourquoi n'emmènerais-tu pas Lucy faire un tour en mer ? Il fait encore jour, ça te changera les idées et ton humeur s'en trouvera améliorée. Tu n'es pas drôle, quand tu déprimes.

— Peut-être.

— Vas-y. Les risques d'une deuxième crise aujour-d'hui sont pratiquement nulles, mais je vais quand même faire une patrouille, juste au cas où.

— D'accord.

Il se leva, hésita une fraction de seconde, puis se pencha pour embrasser sa sœur sur le sommet du crâne.

— Moi aussi, c'est toi que je préfère.

— Tu parles.

Elle attendit qu'il soit arrivé à la porte.

— Tu sais, Zack, quelle que soit l'histoire de Nell, il y a une différence majeure entre Diane McCoy et elle : Nell est partie.

10

Le lundi, l'incident de la maison Abbott était sur toutes les lèvres. Chacun avait eu le temps de se faire une opinion, surtout ceux qui n'y avaient pas assisté.

— Il paraît qu'ils ont tout cassé dans la maison. Je prendrai un peu de cette salade de homard, Nell, dit Dorcas Burmingham avant de retourner à ses commérages avec son amie Biddy Devlin, cousine de Mia et propriétaire du *Surfside Treasures*.

— J'ai entendu dire que le shérif Todd avait dû sortir le type sous la menace de son pistolet, affirma Biddy.

— Oh, non, pas du tout ! J'ai discuté avec Gladys Macey, qui le tenait directement d'Anne Potter, eh bien, elle affirme que Zack n'a pas sorti son arme du début à la fin. Est-ce que je pourrais avoir un moka glacé, Nell ?

— J'ai lu quelque part que les disputes conjugales faisaient partie des interventions les plus dangereuses qui soient pour un policier, l'informa Biddy. Oh, ce gaspacho sent merveilleusement bon, Nell ! Donne-m'en donc un bol, avec un brownie.

— Prenez une table, je vous apporterai votre déjeuner, proposa Nell.

Dorcas repoussa son offre.

— Merci, on va attendre ici. Tu as assez à faire. Bref, j'ai entendu dire que cette pauvre femme avait la lèvre fendue et un œil au beurre noir, et que, pourtant, elle n'a pas voulu porter plainte.

— C'est une honte ! Je parie que son père battait sa mère, et qu'à force d'assister à ce genre de scènes, elle s'y est habituée et qu'elle n'y voit plus rien d'anormal. C'est un cercle vicieux. Les statistiques le prouvent. Les mauvais traitements entraînent les mauvais traitements. Je suis sûre que si cette femme avait vécu dans une famille aimante, elle ne resterait pas avec un homme qui la traite ainsi.

— Mesdames, cela fera treize dollars vingt-cinq.

Les tempes bourdonnantes et les nerfs tendus à craquer, Nell dut encore écouter, comme chaque lundi, les deux femmes se disputer pour savoir qui allait régler l'addition.

D'habitude, cette querelle amicale l'amusait. Mais, ce jour-là, elle avait hâte de les voir s'éloigner et de ne plus entendre un mot au sujet de Diane McCoy.

Que savaient-elles des violences conjugales, ces deux petites dames bien dans leur peau et dans leur vie ? Que savaient-elles de la peur et de l'impuissance ?

Ce n'était pas forcément un cercle vicieux, avait-elle envie de hurler. Elle avait eu une famille aimante, des parents unis. Il y avait bien eu des disputes, des fâcheries, des contrariétés. Mais si les voix s'étaient quelquefois élevées, les poings, jamais.

Elle n'avait jamais été frappée de sa vie avant qu'Evan Remington s'acharne sur elle.

Elle n'était pas une fichue statistique.

Le temps que les deux commères s'éloignent, Nell avait l'impression d'avoir la tête enserrée dans un étau métallique. Elle se tourna vers le client suivant et découvrit Ripley, qui l'étudiait.

— Tu as l'air un peu secouée, Nell.

— J'ai mal à la tête, c'est tout. Tu as fait ton choix ?

— Tu devrais aller prendre une aspirine. J'attendrai.

— Non, ça va aller. La salade de choux aux fruits n'est pas mauvaise. On m'en a fait des compliments.

— C'est bon, vendu ! Avec un thé glacé. Ces deux moulins à paroles flanqueraient mal au crâne à n'importe qui, ajouta-t-elle en désignant d'un signe de tête Biddy et Dorcas. J'imagine que tout le monde a glosé sur l'incident d'hier.

— En effet, admit Nell laconiquement.

Elle avait soudain envie de silence et de tranquillité.

— Zack a fait son possible pour cette femme. Mais elle a refusé son aide. Tout le monde n'accepte pas d'être aidé.

— Tout le monde ne sait pas que faire d'une proposition d'aide, ou à qui faire confiance.

— On peut faire confiance à Zack, déclara Ripley en posant son argent sur le comptoir. Peut-être qu'il joue en sourdine. C'est sa façon de faire. Mais dans les moments difficiles on peut compter sur lui. Tu ne devrais pas rester avec ce mal de tête, Nell.

Sur ce, elle emporta son repas et s'assit à une table.

Nell n'eut que le temps d'avaler deux cachets d'aspirine pour calmer sa migraine. Peg arriva en retard en débitant une cargaison d'excuses que démentait son regard lumineux. Nell en déduisit qu'un individu de sexe masculin était responsable de ce retard.

Elle avait rendez-vous avec Gladys Macey, et dut courir chez elle pour récupérer ses notes et ses dossiers.

Le temps qu'elle frappe à la porte de Gladys, son mal de tête avait pris des proportions cauchemardesques.

— Nell, vous n'avez pas besoin de frapper. Il vous suffit d'entrer en vous annonçant, fit Gladys en l'entraînant à l'intérieur. Cette soirée d'anniversaire m'excite follement. J'ai pensé à accrocher des guirlandes lumineuses aux arbres, et à disposer le long de l'allée ces petits luminaires dont le pied est orné d'un cœur. Qu'en dites-vous ?

— Madame Macey, la décoration, c'est votre domaine. Moi, je ne suis que le traiteur.

— Non, ma chère, je vous considère comme la coordinatrice de la fête. Allons dans le salon.

La pièce était d'une propreté rigoureuse. Tout y était assorti, du tissu du canapé jusqu'aux cantonnières et à la frise murale qui courait au ras du plafond. Il y avait deux lampes identiques, deux fauteuils identiques et deux tables basses identiques.

Nell était aussi abasourdie que lors de sa première visite. On se serait cru dans un magasin de meubles tant chaque chose semblait avoir sa place pour l'éternité.

Et, cependant, la maison réussissait à être accueillante, ce qui en disait plus long sur ses occupants que le décor lui-même.

Elle s'assit, jeta à peine un œil sur la télévision qui diffusait une émission de potins sur Hollywood, et ouvrit son classeur tandis que Gladys allait préparer le thé. Nell savait d'avance qu'elle le servirait dans des tasses vert pâle, qu'elle poserait sur des carrés de céramique blancs. Et elle trouvait cela réconfortant.

Nell parcourait ses notes lorsque la voix aiguë du présentateur lui noua l'estomac.

«... Evan Remington, le fameux avocat des stars, était présent à ce gala, plus élégant que jamais. Bien qu'il ait démenti la rumeur selon laquelle il aurait une histoire d'amour avec la ravissante Nathalie Winston – qui a fait sensation, hier, dans son fourreau brodé de perles signé Valentino –, des sources dignes de foi disent différemment.

« Rappelons que Remington a perdu sa femme, Helen, en septembre dernier. Celle-ci aurait vraisemblablement eu un malaise au volant de sa Mercedes en rentrant à leur domicile. Son véhicule s'est écrasé au pied de la falaise ; son corps n'a malheureusement jamais été retrouvé… »

Le souffle court, Nell s'était brusquement levée. Le visage d'Evan semblait emplir tout l'écran.

Elle crut entendre sa voix, d'un calme effroyable.

Tu crois que je ne te vois pas, Helen ? Tu crois que je vais te laisser t'échapper ?

— Excusez-moi, j'ai été un peu longue, je voulais vous faire goûter ce quatre-quarts…

Le plateau à la main, Gladys s'arrêta net.

— Chérie, vous êtes toute pâle, que se passe-t-il ? s'écria-t-elle, inquiète.

— Je suis désolée, je ne me sens pas bien.

La panique lui fouillait le ventre tel un pic à glace.

— J'ai une migraine affreuse. Je ne pense pas pouvoir…

— Bien sûr que non. Pauvre petite. Ne vous inquiétez pas. Je vous ramène chez vous et je vous mets au lit.

— Non, non. Je préfère marcher. Un peu d'air me fera du bien. Je suis vraiment désolée, madame Macey.

Nell attrapa maladroitement ses classeurs, et faillit éclater en sanglots quand ils lui échappèrent.

— Je… je vous appellerai, balbutia-t-elle. Nous prendrons un autre rendez-vous.

— Ne vous faites pas de souci, Nell. Mon Dieu, vous êtes toute tremblante !

— J'ai seulement besoin de rentrer chez moi.

Sur un dernier regard terrifié à l'écran, elle se rua dehors.

Elle se força à ne pas courir. Quand on courait, les gens vous remarquaient, et se posaient des questions. Se fondre dans l'anonymat. Ressembler à tout le monde. Ne rien faire qui attirât l'attention. Mais elle avait beau essayer de respirer lentement et régulièrement, l'air se coinçait en sifflant dans ses poumons et elle avait l'impression d'étouffer.

Tu crois que je vais te laisser t'échapper ?

Une fine pellicule de sueur, froide et collante, avait recouvert sa peau. L'odeur abjecte de sa propre peur envahissait ses narines, écœurante. Dès qu'elle eut passé la porte de son cottage, elle fut prise de nausées.

Elle se précipita en titubant dans la salle de bains, et vomit longuement.

Lorsque les spasmes douloureux se furent apaisés, et qu'elle s'en sentit la force, elle se débarrassa de ses vêtements et prit une douche brûlante pour réchauffer son corps transi.

Drapée dans une serviette, elle se glissa dans son lit et sombra dans l'oubli.

Elle se réveilla sans savoir combien de temps elle avait dormi, le corps lourd, l'estomac irrité, comme après une longue maladie. La tentation de replonger dans le sommeil était forte, mais elle se raisonna.

Jusqu'ici, c'était l'action qui lui avait permis de s'en sortir.

Elle posa avec précaution les pieds par terre tout en demeurant assise au bord du lit. Puis elle ferma les yeux et s'obligea à se remémorer le visage d'Evan.

C'était une sorte de test.

Il fallait qu'elle affronte le passé si elle voulait réussir à le surmonter.

Après presque un an, la vue d'Evan sur un écran de télévision avait suffi à la terroriser, à la rendre malade, à la dépouiller de cette cuirasse qu'elle avait eu tant de mal à se forger.

Cela était arrivé parce qu'elle l'avait permis. Elle avait autorisé Evan à avoir prise sur elle. Personne d'autre qu'elle-même ne pouvait y remédier. Elle avait trouvé le courage de fuir ; à présent, il lui fallait trouver celui de rester.

Tant qu'elle ne serait pas capable de penser à lui, de prononcer son nom sans verdir de peur, elle ne serait pas libre.

Sans cesser de le visualiser, elle l'imagina en train de se briser en morceaux, telle une effigie de verre sur laquelle s'acharneraient les coups de marteau de sa volonté.

— Evan Remington, murmura-t-elle, tu ne peux plus m'atteindre maintenant, tu ne peux plus me faire de mal. Tu es fini, et, moi, je ne fais que commencer.

L'effort l'avait épuisé, et elle dut faire appel à tout son courage pour enfiler une chemise et un short.

« Au travail ! » s'encouragea-t-elle. Gladys Macey voulait une coordinatrice pour sa réception ? Eh bien, elle allait l'avoir !

La pendule de la cuisine lui apprit qu'il était à peine 6 heures. Cela lui laissait le temps de réfléchir à la proposition de Gladys, et d'établir la liste exhaustive des menus et des services de son entreprise qu'elle appellerait *Le Buffet des Trois Sœurs*.

Elle accepterait l'offre de Mia d'utiliser l'ordinateur de la librairie, ce qui lui permettrait de réaliser ses prospectus et ses cartes de visite. Il lui fallait aussi prévoir un budget et tenir un livre de comptes.

Personne ne la prendrait au sérieux si elle-même ne le faisait pas.

Mais quand elle referma le classeur et regarda autour d'elle, elle se demanda pourquoi mettre en route la cafetière lui semblait une tâche quasi impossible.

Des coups à la porte la firent se retourner brusquement. Elle reconnut la silhouette de Zack der-

176

rière la moustiquaire. Non ! Pas maintenant ! Elle n'avait pas eu le temps de se ressaisir.

Mais déjà il entrait.

— Ça va, Nell ? s'enquit-il en la dévisageant.

— Oui.

— On ne dirait pas.

Elle imaginait sans peine de quoi elle avait l'air.

— Tout à l'heure, ça n'allait pas trop bien, admit-elle, mal à l'aise. Une grosse migraine. J'ai fait une sieste et je me sens beaucoup mieux.

Elle était pâle, ses yeux étaient cernés, et, quoi qu'elle en dise, elle n'avait pas du tout l'air en forme, estima Zack.

Bondissant de son panier pour attaquer ses chaussures, Diego lui fournit un prétexte pour s'attarder. Il le prit dans ses bras et se mit à ébouriffer sa fourrure en s'approchant de Nell.

— Tu as pris quelque chose ?

— Oui.

— Mangé ?

— Non. Je n'ai pas besoin de nounou, Zack, ce n'était qu'un mal de tête.

Un mal de tête qui l'avait poussée à s'enfuir de chez Gladys comme si elle avait le diable aux trousses ?

— Tu n'as pas l'air bien du tout, mon ange. Je vais te préparer la potion réparatrice traditionnelle des Todd.

— C'est gentil, mais je m'apprêtais à travailler un peu.

— Ne te gêne pas pour moi.

Il lui tendit le chaton et alla ouvrir le réfrigérateur.

— Je ne vaux rien dans une cuisine, mais ça, je sais le faire. C'est ce que ma mère nous préparait quand on ne se sentait pas bien. Tu as de la confiture ?

Elle était sous son nez. Pourquoi les hommes devenaient-ils subitement aveugles lorsqu'ils ouvraient la porte d'un frigo ou d'un placard ?

— Deuxième étagère.

— Je ne… Ah, oui! On utilisait de la confiture de raisins, mais la fraise devrait marcher aussi. Vas-y, travaille. Ne fais pas attention à moi.

Nell posa Diego à côté de sa gamelle.

— Quel est le menu?

— Des œufs brouillés et des sandwiches à la confiture.

— Des sandwiches à la confiture?

Trop fatiguée pour discuter, elle se rassit.

— Ça m'a l'air parfait. Mme Macey t'a téléphoné, n'est-ce pas? ajouta-t-elle à brûle-pourpoint.

— Non, je suis tombé sur elle dans la rue. Elle m'a raconté que quelque chose t'avait bouleversé.

— Je n'étais pas bouleversée, j'avais mal à la tête. La poêle est dans le deuxième placard, à gauche.

— Je devrais m'en tirer, ne t'inquiète pas. La cuisine n'est pas si grande.

— Tu fais des œufs brouillés et des sandwiches à la confiture chaque fois qu'un habitant de l'île se plaint d'un mal de tête?

— Ça dépend. J'en prépare pour toi parce que tu me plais, Nell. Et ce depuis que je t'ai rencontrée.

Elle le regarda casser les œufs, y ajouter du lait et du sel. C'était un type bien. Généreux et respectable. Elle lui devait d'être honnête.

— Zack, je ne vais pas pouvoir te donner ce que tu veux, ce que tu espères. Hier, je t'ai laissé penser que cela était possible mais j'ai eu tort. Je n'aurais pas dû.

— Comment sais-tu ce que j'espère? demanda-t-il en commençant à battre les œufs. Et, de toute façon c'est mon problème, non?

— Ce serait injuste de ma part de te donner l'impression qu'il pourrait y avoir quoi que ce soit entre nous.

— Je suis un grand garçon.

178

La quantité de beurre qu'il déposa dans la poêle la fit grimacer.

— Je ne m'attends pas que tout soit juste dans la vie, reprit-il. D'ailleurs, il y a déjà quelque chose entre nous. Que tu prétendes le contraire n'y change rien.

Il pivota pour lui faire face.

— Le fait que nous n'ayons pas couché ensemble n'y change rien non plus. Ç'aurait pu arriver hier, si on n'était pas venu me chercher.

— Ç'aurait été une erreur.

— Si la vie n'était pas pleine d'erreurs, elle serait sacrément ennuyeuse. Sache que si mon objectif se limitait à une partie de jambes en l'air, il y a longtemps que je me serais débrouillé pour l'atteindre.

— Tu as probablement raison… et c'est ce qui me pose problème.

— Raison à propos de quoi ? Des erreurs ou du sexe ? demanda-t-il en étalant la confiture sur le pain.

« Peu importe », songea-t-elle. Même si elle avait su quoi répondre, il n'en aurait tenu aucun compte. Généreux et respectable, il l'était, certes. Mais aussi têtu comme une mule.

— Je vais faire du café, dit-elle.

— Non, pas de café. Ce truc demande du thé. Et c'est moi qui vais le faire.

Il remplit la bouilloire et la mit sur le feu. Puis il versa les œufs dans la poêle chaude qui se mit à grésiller.

— Ça y est, tu es fâché.

— Je suis arrivé à moitié fâché, et il m'a suffi d'un coup d'œil sur toi pour fâcher l'autre moitié. C'est drôle, quand même. Je peux être furieux contre une femme et me retenir de la tabasser. C'est un effet de mon étonnante maîtrise de moi.

Croisant les mains sur la table, Nell prit une profonde inspiration.

— Je sais parfaitement que tous les hommes ne se laissent pas aller à la violence physique dès qu'ils sont en colère. C'est un effet de mon étonnante intelligence!

— Tant mieux pour nous.

Il se mit à farfouiller dans les placards jusqu'à ce qu'il déniche des sachets de thé. Puis il fit glisser les œufs sur deux assiettes, sortit des fourchettes d'un tiroir et arracha deux feuilles d'un rouleau de Sopalin en guise de serviettes.

Pour quelqu'un qui prétendait ne rien valoir dans une cuisine, il s'en sortait plutôt bien, se dit Nell tandis qu'il poussait une assiette devant elle et plongeait les sachets dans les tasses. Il s'affairait adroitement, sans un geste inutile, et se révélait incroyablement efficace. Et attirant.

Il se laissa tomber sur une chaise, en face d'elle. Diego en profita aussitôt pour grimper audacieusement le long de sa jambe.

— Mange.

Elle s'exécuta.

— Ils sont meilleurs qu'ils ne le devraient vu la quantité de sel que tu as déversée dessus, commenta-t-elle.

— J'aime bien le sel.

Avec un soupir d'aise, elle reprit une bouchée. Quel bonheur d'être assise là, comme n'importe qui, à se régaler d'œufs trop salés et d'un sandwich à la confiture de fraises!

— Je suis moins déboussolée que je l'ai été, dit-elle, mais j'ai encore des moments difficiles. Tant que ce n'est pas complètement fini, je ne veux pas me compliquer la vie ni celle des autres.

— Voilà qui est raisonnable.

— Je vais me consacrer à mon travail.

— Toute personne doit avoir ses priorités.

— Il y a des choses que j'ai envie de faire, des choses que j'ai besoin d'apprendre. Pour moi.

— Hon, hon.

Il nettoya son assiette et s'appuya contre le dossier de sa chaise, sa tasse de thé à la main.

— Ripley m'a appris que tu cherchais un ordinateur d'occasion. L'agence immobilière compte remplacer les siens. Tu devrais probablement faire une affaire. Passes-y et demande Marge.

— Merci. J'irai demain. Pourquoi n'es-tu plus fâché ?

— Qui a dit que je ne l'étais pas ?

— Je sais reconnaître quand quelqu'un est fâché.

Il l'étudia un instant. Elle avait repris des couleurs, mais semblait épuisée.

— Ça, j'en suis sûr. Mais mes humeurs n'ont guère d'importance, observa-t-il en se levant pour aller laver son assiette. Je vais peut-être broyer du noir tout à l'heure. À écouter ma sœur, je suis sacrément doué pour ça.

— J'ai été une championne de la bouderie, avoua-t-elle, soulagée de se retrouver en terrain moins glissant. Peut-être vais-je tenter de m'y remettre. En tout cas, tu avais raison au sujet du plat traditionnel des Todd. Ça a marché.

— Ça ne rate jamais. Cela dit, la confiture de raisins, c'est mieux.

— Je vais en acheter, au cas où, déclara-t-elle en se levant à son tour.

— Bien. Je vais te laisser retourner à ton travail. Dans une minute.

Il l'attira brusquement à lui, la hissa sur la pointe des pieds et captura ses lèvres en un baiser brûlant et possessif. Elle sentit le sang se ruer dans sa tête, puis la déserter presque aussitôt, la laissant en proie à un étrange vertige.

Un gémissement étranglé lui échappa avant que Zack ne la lâche. Les jambes flageolantes, elle dut se retenir au plan de travail.

— Il n'y a rien de raisonnable là-dedans, déclara-t-il, mais c'est du réel. Il va falloir que tu cases ça aussi dans ta liste de priorités. Ne travaille pas trop tard.

Il sortit à grands pas et la porte-moustiquaire retomba derrière lui.

Cette nuit-là, Nell fit un rêve. À l'intérieur d'un cercle argenté tracé à même le sol, trois femmes vêtues de blanc psalmodiaient d'étranges paroles. Des rayons lumineux jaillissaient du cercle telles des flèches d'argent se découpant sur le rideau noir de la nuit.

Elle vit aussi une coupe, un couteau au manche gravé et des brins d'herbe.

Les trois femmes burent à la coupe, l'une après l'autre. Nell reconnut le goût du vin sur sa langue, un vin doux et léger. Celle qui était brune dessina des symboles sur le sol à l'aide du couteau.

Une odeur de terre fraîche émanait d'elle.

Tandis qu'elles continuaient à psalmodier, une flamme d'or fusa du centre du cercle. Et Nell sentit sa chaleur sur sa peau.

Puis les trois femmes s'élevèrent au-dessus de l'or du feu et de l'argent des flèches lumineuses, et l'on aurait dit qu'elles dansaient dans les airs.

Et Nell éprouva un sentiment de liberté et de joie tandis que le vent lui caressait les joues.

11

Assise dans le bureau de Mia, Nell transpirait sur les faits, les chiffres, la réalité, et les possibilités.

C'étaient les possibilités qu'elle préférait, car elles incluaient un ordinateur d'occasion, une brochure de vente attractive, des cartes de visite, un bureau à la maison, petit mais fonctionnel, et un robot ménager professionnel.

Les chiffres prouvaient que son projet était viable si, durant l'année à venir, elle se contentait d'une existence modeste.

Mais après tout, n'était-ce pas ce qu'elle avait fait au cours des mois qui avaient précédé son arrivée sur l'île?

D'après ses calculs, et si Marge faisait preuve de patience, elle pouvait gratter assez d'argent pour payer l'ordinateur en trois semaines. Bien sûr, l'imprimante, la ligne téléphonique, la licence d'exploitation et les fournitures demanderaient plusieurs centaines de dollars supplémentaires mais, ainsi équipée, elle pourrait vraiment démarrer son affaire.

Avec un soupir, elle s'appuya contre le dossier de son siège. Elle avait oublié l'uniforme. Il lui fallait un pantalon noir de coupe classique, un chemisier blanc, et des chaussures à la fois confortables et élégantes.

Elle leva les yeux sur Mia qui pénétrait dans la pièce.

— Je te laisse la place.

— Inutile. Je viens juste vérifier quelque chose dans un catalogue.

Elle s'en empara et le feuilleta tout en regardant de temps à autre Nell par-dessus les pages.

— Soucis financiers ?

— Pourquoi tu me demandes ça ?

— Des vibrations.

— Ce ne sont pas tant des soucis que des obstacles de hauteurs variées. Je déteste admettre que je vois trop grand, et que je vais trop vite.

— Et pourquoi ? Pourquoi tu trouves que tu vois trop grand, je veux dire ? s'étonna Mia qui s'assit et s'étira comme un chat.

— Quelques pique-niques, quelques cartons-repas, une réception, et me voilà en train de réfléchir à mon logo et à mes cartes de visite, et d'essayer d'acheter un ordinateur, alors que je pourrais très bien me contenter d'un stylo et d'un cahier à spirale. Il faut que je me restreigne.

— Il n'y a rien de plus ennuyeux que de se restreindre, déclara Mia. Quand j'ai démarré le Café-Librairie, la plupart des gens pensaient que je courais à l'échec. La communauté était trop petite, les touristes ne débarquaient qu'en saison, ce genre d'endroits ne marchait que dans les grandes villes, voilà les arguments qu'on m'opposait. À tort. Je savais ce que je voulais, et de quoi j'étais capable. Toi aussi, tu le sais.

— Encore six mois ou un an, et ce sera réalisable, acquiesça Nell. Mais je vais trop vite.

— Pourquoi attendre ? Tu as besoin d'un capital, mais tu ne peux prendre le risque d'emprunter à la banque. On te poserait des tas de questions indiscrètes sur tes précédents emprunts, sur ton passé professionnel, et ainsi de suite.

Nell soupira. Mia adorait taper dans le mille dès la première flèche.

— Si prudente que tu aies été, il se peut qu'il y ait une faille, continua-t-elle. Et tu es trop intelligente pour courir un tel risque.

— J'y ai pensé, admit Nell. Si je devais répondre à un interrogatoire serré, je n'en dormirais plus. Nell Channing n'a pas d'antécédents d'emprunt, et il me faudrait du temps pour en établir un.

— C'est l'un des obstacles. Il y a bien les sortilèges, mais je n'aime pas m'en servir pour obtenir des bénéfices financiers. Ça paraît tellement... grossier.

— Moi qui m'efforce d'étirer mon budget pour acheter un équipement de bureau, ça ne me semble pas si grossier que ça.

Mia fit la moue.

— J'ai connu une sorcière qui était un peu serrée financièrement. Elle a imaginé un charme afin de résoudre ses problèmes de trésorerie. La semaine suivante, elle a gagné cinquante mille dollars à la loterie.

— C'est vrai ?

— Absolument. Elle a payé ses dettes et s'est offert une semaine des vacances fabuleuses à Miami. Quand elle est rentrée, sa voiture est tombée en panne, son toit s'est mis à fuir, sa cave a été inondée, et elle a eu droit à un contrôle fiscal. Au bout du compte, elle n'a fait qu'échanger un paquet de problèmes contre un autre, si l'on excepte la semaine de vacances.

L'histoire fit sourire Nell.

— Message reçu. La magie n'est pas une béquille à utiliser pour convenances personnelles.

— Tu apprends vite, petite sœur. Maintenant parlons affaires.

Mia se débarrassa de ses escarpins et replia les jambes sous elle.

— Je cherche à investir.

— Mia, je ne saurais te dire combien je te suis reconnaissante, mais...

— Tu veux y arriver toute seule, et bla-bla-bla, je sais.

D'un geste, elle écarta les protestations de Nell.

— S'il te plaît, comportons-nous en adultes.

— Essayerais-tu de m'irriter ou de m'intimider afin que j'accepte un prêt ?

— Il n'est pas dans mes habitudes d'irriter ni d'intimider les gens, encore que je sois, paraît-il, plutôt bonne dans ces deux spécialités. Et je n'ai pas parlé de prêt. Mais d'investissement.

Elle se déplia nonchalamment et sortit du réfrigérateur deux bouteilles d'eau.

— Je veux bien étudier la possibilité d'un prêt pour t'aider à faire face aux dépenses initiales. Disons dix mille dollars sur soixante mois, à douze pour cent.

— Je n'ai pas besoin de dix mille dollars ! s'écria Nell. Et douze pour cent, c'est ridiculement élevé.

— Une banque prendrait moins, mais je ne suis pas une banque et je ne te poserai aucune de ces fichues questions.

Mia porta le goulot de sa bouteille à ses lèvres, et but longuement avant de poursuivre :

— Ce que je préfère, c'est investir. Je suis une femme d'affaires et j'aime le profit. Tu possèdes un talent qui s'est déjà révélé rentable. Avec un petit capital, tu pourrais créer une affaire fructueuse qui, je le pressens, mettra la mienne en valeur au lieu de la concurrencer. J'ai des idées à ce sujet, d'ailleurs, mais on en parlera plus tard. Donc, j'investis dix mille, et je deviens ton partenaire silencieux en échange d'une compensation raisonnable de, disons, huit pour cent du bénéfice brut.

— Je n'ai pas besoin de dix mille, s'entêta Nell.

Cela faisait une éternité qu'elle n'avait pas négocié. Curieux comme cela revenait vite. Dix mille dollars seraient les bienvenus et élimineraient sueur et inquiétude mais, d'un autre côté, sans ces deux éléments, elle se priverait d'une partie de la satisfaction attachée à la réussite.

— Cinq mille suffiront, décréta-t-elle. Pour six pour cent du net.

— D'accord pour cinq mille, pour sept du net.

— Vendu.

— Parfait. Je vais demander à mon avocat de rédiger le contrat.

— Et, moi, je vais ouvrir un compte au nom de l'affaire.

— Tu ne préfères pas que je m'en occupe, ainsi que de la demande de licence ?

— Non. Il faut bien que je prenne mes responsabilités, de temps en temps.

— Petite sœur, tu en as pris une il y a quelques mois. Mais c'est toi qui décides... On va faire des étincelles, conclut Mia en se dirigeant vers la porte.

Elle travailla comme un forçat. Sa cuisine était devenue un foyer d'expérimentations, de tentatives avortées et d'heureuses trouvailles, son petit bureau le lieu de séances de travail tardives. Elle conçut le logo du *Buffet des Trois Sœurs* – un cercle de trois femmes qui se tenaient par la main –, et imprima menus, prospectus, cartes de visite, modèles de factures et de papier à lettres.

Sa première brochure, elle la mit dans un sac avec une bouteille de champagne, et alla déposer le tout devant la porte de Mia.

Nell était plantée au milieu de la cuisine de Gladys Macey et examinait le champ de bataille. Elle était au travail depuis 4 heures du matin, et il restait une demi-heure avant l'arrivée des invités.

Dans exactement dix minutes, elle commencerait à mettre en place les amuse-gueule. La liste des invités dépassant la centaine, elle avait usé de tout son pouvoir de persuasion pour convaincre Gladys de renoncer au solennel dîner assis au profit de buffets amusants répartis à des endroits stratégiques.

Elle s'était chargée de la décoration florale, et avait suggéré de décorer les serviettes en papier d'un cœur et des initiales du couple – l'émotion de Gladys quand elle les avait vues !

Elle avait embauché Peg pour le service, et Betsy, la serveuse de *L'Auberge magique*, pour tenir le bar. Elle-même boucherait les trous lorsqu'elle pourrait s'absenter de la cuisine.

— Superbe, s'écria-t-elle en rejoignant le patio.

Le ciel promettait de rester dégagé. Gladys et elle avaient souffert mille morts à l'idée que la pluie anéantisse tous leurs efforts.

— Tu as bien compris, Peg ? demanda-t-elle en boutonnant sa veste noire. Tu circules entre les invités de façon à effectuer un circuit complet tous les quarts d'heure. Dès que ton plateau est vide, ou presque vide, tu retournes à la cuisine. Si je ne suis pas là, tu le remplis comme je te l'ai indiqué.

— Je m'y suis entraînée des millions de fois.

— Je sais, fit Nell en lui donnant une tape d'encouragement sur le bras. Betsy, j'essayerai de m'occuper des verres vides ou abandonnés. Si tu remarques que je ne débarrasse pas assez vite, ou que tu vas manquer de quoi que ce soit, tu me fais signe.

— Compris. Tout a l'air parfait.

— Jusqu'ici, ça va, approuva Nell qui était déterminée à ce que cela continue. Carl Junior s'occupe de la musique, il ne nous reste donc plus qu'à mettre notre spectacle en route, Peg. Buffet numéro 1 : crudités.

Pour Nell, il ne s'agissait pas d'une simple réception, mais d'une véritable renaissance. Elle allumait la dernière des bougies lorsqu'elle songea à sa mère et à la première prestation officielle qu'elles avaient effectuée ensemble. N'était-ce pas le moment de faire un vœu ?

— J'ai tracé un cercle, maman, et maintenant je vais le faire briller haut et fort, murmura-t-elle en approchant la flamme de la mèche.

Levant les yeux, elle vit Gladys Macey sortir de sa chambre et lui sourit.

— Vous êtes splendide.

— Plus nerveuse qu'une jeune mariée, oui, avoua Gladys en faisant bouffer ses cheveux. Je suis allée jusqu'à Boston pour trouver cette robe. Elle n'est pas trop tarabiscotée ?

— Elle est parfaite et vous aussi.

— Vous êtes sûre qu'il y aura assez de cocktails de crevettes ?

— Certaine.

— Je ne sais pas ce que les gens vont penser de ces brochettes de poulet à la sauce aux cacahuètes.

— Ils vont adorer.

— Et les…

— Gladys, arrête de harceler Nell ! supplia Carl qui sortit à son tour de la chambre en tirant sur son nœud de cravate.

— Monsieur Macey, vous êtes magnifique.

Spontanément, Nell s'approcha et entreprit d'arranger sa cravate.

— Elle m'a obligé à acheter un nouveau costume.

— Depuis hier, il ne cesse de ronchonner au sujet de ce costume, expliqua Gladys.

Habituée à leurs chamailleries, Nell sourit.

— Personnellement, je préfère les hommes qui ne se sentent pas très à l'aise en costume cravate. C'est très sexy.

La remarque fit rougir Carl.

— Je ne comprends pas pourquoi on ne pouvait pas organiser un barbecue avec deux tonneaux de bière.

Avant que Gladys n'ait le temps de riposter, Nell répondit :

— Allez donc au salon, Betsy va vous servir à boire. Je crois que j'entends les premiers invités.

— Ô mon Dieu ! s'écria Gladys en jetant un rapide coup d'œil autour d'elle. Moi qui voulais vérifier que tout était prêt…

— Tout l'est, ne vous inquiétez pas. Allez accueillir vos invités, je m'occupe du reste.

La musique et la nourriture aidant, les conversations s'animèrent et, en moins d'un quart d'heure, l'atmosphère guindée du début se réchauffa.

Nell tendait l'oreille, glanant ici ou là des commentaires sur le buffet et l'ambiance, et chaque compliment la faisait vibrer. Mais sa plus grande récompense, c'était de voir sa cliente resplendir de joie.

Très vite, la maison fut pleine à craquer, et Nell n'eut plus une seconde de répit.

— Ils se jettent sur la nourriture comme des hordes de sauvages, annonça Peg en déboulant dans la cuisine. À croire qu'ils sortent d'une semaine de jeûne.

— Ça se ralentira quand ils commenceront à danser, assura Nell en complétant prestement son plateau. Est-ce qu'il y a des choses qui ne partent pas ?

— Pas que je sache, fit Peg en soulevant le plateau. À la vitesse où ça va, je dirais que ces gens seraient capables de manger les serviettes en papier si tu les nappais de sauce.

Ripley entra dans la cuisine à cet instant.

— Sacrée réception, commenta-t-elle.

— C'est bien, hein ?

— Ouais, super.

— Toi aussi tu es super, remarqua Nell.

Ripley baissa les yeux sur sa robe noire toute simple. Elle était courte, moulante mais pas trop, et avait l'avantage de convenir aussi bien pour une réception qu'une réunion de service, à condition d'y ajouter une veste.

— Je l'ai aussi en blanc. Si bien qu'en ce qui concerne les robes, tous les cas de figure sont assurés.

Elle parcourut la pièce du regard. Tout était en ordre, le lave-vaisselle bourdonnait et la pièce embaumait.

— Comment est-ce que tu te débrouilles pour que tout soit aussi nickel ?

— Je suis géniale, tout simplement.

— Ça m'en a tout l'air.

Ripley attrapa une brioche fourrée qui sortait du four et n'en fit qu'une bouchée.

— Le buffet est fabuleux, dit-elle, la bouche pleine. Au fait, mais le pique-nique que tu m'as préparé était vraiment formidable.

— C'est vrai ? Comment est-ce que ça a marché ?

— Au poil, merci.

Son sourire satisfait se transforma en froncement de sourcils à la vue de Mia.

— Je voulais te faire mes compliments, Nell, s'écria celle-ci. Ah, quelque chose de nouveau !

Elle s'empara une brioche et en croqua un morceau.

— Hmm, délicieux. Salut, Ripley, je t'ai à peine reconnue en tenue de fille. Pas trop difficile de choisir entre le noir et le blanc ?

— Va te faire voir.

— Ne commencez pas. Je n'ai pas le temps d'arbitrer.

— Ne t'inquiète pas, rétorqua Ripley en piquant une autre brioche. Je n'ai pas l'intention de gaspiller mon énergie. Le neveu de Gladys vient d'arriver et il est mignon tout plein. Je vais tenter ma chance.

— C'est vraiment rassurant de constater qu'il y a des choses qui ne changent jamais.

— Ne touchez à rien, ordonna Nell avant de sortir avec son plateau.

Ripley souleva le torchon qui recouvrait un plat.

— Nell a l'air d'aller bien, observa-t-elle.

— Pourquoi est-ce qu'elle n'irait pas bien ?

— Ne joue pas les ahuries, Mia. Ça ne te va pas.

Ripley prit deux cookies glacés en forme de cœur.

— Je n'ai pas besoin d'une boule de verre pour voir qu'elle en a bavé. Une femme comme elle ne déboule pas sur une île sans rien d'autre qu'un sac à dos et une vieille Buick, à moins d'être en fuite. Zack pense qu'un type la battait.

Mia demeurant silencieuse, Ripley enchaîna :

— Écoute, je l'aime bien, et mon frère s'est entiché d'elle. Je ne cherche pas à la harceler, mais à l'aider si elle en a besoin.

— Avec ou sans ton insigne ?

— Avec ou sans, peu importe. Il est visible qu'elle cherche à s'installer, à redémarrer une nouvelle vie sur l'île. Ce qui fait que je la considère maintenant comme l'une d'entre nous.

— Passe-moi un de ces trucs, fit Mia en tendant la main vers les cookies. Que me demandes-tu exactement, Ripley ?

— Si Zack a raison, et si quelqu'un est à sa poursuite.

— Quoi que m'ait confié Nell, c'était sous le sceau du secret et je dois respecter son désir.

Question loyauté, dut admettre Ripley, on pouvait faire confiance à Mia. Chez elle, cela tenait presque de la religion.

— Je ne te demande pas de dévoiler un secret.

— Seulement tu ne peux pas dire ce que tu veux, hein ? répondit Mia avant de mordre dans son cookie.

— Oh, merde !

Ripley recouvrit le plat et s'apprêta à sortir. Mais le souvenir de Nell, rose de bonheur tandis qu'elle s'affairait dans sa cuisine, la retint.

Elle pivota brusquement.

— Dis-moi ce que tu as vu, toi. Je veux l'aider.

— Je sais.

Mia termina tranquillement son cookie.

— Il y a un homme. Il la poursuit et il la hante. Il est l'incarnation de ses peurs et de ses doutes. Si jamais il débarque ici, s'il la trouve, elle aura besoin de nous deux. Et il lui faudra avoir le courage de reconnaître ses propres pouvoirs et de les utiliser.

— Comment s'appelle-t-il ?

— Je ne peux pas te le dire. Je n'ai pas vu son nom.

— Mais tu le connais ?

— Je ne peux pas trahir la confiance de Nell.

Ripley perçut jusque dans ses entrailles l'inquiétude qu'exprimait le regard de Mia.

— D'ailleurs, si je te disais son nom, ça ne changerait rien. C'est à elle de suivre sa propre voie, Ripley. Nous pouvons la guider, la soutenir, la conseiller et l'aider. Mais, au terme du parcours, ce sera à elle de faire ses choix. Tu connais la légende aussi bien que moi.

— Laisse tomber, protesta Ripley. Je suis en train de te parler de la sécurité d'une amie.

— Moi aussi. Mais je parle aussi de son destin. Si tu veux vraiment l'aider, commence par prendre tes propres responsabilités.

Sur ces paroles, Mia sortit.

— Responsabilités, mon œil !

Exaspérée, Ripley souleva à nouveau le torchon et préleva un cookie.

Elle savait fort bien quelles étaient ses responsabilités. Veiller à la sécurité des résidents et des visiteurs de l'île. Maintenir l'ordre et faire respecter la loi.

Et sûrement pas se livrer à des simagrées stupides en chantonnant du charabia en se cramponnant à une légende absurde.

Elle était le shérif adjoint de l'île, et non le membre d'un trio mystique. Et sa mission n'était pas de rendre une quelconque justice nébuleuse et parapsychique.

Avec tout ça, elle avait perdu l'appétit, et l'envie de s'occuper du neveu de Gladys. Ça lui apprendrait à discuter avec Mia Devlin.

Dégoûtée, elle quitta la cuisine. La première personne qu'elle vit en regagnant le salon fut Zack, au milieu d'un groupe de gens. Ce type avait le don d'attirer ses semblables, c'était indéniable. Mais même ainsi, entouré de monde, il était évident que son regard et son esprit étaient occupés ailleurs.

Entièrement centrés sur Nell.

Ripley prit le temps d'observer son frère. Il ne quittait pas des yeux la jeune femme qui circulait entre les groupes avec son plateau. Et il arborait une expression dépourvue de toute ambiguïté.

Il était aux anges.

Or, si elle était capable de résister à Mia et d'ignorer son baratin sur la destinée et les responsabilités de chacun, la vue de son frère en proie à un sentiment tout neuf, encore en pleine évolution, la désemparait.

Il n'y avait rien qu'elle n'aurait fait pour Zack, pas même tendre la main à Mia.

Elle songea qu'il lui faudrait accorder toute son attention à la situation, la réévaluer périodiquement. Et réfléchir sérieusement, quoi que cela lui en coûte.

— Il est dans tous ses états, lui chuchota Mia à l'oreille. L'énervement qui précède la culbute extatique.

— J'ai des yeux, non ?

— Tu sais ce qui va se passer quand il aura succombé ?

Ripley arracha le verre de vin que tenait Mia et en avala la moitié.

— Eh bien, vas-y, dis-le-moi.

— Il va jeter sa vie à ses pieds sans une seconde d'hésitation. C'est le type le plus admirable que je connaisse, déclara Mia en reprenant son verre. Ça, au moins, c'est un point sur lequel nous sommes d'accord, toi et moi.

Ripley le savait. Elle céda.

— Je veux un charme protecteur. Occupe-t'en, s'il te plaît.

— J'ai déjà fait ce que j'ai pu mais, pour plus d'efficacité, il faut former un cercle à trois.

— Je ne peux pas y penser maintenant, ni en parler.

— Très bien. Alors, restons ici et contemplons un homme fort et admirable en train de tomber amoureux. Pas question de rater un moment pareil.

Mia posa nonchalamment la main sur l'épaule de Ripley.

— Nell ne s'en rend pas compte, reprit-elle. Alors même que cet amour naissant la balaye comme un souffle chaud, elle n'est pas encore en état de le sentir.

Avec un soupir qui recelait peut-être une pointe d'envie, Mia baissa les yeux sur son verre vide.

— Viens, je te paye à boire.

Zack rongeait son frein. Il discuta avec les uns et les autres, invita les dames à danser, but un verre de bière et surveilla la quantité d'alcool ingurgité par ceux qui étaient venus en voiture.

Il regardait Nell s'affairer, souriante, aimable, efficace. Et il songea que ce qu'il observait, c'était une jeune femme en train de s'épanouir.

Il s'apprêtait à lui demander s'il pouvait lui donner un coup de main, puis se ravisa. C'était ridicule. Non seulement il n'avait pas la moindre idée de ce qu'il fallait faire, mais il était évident qu'elle n'avait besoin de personne.

La foule s'éclaircissant, il ramena chez eux quelques-uns des invités, à titre de précaution. Il était presque minuit lorsqu'il estima son devoir accompli et s'autorisa à rejoindre Nell dans la cuisine.

Des plateaux vides étaient empilés sur le plan de travail, les plats emboîtés les uns dans les autres. L'évier était plein d'eau savonneuse d'où s'échappaient de petites fumerolles de vapeur, et Nell était en train de remplir méthodiquement le lave-vaisselle.

— Quand t'es-tu assise pour la dernière fois ?

— Je ne m'en souviens plus, avoua-t-elle sans cesser de glisser les assiettes dans la machine. Mais je suis incroyablement heureuse d'avoir aussi mal aux pieds.

— Tiens, dit-il en lui tendant une coupe de champagne. Tu l'as bien méritée.

— Sûrement.

Elle en but une gorgée et la posa.

— Toutes ces semaines de préparation, et voilà, c'est fini. Et j'ai cinq rendez-vous pour la semaine prochaine. Tu savais que la fille de Mary Harrison se mariait au printemps prochain ?

— J'en ai entendu parler. Avec John Bigelow. Un cousin à moi.

— Il ne serait pas impossible que j'assure le buffet.

— Je vote pour les petits pâtés. Ils étaient vraiment excellents.

— J'en prends note.

Quel plaisir de pouvoir faire des projets !

— Tu as vu Carl et Gladys danser ensemble dans le patio ?

Elle se redressa et pressa les mains sur ses reins douloureux.

— Trente ans de mariage. Et ils dansaient en se regardant dans les yeux comme si c'était la première fois. Pour moi, ç'a été le meilleur moment de la soirée. Tu sais pourquoi ?

— Non.

Elle se tourna vers lui.

— Parce que c'était ça, la raison de cette réception. L'histoire de deux personnes unies par l'amour et la confiance. Que se serait-il passé si l'un des deux, il y a trente ans, avait reculé ou regardé ailleurs ? Ils auraient raté la danse dans le patio, et tout ce qui s'est passé entre ce premier jour et ce soir.

— Je n'ai pas pu danser avec toi, fit-il en tendant la main pour lui effleurer la joue. Nell...

— Ah, vous voilà !

Les yeux brillants, Gladys pénétra à grands pas dans la cuisine.

— J'avais peur que vous ne vous soyez éclipsée.

— Oh non ! Il faut que je termine ici, et que je fasse un petit tour afin de vérifier que tout est en ordre.

— Certainement pas. Vous en avez fait assez, beaucoup plus que je n'en attendais. De ma vie je n'ai vu une soirée aussi réussie ! Les gens vont en parler pendant des années.

Elle prit Nell par les épaules et l'embrassa sur les joues.

— J'ai été insupportable, je le sais, reprit-elle en étreignant la jeune femme. Oh, quelle fête merveilleuse ! Je n'attendrai pas trente ans pour recommencer. Maintenant, je veux que vous rentriez chez vous et que vous vous allongiez.

Elle fourra un billet de cent dollars dans la main de Nell.

— Ça, c'est pour vous.

— Madame Macey, vous n'êtes pas censée me donner de pourboire. Peg et…

— Je m'en suis occupée. Vous me feriez de la peine si vous refusiez de le prendre pour vous acheter quelque chose de joli. Maintenant, filez. S'il reste quelque chose à faire, ça attendra demain. Shérif, vous pouvez aider notre Nell à charger sa voiture ?

— Pas de problème.

— C'était mieux que mon mariage, déclara Gladys en se dirigeant vers la porte.

Elle se retourna et leur fit un clin d'œil.

— Et, maintenant, voyons si nous arrivons à faire mieux que lors de la nuit de noces.

— On dirait que Carl va avoir une surprise, commenta Zack en soulevant une pile de plateaux. Sauvons-nous, pour laisser un peu d'intimité au jeune couple.

À eux deux, il leur fallut trois voyages pour tout porter jusqu'à la voiture. Et lors du dernier, Carl les raccompagna et fourra une bouteille de champagne dans la main de Nell.

— C'est le chapeau qu'on rend énergiquement au dernier invité qui s'incruste, commenta Zack en fermant le coffre.

— Où est ta voiture ?

— Hein ? Oh, Ripley l'a prise pour ramener un couple un peu défaillant.

Nell se laissa aller à le regarder. Il portait un costume, mais s'était déjà débarrassé de sa cravate qui, roulée en boule, gonflait sa poche.

Son col ouvert laissait voir son cou bronzé.

Comme les lumières des Macey s'éteignaient une à une, il esquissa un sourire. Son profil n'était pas parfait. Sa coupe de cheveux n'était pas celle d'un grand coiffeur. Et son attitude, les mains enfoncées dans les poches de son pantalon, était plus décontractée que raffinée.

Lorsque le frisson du désir se fit sentir, elle n'essaya pas de l'étouffer. Au contraire, elle se rapprocha de Zack.

— Je n'ai bu qu'une demi-coupe de champagne. Je suis tout à fait en état de conduire, j'ai l'esprit clair et mes réflexes sont parfaits.

Il tourna la tête vers elle.

— En tant que shérif, je suis heureux de l'apprendre.

Les yeux fixés sur lui, elle sortit ses clefs de sa poche et les fit tinter.

— Viens chez moi. Et prends le volant.

Une étincelle s'alluma dans le regard de Zack qui la scruta avec intensité.

— Je ne vais pas te demander si tu as bien réfléchi, dit-il en attrapant les clefs. Je vais juste te dire de monter dans la voiture.

Les jambes flageolantes, elle parvint à contourner sa Buick et à s'asseoir pendant qu'il s'installait au volant.

Et quand il l'attira à lui et s'empara de sa bouche, elle oublia ses genoux peu fiables et tenta de se hisser sur ceux de Zack.

— Attends... attends un peu. Seigneur ! gémit-il en enfonçant la clef dans le contact.

Le moteur s'éveilla avec une petite toux offusquée. Sans lui donner le temps de chauffer, Zack braqua le volant dans un demi-tour serré. Pour se venger, la voiture se mit à vibrer, ce qui fit glousser Nell nerveusement.

— Si cette caisse tombe en morceaux avant qu'on arrive, il faudra courir. Zack...

Elle détacha la ceinture de sécurité qu'elle avait bouclée machinalement et se rapprocha pour lui mordiller l'oreille.

— ... j'ai l'impression que je vais exploser.

— T'ai-je dit que j'avais un faible pour les femmes qui portent des petites vestes noires ?

— Non, vraiment ?

— Je l'ai découvert ce soir.

Tendant la main, il agrippa le revers de sa veste et tira. Résultat, il prit le virage trop court et les roues heurtèrent le trottoir.

— Encore une minute, souffla-t-il. Plus qu'une minute.

Dans un crissement de freins et une violente embardée, il immobilisa la voiture devant le cottage et parvint tout juste à couper le contact avant de tendre les bras. Il attira Nell à lui, la cala sur ses genoux et s'empara de sa bouche avec avidité tandis qu'il autorisait ses mains à faire enfin tout ce que bon leur semblait.

Le désir jaillit en elle, brûlant. Elle l'accueillit avec bonheur, agrippa la veste de Zack, frémit au contact de ses mains calleuses sur sa peau.

— Dedans, haleta-t-il tout en se battant avec la poignée de la portière aussi maladroitement qu'un adolescent impatient. Il faut qu'on aille à l'intérieur.

Le souffle court, il tira Nell hors de la voiture. Trébuchant dans l'allée, chacun s'affairait fébrilement sur les vêtements de l'autre. Les boutons de la chemise de Zack n'y résistèrent pas. Comme il la soulevait dans ses bras et l'emportait vers la maison, Nell laissa échapper un rire délicieux qui l'enchanta.

200

— J'aime tant tes mains, murmura-t-elle. Je veux que tu les promènes partout sur mon corps.

— Tu peux y compter. Bon sang, qu'est-ce qu'elle a, cette porte ?

Exaspéré, il donna un grand coup de hanche contre le battant récalcitrant qui céda brusquement.

Ils atterrirent sur le sol, le buste dans la maison, les pieds dehors.

— Ici. Maintenant, gémit-elle tandis que ses doigts luttaient avec la boucle de la ceinture de Zack.

— Attends… une sec… laisse-moi fermer la…

Il parvint à rouler et à refermer la porte d'un coup de pied.

La pièce n'était que taches d'ombre et rayons de lune. Le sol était dur mais ils étaient trop occupés à s'arracher mutuellement leurs vêtements pour y prêter attention. Zack eut des aperçus très beaux, très érotiques de peau diaphane, de courbes douces, de lignes délicates.

Il voulait regarder, se repaître de sa vue, ne rien perdre.

La prendre.

Lorsque les poignets de Nell se trouvèrent coincés dans les manchettes de sa chemise, il renonça et approcha la bouche de ses seins.

Elle se mit à vibrer sous lui tel un volcan au bord de l'éruption. Des éclairs de chaleur, des spirales de désir passionné se bousculaient dans son système nerveux.

Elle se cambra, plus pour réclamer que pour offrir. Le monde tourbillonnait de plus en plus vite, comme si elle était dans un manège qui se serait emballé et que seul le poids du corps magnifique de Zack la maintenait à terre.

— Maintenant, le supplia-t-elle. Vite !

Il plongea en elle et laissa son corps prendre le contrôle des opérations. La furie implacable de l'accouplement s'empara d'eux. Il sentit Nell se refermer autour de lui tel un poing chaud et humide. Elle se tendit comme un arc avant de laisser échapper un cri qui sonna triomphalement.

Il crut en perdre la tête.

Le plaisir fusa en elle, inonda ses sens, balaya sa raison. Elle s'envola en étreignant Zack pour l'emporter avec elle.

Et tous deux basculèrent dans l'extase.

12

Il avait les oreilles qui tintaient, à moins que ce ne soit le bruit de son cœur qui lui martelait les côtes. En tout cas, il ne parvenait ni à penser clairement ni à bouger. Cette paralysie temporaire l'aurait inquiété s'il en avait eu la force.

— D'accord, souffla-t-il.

Il respira à fond.

— Bon, reprit-il. Je crois que j'ai trébuché.

— Moi aussi.

Elle était allongée sous lui, dans la position idéale pour caler son visage au creux de son cou.

— Tu t'es cognée ?

— Non, tu as amorti la chute, répondit-elle en lui mordillant le cou. Tu es un véritable héros.

— Ouais, tu parles.

— Je t'ai un peu bousculé. J'espère que tu ne m'en veux pas.

— J'aurais mauvaise grâce à me plaindre.

Il rassembla assez d'énergie pour basculer sur le côté, l'entraînant avec lui afin qu'elle se blottisse contre lui.

— Mais j'espère que tu m'offriras une chance de faire étalage de mon style et de ma finesse.

Elle leva la tête, repoussa ses cheveux en arrière et rit.

— Quoi ?

— Je me disais seulement combien j'aimais ton style. Chaque fois que je t'apercevais pendant la réception, j'avais envie de me lécher les babines. Le grand et beau shérif Todd vêtu d'un costume dont il se serait bien passé, tenant à la main la même et unique bière durant toute la soirée afin de pouvoir ramener les gens chez eux en toute sécurité, et qui me regardait patiemment avec de tels yeux que j'étais obligée de retourner à la cuisine pour retrouver mon calme.

— C'est vrai ?

Il fit courir ses mains le long des bras de Nell et sourit lorsqu'il buta sur les manchettes.

— Sais-tu ce que moi, je me disais pendant que je te regardais ? chuchota-t-il en les lui ôtant.

— Pas précisément.

— Je trouvais que tu avais l'air d'une danseuse, gracieuse et compétente. Et j'essayais de ne pas penser à ce que tu portais sous ce chemisier amidonné et cette petite veste sexy.

Les poignets de Nell libérés, il lui caressa à nouveau les bras.

— Tu es si jolie, si fine, mon cœur. Ça me rend positivement fou depuis des semaines.

— Je ne peux pas expliquer quel effet ça me fait de d'entendre dire ça. De me sentir assez solide pour y prendre plaisir.

Elle leva brusquement les bras.

— Ô Seigneur ! Je me sens si vivante... Je voudrais que ça dure toujours.

Elle s'inclina sur lui, lui donna un baiser brûlant, puis se releva.

— Je veux boire ce champagne. Je veux être ivre et faire l'amour avec toi toute la nuit.

— Je vote pour... Mais qu'est-ce que tu fais ? s'écria-t-il, les yeux écarquillés, en la voyant ouvrir la porte.

— Je vais chercher le champagne que Carl nous a donné.

— Laisse-moi enfiler mon pantalon, j'y vais. Nell !

Stupéfait, il la vit sortir, nue comme un ver, et bondit sur ses pieds.

— Pour l'amour de Dieu !

Son pantalon à la main, il se rua sur le seuil.

— Reviens ici avant que je ne sois obligé de te coller en tôle pour exhibitionnisme.

— Il n'y a personne.

Quel délice de sentir la caresse fraîche de l'air nocturne sur sa peau encore frémissante de passion ! Elle écarta les bras et se mit à tournoyer.

— Viens, l'appela-t-elle. La nuit est magnifique.

Le visage levé vers le ciel, ses cheveux et sa peau d'albâtre scintillant sous la lune, elle était incroyablement séduisante.

Puis soudain, par-dessus le petit carré de gazon, son regard croisa celui de Zack, si intense qu'il en eut le souffle coupé. Un bref instant, il aurait juré qu'elle jetait des étincelles.

— Ici, il y a quelque chose de particulier dans l'atmosphère, reprit-elle, les mains en coupe comme pour recueillir le souffle de la nuit. Je le sens à l'intérieur de moi, qui palpite et, dans ces moments-là, il me semble que rien ne m'est impossible.

Elle lui tendit la main.

— Tu ne veux pas venir m'embrasser au clair de lune ?

Il ne put résister, et, d'ailleurs, il n'essaya même pas. Il s'approcha d'elle, prit sa main tendue. Dans la clarté qui descendait du firmament, il captura ses lèvres en un baiser d'une chaude tendresse qui atteignit Nell en plein cœur.

Lorsqu'il la souleva dans ses bras, elle blottit la tête au creux de son épaule et se sentit en sécurité.

Il l'emporta dans la maison, la déposa sur le vieux lit qui s'affaissa doucement sous leur poids.

Plus tard, se dit-il alors qu'il se perdait en elle, il lui faudrait réfléchir à l'effet que cela faisait de tomber amoureux d'une sorcière.

Elle émergea avant l'aube de l'un de ces sommes qu'ils s'étaient accordés durant la nuit. Le poids et la tiédeur du corps de Zack, la sensation qu'il n'y avait rien de plus normal que cette intimité étaient à la fois réconfortants et excitants.

Elle se pencha sur lui, étudia ses traits, les grava dans sa mémoire, puis se glissa hors du lit.

Elle prit une douche, revêtit un short et une chemise sans manches. Sans bruit, elle ramassa les vêtements dispersés dans le salon et pénétra dans la cuisine d'un pas dansant.

Jamais elle n'avait ressenti un tel désir. Un désir féroce, bondissant, qui l'aspirait tout entière.

Elle ne rêvait que de revivre cette expérience.

Et aussi la tendresse qui avait suivi, et la soif insatiable, et les tâtonnements éperdus dans le noir. Tout.

Nell Channing avait un amant. Et il dormait dans son lit.

Il la désirait, et c'était extraordinaire. Il la désirait elle, telle qu'elle était, et non telle qu'il voulait la modeler. Et cela lui mettait du baume au cœur.

L'âme en fête, elle prépara du café et, tandis que son parfum emplissait la pièce, elle s'activa, pétrit à tour de bras tout en chantonnant.

Le jardin arrosé, elle glissa une première fournée de brioches dans le four, puis, sa tasse dans une main, un crayon dans l'autre, elle réfléchit aux menus de la semaine à venir.

— Qu'est-ce que tu fais?

Le son de sa voix rauque et ensommeillée la fit sursauter, et le café gicla sur le papier.

— Je t'ai réveillé ? Excuse-moi. J'ai essayé de ne pas faire de bruit.

— Nell, protesta-t-il en levant la main. Ne fais pas ça, ça me fiche en rogne.

Elle eut beau se raisonner, son ventre se noua de peur lorsqu'il s'approcha.

— Il y a une chose que je vais te demander.

Il lui prit sa tasse des mains et la but entièrement pour s'éclaircir les idées et la voix.

— Ne me confonds jamais avec lui. Si tu m'avais réveillé et que cela m'avait agacé, je te l'aurais dit, sans en faire un drame. En fait, je me suis réveillé parce que tu n'étais pas là et que tu me manquais.

— Il y a des habitudes dont il est difficile de se débarrasser, quand bien même on essaye.

— Bon, eh bien, continue à essayer, fit-il d'un ton léger en se versant une autre tasse de café. Ma parole, il y a déjà quelque chose dans le four ? Ça embaume ! Des brioches à la cannelle ? hasarda-t-il, les narines frémissantes.

Les fossettes de Nell se creusèrent.

— Et si c'était ça ?

— Je serai ton esclave.

— Tu es facile à satisfaire, shérif.

Elle décrocha un gant isolant.

— Assieds-toi. Je vais te servir ton petit-déjeuner et, ensuite, je te dirai ce que j'attends de mon esclave.

Le lundi matin, Nell fit irruption au Café-Librairie, lança un joyeux « salut » à la cantonade, et fonça dans l'escalier, les bras chargés de cartons de pâtisseries.

Lulu leva un instant les yeux de ses bons de commande et esquissa un sourire.

— Il y en a une qui a eu de la chance ce week-end, lança Mia du haut de son escabeau.

— Tu vas monter lui extorquer les détails ?

Mia glissa un livre dans le rayon et épousseta sa jupe.

— Voyons ! M'as-tu déjà vue louper une pareille occasion ?

Lulu émit un ricanement amusé.

— Alors, n'oublie pas de me mettre au courant.

Mia monta au café où l'accueillit le parfum irrésistible de la cannelle.

— Tu as eu un week-end chargé, commenta-t-elle en balayant du regard les pâtisseries.

— Et comment !

— La soirée de samedi soir était formidable. Bravo, petite sœur.

— Merci.

Nell finit de remplir la vitrine et versa à Mia son café matinal.

— Grâce à cette réception, j'ai plusieurs rendez-vous, cette semaine avec des clients potentiels.

— Félicitations. Mais… je ne pense pas que ce soit tes futurs buffets qui te rendent aussi radieuse. Fais-moi goûter l'un de ces chefs-d'œuvre.

Elle contourna le comptoir et s'y accouda nonchalamment.

— Si je puis me permettre, tu as la tête d'une femme qui a consacré son week-end à autre chose qu'à la cuisine.

— J'ai aussi fait un peu de jardinage. Mes tomates sortent bien.

— Hum, hum, fit Mia après avoir mordu dans son muffin encore tiède. J'imagine que le shérif Todd est au moins aussi délectable que ça. Allez, raconte ! On ouvre à 10 heures.

— Je ne devrais pas en parler. C'est vulgaire, non ?

— Pas du tout. C'est nécessaire. Un peu de compassion, s'il te plaît. Ça fait une éternité que je vis dans la chasteté, j'ai bien droit à quelques plaisirs par procuration. Tu as l'air tellement heureuse...

— Je le suis. C'était merveilleux.

Nell esquissa un pas de danse, puis attrapa un muffin qu'elle se mit à grignoter.

— Insensé. Il a une telle... vigueur !

— Oh, oh ! Ne t'arrête pas en si bon chemin.

— Je crois qu'on a battu plusieurs records.

— Là, tu te vantes, mais ce n'est pas grave. Nous sommes entre amies.

— Tu sais la meilleure ?

— J'espère bien que tu vas me le dire, et tout le reste aussi.

— Il ne m'a pas traitée comme un être fragile ou malheureux, ou même... blessé. Du coup, quand je suis avec lui, je ne me sens ni fragile, ni malheureuse, ni blessée. La première fois, on a failli ne pas arriver jusqu'à la maison. On a atterri sur le sol tout en s'arrachant nos vêtements. Ça paraissait si... normal.

— On devrait tous s'octroyer de temps en temps ce genre de normalité. Il embrasse bien, hein ?

— Ah ça ! Et quand il...

Nell s'interrompit et pâlit.

— J'avais quinze ans, expliqua Mia tranquillement. Il m'a ramenée à la maison après une soirée, et nous avons satisfait notre curiosité mutuelle avec un ou deux baisers, très longs et très intenses. Je ne ferai pas affront à ton intelligence en prétendant qu'il s'agissait de baisers fraternels ; la vérité, c'est que nous ne nous sommes pas convenus et que nous avons décidé d'être amis. Mais les baisers étaient vraiment bien.

Elle avala le reste de son muffin, se lécha les doigts.

— Ce qui me donne une petite idée du week-end que tu as dû passer...

— Heureusement que je n'étais pas au courant. J'aurais sûrement été paralysée de timidité.

— Tu es mignonne. Alors, que comptes-tu faire au sujet de Zachariah Todd?

— En profiter.

— Excellente réponse.

Pour le moment, songea Mia.

— Il sait se servir de ses mains, pas vrai? lança-t-elle en se dirigeant vers l'escalier.

— Oh, tais-toi, maintenant!

— J'ouvre les portes, riposta Mia en riant.

Et toi aussi, petite sœur, ajouta-t-elle silencieusement.

Mia n'aurait pas été surprise d'apprendre que Zack était lui aussi en train de subir un interrogatoire devant une tasse de café et des muffins.

— Je ne t'ai pas beaucoup vu, ce week-end.

— J'avais des trucs à faire. Et est-ce que je ne t'ai pas apporté un cadeau?

Ripley dévorait son muffin à belles dents.

— Hum. Bon, marmonna-t-elle, la bouche pleine. Seule la meilleure cuisinière de l'île a pu fabriquer un machin aussi bon. J'en déduis que tu as dû passer un certain temps chez elle pour en rapporter une demi-douzaine.

— Dont il ne reste plus que quatre.

Il en savourait un tout en épluchant la paperasserie entassée sur son bureau.

— John Macey n'a toujours pas payé ses contraventions. Il faut que je lui botte les fesses.

— Je vais le faire. Alors, vous avez dansé la rumba du matelas, Nell et toi?

Zack lui décocha un regard cinglant.

— Quelle âme sentimentale et romantique tu te coltines, Ripley ! Je me demande comment tu arrives à vivre avec un tel poids.

— Éviter la question, c'est en général y répondre par l'affirmative. Manuel du parfait flic. Alors, comment ça a marché ?

— Est-ce que je te pose des questions sur ta vie amoureuse ?

Elle leva le doigt pour le prier de patienter tandis qu'elle avalait une bouchée.

— Oui, dit-elle enfin.

— C'est parce que je suis plus vieux et plus sage.

— Ah bon ?

Elle faucha un deuxième muffin, autant pour agacer son frère que pour satisfaire sa gourmandise.

— Si tu me balances l'argument du plus vieux et du plus sage, tu dois admettre que je suis plus jeune et plus cynique. Est-ce que tu comptes procéder à une enquête approfondie sur ses antécédents ?

— Non.

Posément, il ouvrit un tiroir et y glissa le sac de muffins.

— Si tu t'intéresses sérieusement à elle – et tel que je te connais, ça doit être le cas –, il faut que tu en saches un peu plus, Zack. Elle n'est pas tombée du ciel.

— Elle a pris le ferry, rétorqua-t-il froidement. C'est quoi, ton problème ? Je croyais que tu l'aimais bien ?

— C'est vrai. Je l'aime beaucoup, même. Mais, pour des raisons qui m'échappent, il se trouve que toi aussi je t'aime beaucoup. Tu as un faible pour les blessés de la vie, Zack, et parfois, sans le vouloir, ils mordent et font souffrir.

— Depuis quand est-ce que je ne suis pas capable de me défendre ?

— Tu es amoureux d'elle.

Il cligna des yeux et la regarda fixement. S'écartant du bureau, elle commença à arpenter la pièce.

— Tu crois que je suis aveugle et stupide ? Je te connais depuis toujours, je connais le moindre frémissement, la moindre expression de ta face d'abruti. Tu es amoureux d'elle, et tu ne sais même pas qui elle est.

— Elle est exactement celle que j'ai cherchée toute ma vie.

Ripley réprima l'envie de flanquer un coup de pied dans le bureau. Elle s'immobilisa et son regard s'adoucit.

— Merde, Zack ! Pourquoi faut-il que tu dises ce genre de choses ?

— Parce que c'est vrai. C'est comme ça que ça se passe chez les Todd, tu le sais bien. On chemine paisiblement, tout seul, et *paf !* ça nous tombe dessus et le tour est joué. Ça m'est tombé dessus et ça me plaît.

— Bon, d'accord. Mais revenons un peu en arrière.

Résolue à le défendre, que cela lui plaise ou non, elle posa les mains à plat sur le bureau et se pencha vers lui.

— Elle a eu des ennuis. Elle a réussi à s'échapper, du moins momentanément, mais les ennuis n'ont pas disparu pour autant. Il y a un sale type qui n'a pas dit son dernier mot. Il se peut qu'il la cherche, Zack. Si je ne m'inquiétais pas pour toi, je n'aurais jamais interrogé Mia. Plutôt me couper la langue avec un couteau rouillé. Bref, Mia m'a répondu que Nell n'est pas définitivement sortie d'affaire.

— Tu as raison d'affirmer que tu me connais comme ta poche. Comment crois-tu que je vais réagir à ce que tu viens de raconter ?

Elle poussa un soupir accablé.

— S'il vient l'embêter, il lui faudra te passer sur le corps.

212

— C'est à peu près ça. Bon, tu la fais, la patrouille ?
Ou bien je te laisse la paperasserie ?

— Plutôt bouffer des souris, répliqua-t-elle en glissant sa queue-de-cheval dans le trou de sa casquette.
Écoute, je suis ravie que tu aies trouvé quelqu'un qui
te convienne. Et je suis encore plus ravie qu'elle me
plaise. Mais Nell Channing n'est pas seulement une
fille adorable, douée pour la cuisine, et lestée d'un
passé trouble.

— Tu veux dire que c'est une sorcière ? demanda-
t-il sans se troubler. Oui, je l'ai découvert. Ça ne me
pose pas de problème particulier.

Sur ces mots, il se remit au travail, et retint un rire
quand la porte claqua derrière Ripley.

— La déesse ne réclame pas de sacrifice, expliqua
Mia. C'est une mère. Et, en tant que telle, elle a droit
au respect, à l'amour, à l'obéissance, et elle désire le
bonheur de ses enfants.

La soirée était fraîche. L'on sentait déjà la fin de
l'été. Bientôt, les bois passeraient du vert au fauve.
Les chenilles laineuses et les écureuils affairés que
Mia avait aperçus annonçaient un hiver long et
froid.

— La magie jaillit des éléments, et du cœur. Mais
on la sert mieux avec des outils, et même avec des
aides visuelles. Chaque art repose sur l'usage d'un
certain nombre de rites et d'instruments.

Traversant le jardin, elle alla ouvrir la porte de la
cuisine.

— J'ai ce qu'il te faut, du moins pour commencer.

La pièce était aussi odorante que le jardin. Des
bouquets d'herbes séchaient, suspendus à des cro-
chets. Une sorte de chaudron mijotait sur la cuisinière
en répandant l'odeur forte et sucrée de l'héliotrope.

— Qu'est-ce qui cuit ?

— Oh, juste un petit charme pour une jeune femme qui a un entretien d'embauche dans la semaine et se sent un peu nerveuse. Je vais y tremper des cristaux qui s'imprégneront de leurs pouvoirs et elle les emportera dans son sac.

— Elle décrochera ce boulot ?

— Ça dépend d'elle. Bon, voici tes outils, poursuivit-elle en désignant la table.

Elle les avait choisis avec soin, en visualisant Nell mentalement.

— Nettoie-les quand tu seras rentrée chez toi. Personne ne doit les toucher sans ta permission. Ils ont besoin de ton énergie. Cette baguette est faite d'une branche de bouleau coupée au moment du solstice d'hiver. Le cristal qui est fixé à son extrémité est un morceau de quartz. L'ensemble m'a été donné par celle qui m'a formée.

— Tu ne peux pas m'offrir quelque chose qu'on t'a donné.

— Il a toujours été prévu que je la transmette, mais il t'en faudra d'autres. Je te recommande le cuivre ; il est efficace. Voici ton balai.

Voyant Nell retenir un éclat de rire, elle haussa les sourcils.

— Désolée. Je n'aurais jamais pensé… Un balai ?

— Ce n'est pas pour le chevaucher. Pends-le à la porte de ta maison pour te protéger et sers-t'en pour balayer l'énergie négative. Je te prête cette coupe. Tu choisiras la tienne plus tard, en attendant, celle-ci fera l'affaire. Le pentacle est en loupe d'érable. Il faut le maintenir toujours vertical. Le poignard ne sert pas à couper, mais à diriger l'énergie.

Elle ne le toucha pas, mais pria Nell de le faire.

— Il y en a qui préfèrent les sabres, mais je ne crois pas que ce soit ton cas, reprit-elle tandis que la jeune femme caressait le manche ciselé. La lame n'est pas affûtée et c'est normal. En revanche, la serpe est destinée à couper. La poignée incurvée offre une bonne prise pour moissonner les herbes et les plantes, sculpter des baguettes, écrire sur des chandelles, etc. Les sorcières de cuisine s'en servent pour trancher la nourriture. À toi de voir, bien sûr.

— Bien sûr, fit Nell.

— Tu te chargeras d'acheter ton propre chaudron. Ceux en fonte sont les meilleurs. Tu trouveras un encensoir à ton goût dans l'une des boutiques de cadeaux, ainsi que des cônes ou des bâtonnets d'encens. Quand tu auras le temps, tu fabriqueras ta propre poudre d'encens. Il te faudra des paniers en paille, quelques échantillons de soie. Tu veux prendre des notes ?

Nell inspira profondément.

— Ce serait peut-être préférable.

Mia lui donna un bloc et un crayon, et reprit :

— N'oublie pas les chandelles. Je t'expliquerai la signification des couleurs et des symboles. Voici quelques cristaux mais il t'en faudra d'autres, que tu sélectionneras toi-même. Deux douzaines de bocaux avec couvercles, un mortier et un pilon, du sel de mer. Je peux te prêter un jeu de tarots et des boîtes en bois, mais il faudra me les rendre. Avec ça, tu as de quoi commencer.

— C'est plus compliqué que je ne pensais. L'autre jour dans le jardin… je n'ai fait que me tenir debout et penser très fort.

— Il y a des choses qu'on peut réaliser avec l'esprit et le cœur, et d'autres qui requièrent des objets – autant pour respecter la tradition que pour amplifier le pouvoir. Maintenant que tu disposes d'un ordinateur, établis un registre de charmes.

— Un registre de charmes sur ordinateur ?

— Pourquoi ne pas être pratique et efficace ? Nell, as-tu parlé de sorcellerie avec Zack ?

— Non.

— Tu as peur de sa réaction ?

Nell réfléchit une seconde avant de répondre :

— Il y a de ça. Mais, avant d'en arriver là, il faudrait que je sache comment m'y prendre pour en parler. Tout n'est pas encore clair dans ma tête.

— Tu as raison. En dernier ressort, partager ou pas, donner ou prendre, c'est à toi de décider.

— Vu ce qu'en pense Ripley, je me suis dit qu'il pouvait éprouver les mêmes réticences. Et je n'ai pas envie de le heurter dès le début.

— On peut difficilement te le reprocher. Allons faire un tour.

— Il faudrait vraiment que je rentre. Il fait presque nuit.

— Il attendra.

Mia ouvrit une boîte sculptée et en sortit sa baguette. L'extrémité était ornée d'un morceau de quartz gris.

— Prends la tienne. Il est temps que tu apprennes à tracer un cercle. On va faire quelque chose de simple, promit-elle en entraînant Nell dehors. Après ça, je te garantis des nuits fabuleuses.

— Il n'y a pas que les nuits qui m'intéressent, remarqua Nell. Mais je reconnais qu'elles comptent beaucoup.

Tandis qu'elles se dirigeaient vers le bois, un léger brouillard se mit à tourbillonner au-dessus du sol.

— Le temps est en train de changer, observa Mia. Les dernières semaines de l'été me rendent toujours mélancolique. C'est curieux, parce que j'adore l'automne, ses parfums, ses couleurs, et l'air vif du matin lorsqu'on met le nez dehors.

Tu es seule. Nell retint de justesse ce commentaire qui n'aurait pu apparaître que stupide et suffisant de la part d'une femme qui venait de prendre un amant.

— Ça doit te rappeler la rentrée scolaire, suggéra-t-elle à la place. Moi, je détestais ça. D'autant que j'étais souvent la petite nouvelle qui débarque sans connaître personne.

— Comment te débrouillais-tu ?

— J'ai appris à me faire des amis en sachant que c'était provisoire. J'imagine que ce sentiment de précarité me désignait comme une cible parfaite pour Evan. Il m'a promis de m'aimer, de me respecter, de me chérir pour toujours. Ce *toujours*, j'en avais vraiment envie.

— Et maintenant ?

— Maintenant, j'ai juste envie de me creuser une niche, et d'y rester.

— Encore une chose que nous avons en commun. Voici l'une de mes niches.

Elles venaient de pénétrer dans une clairière qu'éclairait la pleine lune. Ses rayons caressaient un groupe de trois pierres. Des lianes s'accrochaient aux branches des arbres, ainsi que des guirlandes de cristaux qui tintaient doucement dans le vent léger.

Il émanait de ce lieu quelque chose de primitif, d'essentiel.

— C'est beau, ici, souffla Nell. Et… étrange, sans toutefois être effrayant.

Portés par la brise, des parfums de verveine, de romarin et de sauge l'assaillirent, en même temps qu'elle percevait un murmure paisible, presque musical.

— Cet endroit est un lieu sacré, expliqua Mia. On raconte que c'est ici que les sœurs se tenaient, il y a trois cents ans, pour exercer leur art. Que ce soit vrai ou non, j'ai toujours été attirée par cette clairière. Nous allons former le cercle toutes les deux. C'est le rituel de base.

Mia sortit son poignard de sa poche et se mit à l'œuvre. Fascinée, Nell l'imita – mots, intonation, gestes –, et ne s'étonna pas lorsqu'un mince cercle lumineux apparut dans le brouillard.

— Air, Terre, Eau et Feu, venez monter la garde auprès de notre cercle et combler nos désirs. Ouvrez nos esprits à la magie de la nuit.

Mia posa son poignard et sa baguette.

— Tu pourras créer ton cercle à ta manière, avec tes propres mots, lorsque tu t'en sentiras capable. J'espère que ça ne te gêne pas mais, quand le temps le permet, je préfère travailler nue.

Sur ce, elle fit glisser sa robe et la plia soigneusement.

— Oh, eh bien, je ne suis pas vraiment… fit Nell.

— Ce n'est pas obligatoire, précisa Mia qui reprit sa baguette sans paraître gênée par sa nudité. Moi, je préfère. Surtout pour ce rituel.

Elle avait un tatouage, un petit pentagramme, sur la cuisse, nota Nell. À moins que ce ne soit une tache de naissance.

— Quel rituel ?

— Nous allons faire descendre la lune. La plupart des sorcières ne le font que lorsque l'objectif à atteindre est difficile, mais j'ai parfois besoin – ou envie – d'un afflux d'énergie supplémentaire. Pour commencer, ouvre-toi. Tête, souffle, cœur. Fais-toi confiance. Toutes les femmes obéissent aux cycles lunaires, comme la mer. Tiens ta baguette dans la main droite.

Nell s'exécuta

— Cette nuit, à cette heure, nous faisons appel à ta puissance, Luna. Que ta lumière nous pénètre.

Lentement, elles firent pivoter leur baguette et la pointèrent sur leur cœur.

— Que la femme et la déesse s'illuminent. Que la puissance et la joie coulent de toi. Qu'il soit fait selon notre volonté.

Tandis que le disque blanc de la lune s'élevait gracieusement au-dessus des arbres, Nell vit un jet de lumière argentée descendre jusqu'à elle et sentit le flot d'énergie qui la pénétrait.

L'euphorie l'envahit et elle éclata de rire. Mia abaissa sa baguette.

— Il y a des jours où c'est formidable d'être une fille, tu ne trouves pas? On va fermer le cercle, maintenant. Je suis convaincue, petite sœur, que tu sauras utiliser de manière appropriée cette nouvelle énergie.

Une fois seule, Mia utilisa sa propre énergie pour fabriquer un charme protecteur. Nell disposait d'une réelle puissance naturelle. Elle l'aiderait à l'exploiter, à la maîtriser. Mais, pour l'instant, il y avait plus urgent.

Elle avait vu quelque chose que Nell n'avait pas remarqué. Un nuage sombre qui glissait sur le cœur de la lune.

13

Les dernières semaines de l'été passèrent à toute allure. Les journées de Nell étaient bien remplies ; en plus de son travail au café, il lui fallait mettre au point les projets des contrats déjà signés et faire des propositions pour en gagner d'autres.

Elle passait presque toutes ses nuits avec Zack – profitant des dernières soirées chaudes pour dîner aux chandelles dans le jardin ou naviguer une heure ou deux, avant de faire voluptueusement l'amour.

Au moins deux jours par semaine, elle suivait avec Mia ce qu'elle appelait des leçons de rites.

Et, à l'aube, elle préparait ses gâteaux dans sa cuisine.

Sa vie ressemblait désormais à ce dont elle avait toujours rêvé.

De temps en temps, elle surprenait le regard de Zack fixé sur elle. Calme. Patient. L'air d'attendre quelque chose. Comme elle affectait lâchement de ne pas comprendre, les remords et un malaise diffus l'envahissaient. Et tous deux étaient déçus.

Elle parvenait à justifier ses dérobades à ses propres yeux. N'était-elle pas heureuse ? Ne méritait-elle pas un peu de paix et de plaisir ? Un an plus tôt, elle avait risqué sa vie. Durant les mois qui avaient suivi, elle n'avait cessé de fuir, sursautant au moindre bruit, s'endormant nuit après nuit en sachant que d'atroces cauchemars la réveilleraient immanquablement.

Qui pourrait lui reprocher d'avoir enfermé cette période dans un coffre et d'en avoir enterré la clef ?

C'était le présent qui importait, et elle en donnait l'essentiel à Zack.

Un catalogue d'instruments culinaires sous le bras, Nell sortit de la poste et descendit High Street. Frissonnant dans le vent vif qui s'engouffrait sous son grand pull, elle salua quelques visages familiers, s'assura que la voie était libre avant de traverser la rue, puis pénétra dans le marché couvert.

Pamela Stevens poussa un cri étouffé et baissa la vitre de leur BMW.

— Tant que je n'aurai pas trouvé un endroit où me garer, je ne m'arrêterai devant aucun de ces magasins, l'avertit son mari.

— Je viens de voir un fantôme, balbutia-t-elle.

— Ici, ma chérie, c'est plutôt le pays des sorcières.

— Non, non, Donald. Helen Remington. La femme d'Evan. Je jurerais avoir vu son fantôme.

— Qu'est-ce qu'elle ficherait à hanter les péquenauds d'un bled où on ne peut même pas trouver une satanée place de parking ?

— Je ne plaisante pas. Cette femme était son sosie, à part les cheveux et les vêtements. Ce pull ! Pour rien au monde, Helen ne se serait affublée d'un pull aussi ordinaire !

Elle tendit le cou pour scruter l'entrée du marché.

— Arrête-toi, Donald. Je voudrais aller y voir de plus près.

— Dès que j'aurai trouvé une place.

— Elle lui ressemblait tellement, répéta Pamela. Ça m'a fait un coup au cœur. Pauvre Helen. J'ai été l'une des dernières personnes à lui parler avant ce terrible accident. Je l'aimais beaucoup. Elle était jeune, belle, Evan et elle formaient un couple magnifique, elle avait tout ce qu'on peut désirer dans la vie. Quelle tragédie tout de même !

Le temps que Pamela réussisse à traîner son mari jusqu'au marché, Nell était rentrée chez elle et déballait ses provisions.

Quand elle eut terminé, elle alluma la radio et s'installa avec une revue en attendant Zack.

Dès qu'elle entendit le bruit de ses pas, elle se retourna et l'accueillit avec un sourire radieux.

— Il n'est pas un peu tôt pour que le gardien de la loi et de l'ordre annonce qu'il a fini sa journée ?

— Ripley me devait quelques heures.

— Qu'y a-t-il dans cette grosse boîte ?

— Un cadeau.

— Pour moi ?

Lâchant son magazine, elle bondit de sa chaise et se rua vers le carton que Zack avait déposé sur le plan de travail. Un mélange d'amour et de désir lui incendiait la poitrine.

— Un robot ménager professionnel ! Le top du top ! s'exclama-t-elle en caressant la boîte en carton avec autant de respect que s'il s'agissait d'un vison. Ô mon Dieu... C'est le meilleur robot qu'on puisse trouver sur le marché. J'en mourais d'envie.

— Je t'ai vue le reluquer dans un catalogue.

Elle se jeta dans ses bras et couvrit sa figure de baisers.

— Je l'adore, je l'adore. Je *l'adore*.

Elle ponctua cette déclaration d'un gros baiser bruyant, puis partit à l'assaut du carton.

— Mais c'est affreusement cher. Je ne devrais pas te permettre de m'offrir des cadeaux d'un pareil prix sans raison. Mais, tant pis, je ne vais pas te l'interdire parce que l'idée de m'en priver est au-dessus de mes forces.

— C'est grossier de refuser un cadeau, et, en plus, ce n'est pas sans raison. Un jour d'avance, ça n'a pas d'importance. Joyeux anniversaire !

— Mon anniversaire est en avril, mais je ne vais pas me battre à cause...

Elle s'interrompit net, et son cœur se mit à battre sourdement. Si l'anniversaire d'Helen Remington était en avril, celui qu'indiquait la carte d'identité de Nell Channing tombait le 19 septembre.

— Je ne sais pas à quoi je pensais, reprit-elle en essuyant ses paumes moites sur son jean. J'ai tellement travaillé, ces derniers temps, que mon anniversaire m'est complètement sorti de la tête.

Tout le plaisir qu'avait pris Zack à lui offrir le cadeau dont elle rêvait s'envola, ne laissant qu'une boule d'amertume dans sa gorge.

— Ne fais pas ça. Garder des choses pour toi est une chose. Me mentir effrontément en est une autre.

— Je suis désolée.

Nell se mordit très fort la lèvre et sentit le goût de la honte emplir sa bouche.

— Moi aussi, je suis désolé, fit-il en lui prenant le menton pour l'obliger à le regarder dans les yeux. J'attends jour après jour que tu fasses le premier pas, Nell, mais rien ne vient. Tu fais l'amour avec moi, et là, tu te donnes sans retenue. Tu me parles de tes projets et tu écoutes les miens. Mais le passé, il n'en est jamais question.

Il avait tenté de ne pas s'appesantir sur le sujet, de se persuader que ce n'était pas important. Mais il venait de se le prendre en pleine figure, et affecter l'indifférence n'était désormais plus possible.

— Tu m'as laissé entrer dans ta vie le jour même où tu as posé le pied sur l'île.

C'était vrai, absolument vrai. À quoi bon le nier ?

— Ma vie a commencé ce jour-là, affirma-t-elle. Rien de ce qui s'est passé avant ne compte.

— Si c'était le cas tu ne serais pas obligée de me mentir.

Nell sentit la panique lui obstruer la gorge. Elle la contra par un accès de colère.

— Qu'est-ce que ça change que mon anniversaire soit demain, dans un mois ou date de six mois? Pourquoi y accordes-tu de l'importance?

— Ce qui m'importe, c'est que tu n'as pas confiance en moi. J'en souffre parce que je t'aime.

— Oh, Zack, tu ne peux pas…

— Je t'aime, répéta-t-il en lui agrippant les bras pour l'empêcher de se détourner. Tu le sais bien.

Cela aussi, c'était vrai, bien sûr.

— Mais je ne sais pas quoi faire de ça! s'écria-t-elle. Je ne sais pas non plus quoi faire de mes propres sentiments à ton égard. M'y fier, me fier à toi, ce n'est pas aussi simple que tu le penses. Pas pour moi.

— Tu veux que j'accepte ça, mais tu ne veux pas me dire pourquoi ce n'est pas simple. Joue franc jeu, Nell.

— Je ne peux pas, souffla-t-elle tandis qu'une larme roulait le long de sa joue. Je suis désolée.

Il la lâcha et sortit.

Frapper à la porte de Zack fut l'une des choses les plus difficiles que Nell ait jamais accomplies. Elle avait si souvent reculé devant la colère, et voilà qu'il lui fallait l'affronter, avec pas grand-chose pour se défendre!

Cherchant à donner un peu de solennité à sa démarche, elle dédaigna l'escalier de la plage et aborda la maison par la façade. Avant de frapper, elle fourra la main dans sa poche et caressa la turquoise censée faciliter la communication verbale.

Cela ne pouvait pas faire de mal, même si elle n'était pas convaincue que le procédé soit efficace.

Elle prit une profonde inspiration, redressa les épaules et frappa.

Personne n'accourant, elle oscilla entre le soulagement et le désespoir. Elle s'apprêtait à faire demi-tour lorsque la porte s'ouvrit sur Ripley, en collant coupé aux genoux et T-shirt taché de sueur. Elle gratifia Nell d'un long regard froid et s'appuya au chambranle.

— Je n'étais pas sûre d'avoir entendu frapper. Je faisais des haltères, et j'avais mis la musique.

— J'espérais parler à Zack.

— Je m'en doute. Tu l'as sacrément fichu en colère. Bravo. Il faut se donner du mal pour y arriver. Il m'a fallu des années, mais tu as sûrement un talent inné.

Nell glissa la main dans sa poche et tripota sa pierre en quête d'arguments pour écarter le bouclier qui se dressait entre sa cible et elle.

— Je sais qu'il est furieux contre moi, et il en a le droit. Mais n'ai-je pas, moi, le droit lui demander pardon ?

— Bien sûr que si, mais, si tu comptes te répandre en sanglots étouffés et battements de cils, c'est moi qui vais me mettre en rogne. Et je suis beaucoup plus vache que Zack.

— Je n'ai pas l'intention de pleurer ni de battre des cils, rétorqua Nell que la colère gagnait. Et je ne pense pas que Zack apprécierait que tu t'interposes entre nous. En tout cas, moi, ça ne me plaît pas.

— Tant mieux, fit Ripley en s'effaçant pour la laisser entrer. Il est sur la terrasse, derrière la maison, en train de broyer du noir devant son télescope. Avant que tu ailles lui parler, je voudrais te dire une chose : il aurait pu faire une enquête sur tes antécédents et éplucher ton passé. Il en a les moyens, et, à sa place, je l'aurais fait. Mais lui a des exigences morales très personnelles et il s'en est abstenu.

Le poids des remords qui accablaient Nell depuis le départ de Zack devint insupportable.

— Il aurait trouvé cela grossier, dit-elle.

— Exact. Personnellement, ça ne me dérange pas d'être grossière. Alors, soit tu mets les choses au clair avec lui, soit tu auras affaire à moi.

— Compris.

— Je t'aime bien. Mais lorsqu'on touche à un Todd, on ne s'en tire pas impunément. Avertissement sans frais. Prends une bière dans la cuisine, au passage, ajouta Ripley en se dirigeant vers l'escalier. Je vais finir mes exercices.

Nell ne prit pas de bière ; un grand verre d'eau eût été plus approprié pour apaiser sa gorge en feu. Après avoir traversé le salon au désordre chaleureux, puis la cuisine qui n'était pas plus rangée, elle gravit l'escalier qui menait à la terrasse.

Assis dans un grand fauteuil en bois décoloré par les intempéries, une bouteille de bière coincée entre les cuisses, Zack braquait son télescope vers le ciel.

Il l'entendit approcher, sentit son parfum, un mélange de pêche et d'anxiété, mais ne se retourna pas.

— Tu m'en veux, et je le mérite, attaqua-t-elle. Mais tu es trop juste pour refuser de m'écouter.

— J'arriverai peut-être à être juste demain, ou après-demain. Tu ferais mieux d'attendre.

— Je prends le risque.

Savait-il combien cette démarche lui coûtait ? Combien il fallait qu'elle tienne à lui pour se mettre ainsi en danger ?

— J'ai menti. J'ai menti souvent, et efficacement. Je recommencerai s'il le faut. J'avais le choix entre l'honnêteté et la survie. Il en est toujours ainsi, aussi je ne te raconterai pas tout ce que tu veux savoir, tout ce que tu mérites de savoir. Je suis désolée.

— Si deux personnes ne se font pas confiance, elles n'ont rien à faire ensemble.

— Ça t'est facile de dire ça, Zack.

Lorsqu'il se détourna du ciel et consentit enfin à la regarder, elle se rapprocha. Son cœur battait follement. Elle ne craignait pas qu'il la frappe, non. Elle redoutait qu'il n'ait plus jamais envie de la toucher.

— Oui, c'est facile pour toi, insista-t-elle. Tu as ta place ici. Tu l'as toujours eue. Tu n'as pas eu à te battre pour l'obtenir.

— Si j'ai une place, dit-il d'un ton mesuré, j'ai dû la gagner. Comme tout le monde.

— Tu disposais de fondations solides sur lesquelles tu as pu bâtir. Ces derniers mois, j'ai dû travailler pour gagner une place ici. Je l'ai méritée. Ce n'est pas pareil.

— D'accord, peut-être. Mais en ce qui concerne ce que nous faisions ensemble, toi et moi, le point de départ a été le même, Nell.

Ce que nous *faisions*, nota Nell. À l'imparfait. S'il le prenait ainsi, elle avait le choix entre rester de ce côté-ci de la barrière, ou faire le premier pas et la franchir.

Après tout, ce ne devait pas être plus difficile que de se jeter d'une falaise en voiture.

— J'ai vécu avec un homme pendant trois ans. Un homme qui me brutalisait. Pas uniquement des gifles, des coups de pied. Ces blessures-là cicatrisent. Mais il y en a d'autres qui laissent des traces durables.

Elle expira lentement, afin de libérer sa poitrine du poids qui l'oppressait.

— Il minait progressivement et systématiquement ma confiance en moi, mon courage, s'attaquait à tous mes choix. Et ceci avec tant d'habileté que lorsque je m'en suis aperçue, je n'étais plus qu'une coquille vide. Ce n'est pas facile de se reconstruire après cela. J'y travaille encore. Rien que pour trouver le courage de venir ici, ce soir, j'ai dû creuser profondément en moi. Je n'aurais jamais dû me lier à toi, et je n'en avais pas l'intention. Mais grâce à cette île et grâce à toi, je me suis sentie normale de nouveau.

— C'est le début d'un beau discours. Tu devrais t'asseoir, qu'on en parle.

— J'ai fait ce qu'il fallait pour lui échapper. Et il n'est pas question que je m'en excuse.

— Je ne te le demande pas.

— Je ne vais pas entrer dans les détails.

Elle se détourna, s'accouda à la balustrade et fixa l'immensité noire qui s'étendait à ses pieds.

— J'avais l'impression de vivre dans une fosse qui devenait de plus en plus profonde, de plus en plus froide. Chaque fois que j'essayais d'en sortir, il était là et m'en empêchait.

— Mais tu as trouvé une issue.

— Je n'y retournerai pas. Jamais. À aucun prix ! Voilà pourquoi j'ai menti, trompé, enfreint la loi. Et je t'ai fait souffrir. C'est la seule chose que je regrette, ajouta-t-elle en se tournant vers lui. De t'avoir fait souffrir.

Cramponnée à la balustrade, elle le défiait du regard.

La terreur et le courage se bousculaient en elle, la déchiraient intimement.

— Tu me croyais incapable de comprendre ?

— Zack, fit-elle en levant les mains, avant de les laisser retomber dans un geste d'impuissance. Moi-même, je ne comprends toujours pas. Je n'étais pas une carpette quand je l'ai rencontré. Je n'étais pas une victime habituée à se faire exploiter. Je venais d'une famille solide, tranquille. J'avais fait des études, j'étais indépendante. Il y avait eu des hommes dans ma vie auparavant, rien de vraiment sérieux, mais des relations normales, saines. Et puis, un beau jour, je suis tombée dans ce piège, et je me suis retrouvée manipulée et maltraitée.

— Pourquoi continues-tu à te le reprocher? demanda-t-il doucement.

Sa question la prit par surprise. Elle le regarda, perplexe.

— Je ne sais pas, avoua-t-elle en allant s'asseoir à côté de lui.

— Cesser de t'en vouloir pourrait être l'étape suivante, fit-il d'un ton neutre avant d'avaler une gorgée de bière.

La colère ne l'avait pas quitté. S'il n'en voulait quasiment plus à Nell, il sentait bouillonner en lui une véritable fureur à l'égard de ce type, l'individu sans visage et sans nom, qui l'avait terrorisée.

Il se promit de passer sa rage sur le punching-ball de Ripley.

— Parle-moi de ta famille, reprit-il en lui tendant sa bière. Tu connais déjà un peu la mienne.

Elle refusa la bouteille d'un signe de tête.

— Mon père était dans l'armée. Il était lieutenant-colonel.

— Tu as dû voir du pays, non?

— En effet. On a beaucoup bougé. C'était un homme bon, calme, chaleureux. Il adorait les films des Marx Brothers et le beurre de cacahuète de la marque Reeze. Seigneur…

Le chagrin lui nouait la gorge, rouvrait une plaie au centre de son être.

— Ça fait longtemps qu'il est parti. Je ne comprends pas pourquoi j'ai l'impression que c'était hier.

— Quand la mort frappe ceux qu'on aime, elle demeure inadmissible. Je continue à penser à ma grand-mère de temps en temps.

Il prit la main de Nell et la garda dans la sienne sans la serrer.

— Et, quand ça m'arrive, je sens son odeur. Eau de lavande et menthe poivrée. J'avais quatorze ans quand elle est morte.

Comment se faisait-il qu'il la comprenne aussi bien ? Lui aussi avait des talents de magicien.

— Mon père a été tué pendant la guerre du Golfe. Je le croyais invincible. Tout le monde disait que c'était un bon soldat, et je me souviens que c'était un bon père. Il était toujours prêt à écouter ce que j'avais à lui dire. Il était honnête et juste, et il avait un code d'honneur personnel qui comptait plus à ses yeux que toutes les lois et les règlements. Il...

Elle s'interrompit et scruta le visage de Zack.

— Ça me frappe tout à coup. C'est fou ce que tu lui ressembles ! Il t'aurait apprécié, shérif Todd.

— Je regrette de n'avoir pas eu la chance de le connaître.

Il tourna le télescope dans sa direction.

— Vois comme c'est beau, là-haut.

Elle se pencha vers l'oculaire et contempla les étoiles.

— Tu m'as pardonné ?

— Disons que nous avons fait quelques progrès.

— Tant mieux, parce que Ripley était bien décidée à me botter les fesses.

— Et elle est douée pour ça, je te le garantis.

— Elle t'adore. J'ai toujours voulu avoir un frère ou une sœur. Ma mère et moi étions très proches et, après la mort de mon père, nos liens se sont renforcés. Mais j'ai regretté d'être fille unique. Ma mère t'aurait plu. Elle était solide, élégante et très gaie. Lorsqu'elle est devenue veuve, elle a créé sa propre entreprise à partir de rien. Et elle l'a fait prospérer.

— Ça me rappelle quelqu'un.

Elle sourit.

— Mon père affirmait que je tenais d'elle. Zack, la femme que je suis maintenant, c'est celle que j'étais autrefois. Les trois ans du milieu sont une aberration. Tu ne reconnaîtrais pas la pauvre fille que j'étais devenue. Moi-même, j'ai du mal.

— Peut-être devais-tu en passer par là pour arriver là où tu es maintenant.

— Peut-être.

Les yeux de Nell s'emplirent de larmes et elle ne vit plus rien dans le télescope.

— J'ai l'impression que le destin n'a cessé de me pousser vers cette île. Lors de chacun de nos déménagements, quand j'étais enfant, je regardais autour de moi et je me disais : « Non, ce n'est pas ici, je ne suis pas encore arrivée chez moi. » Le jour où j'ai traversé la baie sur le ferry, et que j'ai vu ce morceau de terre apparaître, j'ai su que là était ma place.

Il leva leurs mains jointes, et embrassa celle de Nell.

— Le jour où je t'ai vue, debout derrière le comptoir du café, j'ai su que c'était toi que j'attendais.

Cette déclaration la frappa en plein cœur.

— Je transporte des bagages encombrants, Zack. Plus que tu ne l'imagines. Jamais quelqu'un n'a autant compté à mes yeux que toi. Je ne veux pas gâcher ta vie avec mes problèmes.

— Il est trop tard pour s'en inquiéter, Nell. Je suis amoureux de toi.

Un frisson d'émotion courut dans le corps de Nell.

— Il y a tellement de choses que tu ignores, et une seule d'entre elles pourrait te faire changer d'avis.

— Tu doutes de mes capacités.

— Oh, que non !

Elle dégagea sa main et se leva. La station debout la rendait plus apte à affronter les crises.

— Il y a autre chose que je peux te dire, et je ne m'attends pas que tu le comprennes ni que tu l'acceptes.

— Tu es une kleptomane.

— Non

— Une terroriste.

— Non, Zack, dit-elle en riant malgré elle.

— Attends ! Tu es une fan de Star Treck et tu connais tous les épisodes par cœur.

— Non, je n'ai regardé que les premiers.

— Bon, ça va. Je donne ma langue au chat.

— Je suis une sorcière.

— Oh, ça, je le savais déjà.

— Je ne plaisante pas, Zack ! J'en suis une au sens propre du terme. Avec des sorts et des charmes, et tout le reste. Une véritable sorcière.

— Ouais. Je l'ai compris la nuit où je t'ai vue danser nue sur la pelouse, devant chez toi, et que ton corps s'est mis à étinceler. Nell, j'ai toujours vécu sur l'île des Trois Sœurs. Tu t'attendais que je reste cloué sur place, ou que je croise les doigts pour éloigner le mal ?

Hésitant entre la déception et le soulagement, Nell fronça les sourcils.

— Oui, je m'attendais à une réaction particulière, admit-elle.

— Sur le moment, j'ai été un peu surpris. Mais le fait de vivre avec Ripley a amorti le choc. Bien qu'il y ait des années qu'elle ne s'occupe plus de ce genre de choses. Cela dit, si tu m'apprenais que tu as utilisé un charme pour me séduire, ça m'agacerait un peu, quand même.

— Ah non, je ne l'ai rien fait ! J'en serais incapable, d'ailleurs. Je commence tout juste à... apprendre.

— Une apprentie sorcière, alors, remarqua-t-il avec un sourire amusé. J'imagine que Mia va te dresser à la baguette en deux temps trois mouvements.

Il n'y avait donc rien qui puisse surprendre cet homme ?

— Il y a deux nuits, j'ai fait descendre la lune.

— Qu'est-ce que ça veut dire ? s'écria-t-il en se

levant à son tour. Non, laisse tomber. Je n'ai pas vraiment une tête à faire de la métaphysique. Je suis un homme simple, Nell.

Il fit glisser ses mains plusieurs fois le long des bras de Nell, caresse qui avait le don de l'exciter tout en l'apaisant.

— Non, tu n'es pas un homme simple.

— Assez simple pour savoir que je suis là, avec une jolie fille, et que je gaspille ce clair de lune.

Il l'attira à lui et l'embrassa avec passion.

Elle ploya la tête en arrière, noua les mains sur sa nuque, et s'abandonna à son baiser.

— Viens, souffla-t-il en l'entraînant vers la porte vitrée. Allons au lit. Dans mon lit. Je veux t'aimer. Je veux aimer la fille du lieutenant-colonel qui tient de sa mère.

Il ouvrit la porte et tira Nell à l'intérieur.

— Je t'aime, ajouta-t-il dans un murmure.

C'est là qu'est la vérité, songea-t-elle tandis qu'ils se laissaient tomber sur le lit.

Elle était chez elle. Enfin.

Sa peau parut chanter sous ses doigts. L'élan de désir fluide qui parcourut son corps lui arracha un doux soupir, et lorsque leurs bouches s'unirent à nouveau, elle se livra corps et âme.

Il promena les lèvres sur son épaule, s'émerveilla de la fermeté de ses muscles, de la délicatesse de son ossature. Sa saveur l'enivrait, lui était aussi indispensable que l'air qu'il respirait.

Il trouva son sein, et le titilla des lèvres, des dents, de la langue, jusqu'à ce que le cœur de Nell se mette à battre à grands coups sourds. Jusqu'à ce qu'elle se cambre à sa rencontre en haletant.

Sans hâte, il descendit le long de son corps. La frôlant des doigts, la caressant des lèvres. Il la sentit trembler et le désir se mit à palpiter sauvagement dans ses veines.

Les mains de Nell se crispèrent sur le drap lorsqu'il souleva ses hanches et la caressa avec sa bouche. Impitoyable, il l'amena au paroxysme du plaisir.

Le souffle court, la peau humide, elle l'étreignit éperdument. Son corps semblait n'être plus qu'un brasier incontrôlable.

— Zack...

— Pas encore, pas encore.

Il avait faim d'elle, il désirait la goûter encore et encore, la caresser sans fin. Son corps paraissait irréel, tel celui d'une statue de marbre blanc scintillant sous la lune.

Nell avait atteint la limite de ce qu'elle pouvait supporter. Le cerveau vide de toute pensée, elle fit soudain basculer Zack sur le dos, l'enfourcha et, haletante, l'entraîna dans une folle chevauchée. Elle se pencha, couvrit sa bouche de la sienne, puis se redressa, leva les bras au-dessus de sa tête, tandis qu'une force étrange s'emparait d'elle.

Il agrippa les hanches de Nell. Son sang charriait de la lave, son esprit bouillonnait tel un fleuve en furie. L'espace d'un instant, il ne vit plus que les yeux de Nell, d'un bleu de flamme, et brillants comme des joyaux.

Il s'enfonça plus profond en elle, et l'univers explosa.

14

Ripley arrêta sa voiture de patrouille et regarda Nell qui déchargeait sa voiture devant la librairie. Le soleil s'était déjà couché, et avec la vague de froid qui s'était abattue sur l'île, les derniers touristes se calfeutraient dans leur hôtel en sirotant des boissons chaudes.

La plupart des autochtones avaient eu le bon sens de s'installer devant la télévision ou finissaient de dîner. Elle-même avait hâte de se lancer dans ces deux activités.

Mais, depuis le soir où Nell était venue frapper à sa porte, Ripley n'avait pas encore eu l'occasion de la voir en tête à tête.

— Ou tu commences très tard, ou vraiment très tôt, lança-t-elle.

Nell souleva un carton et rentra frileusement les épaules dans sa veste fourrée.

— C'est un deuxième départ. Le club du livre qu'organise Mia fait sa rentrée. La première réunion a lieu ce soir.

— Ah ouais, fit Ripley en sortant de sa voiture.

Elle portait un vieux blouson d'aviateur et des chaussures de randonnée. Une casquette en laine noire remplaçait celle en toile.

— Tu veux un coup de main ? demanda-t-elle.

— Je ne dis pas non.

Heureuse de ne pas sentir la moindre animosité, Nell désigna du coude un deuxième carton.

— Des boissons pour la réunion. Tu y vas ?

— Sûrement pas.

— Tu n'aimes pas lire ?

— J'aime bien lire, mais j'ai horreur des groupes. Les groupes sont constitués de membres, expliqua Ripley. Et les membres sont presque toujours des gens. Donc, voilà.

— Ce sont des gens que tu connais, remarqua Nell.

— Ce qui ne fait que me conforter dans mon opinion. Ce groupe, c'est un tas de poules qui passent autant de temps à caqueter du dernier potin qu'à discuter d'un livre qui ne leur sert que de prétexte pour sortir de chez elles le soir.

— Comment peux-tu le savoir puisque tu n'appartiens pas au club ?

— Disons que j'ai une sorte de sixième sens pour ce genre de choses.

— Très bien.

Nell rééquilibra son carton tout en se dirigeant vers la porte de derrière.

— Est-ce pour cette raison que tu n'acceptes pas l'art ? Parce que ce serait se joindre à un groupe ?

— Ce serait une raison suffisante. En plus, ça ne me plaît pas de me plier à des usages édictés trois cents ans avant ma naissance.

Une rafale transforma sa queue-de-cheval en un fouet sombre et épais.

— Je pense qu'on peut régler les problèmes sans être obligé de miauler devant un chaudron, et je n'aime pas que les gens puissent m'imaginer assise à califourchon sur un balai et affublée d'un chapeau pointu.

— Je n'ai rien à objecter à tes deux premiers arguments, dit Nell comme elle entrait dans la boutique.

Mais les deux derniers ne tiennent pas debout. Jamais je n'ai entendu Mia miauler, ni devant un chaudron ni ailleurs, et je ne crois pas que qui que ce soit s'attende à la voir enfourcher un balai.

— Ça ne me surprendrait pas qu'elle le fasse, répliqua Ripley en entrant à sa suite. Salut, Lu, fit-elle avec un hochement de tête.

— Rip, tu es des nôtres, ce soir ? s'enquit Lulu qui installait les chaises pliantes.

— Est-ce que l'enfer s'est mis à geler ?

— Pas que je sache, répondit la libraire en humant l'air. Ça sent le pain d'épice, non ?

— Bingo, fit Nell. Tu as une idée sur la façon dont je dois disposer les boissons ?

— C'est toi l'expert. Mia est encore en haut. Si elle n'aime pas, elle te le dira.

Nell déposa le carton sur une table dressée près du mur. Elle était parvenue à percer la carapace de Lulu de quelques trous d'épingle, mais il lui restait à la faire craquer entièrement. Tâche qui avait pris à ses yeux l'allure d'un défi personnel.

— Tu crois que je peux rester pour une partie des discussions ?

Lulu lui jeta un regard inquisiteur par-dessus ses lunettes.

— Tu as lu le livre ?

Zut. Dans l'espoir que l'odeur appétissante plaiderait en sa faveur, Nell sortit le pain d'épice du carton.

— Euh… non. Je n'ai entendu parler du club que la semaine dernière et…

— Qu'on ait du boulot ou pas, on a toujours une heure par jour à consacrer à la lecture.

— Oh, arrête de jouer les pestes, Lulu !

L'aboiement de Ripley laissa Nell bouche bée. Un bref coup d'œil sur Lulu la rassura : celle-ci souriait de toutes ses dents.

— Impossible, répliqua-t-elle. C'est dans ma nature. Tu peux rester si cette fille-là reste aussi, dit-elle à Nell en désignant Ripley.

— Je n'ai aucune envie de traîner avec une bande de bonnes femmes qui papotent au sujet d'un bouquin entre deux commérages sur qui couche avec qui, et qui ne devrait pas faire quoi… En plus, je n'ai pas dîné.

— Le café ne ferme que dans dix minutes, riposta Lulu. La soupe du jour, pois cassés jambon, était délicieuse. Et ça ne te ferait pas de mal de passer un peu de temps avec des «bonnes femmes». Histoire d'explorer la femme qui est en toi.

Ripley lâcha un ricanement méprisant. Mais la perspective de manger cette soupe – ou n'importe quelle nourriture qu'elle n'aurait pas à préparer elle-même – l'attirait énormément.

— La femme qui est en moi n'a pas besoin d'être explorée. Pour la soupe, je ne dis pas non.

Elle était au milieu de l'escalier lorsqu'elle jeta sans se retourner :

— Je resterai peut-être vingt minutes. À condition d'être servie la première en pain d'épice.

— Lulu? appela Nell qui disposait des cookies en forme d'étoile sur un plateau.

— Quoi?

— Je veux bien te traiter de peste, si ça peut aider à nous rapprocher en tant que personnes désireuses d'explorer la femme qui est en elle.

Lulu émit un petit reniflement sceptique.

— Tu as la repartie facile, quand tu veux. Tu assumes tes responsabilités et tu tiens parole. Pour moi, c'est déjà pas mal.

— Je fais aussi du très bon pain d'épice.

Lulu s'approcha de la table et en prit une tranche.

— Ça, c'est à moi de juger. Et tu as intérêt à lire le livre d'octobre avant la prochaine réunion.

— Promis, répondit Nell avec un sourire.

À l'étage, Peg rouspétait. Servir un bol de soupe quelques minutes avant la fermeture tenait de l'exploitation.

— J'ai un rendez-vous, alors si tu n'as pas terminé avant la fin de mon service, tu devras faire ta vaisselle toi-même.

— Je peux aussi faire comme toi, c'est-à-dire tout laisser dans l'évier pour que Nell s'en occupe demain matin. Donne-moi aussi un chocolat chaud. Tu sors toujours avec Mick Burmingham ?

— Ouais. On va se mettre au lit et s'offrir un festival vidéo. *Scream 1, 2* et *3*.

— Super-sexy. Si tu veux t'en aller, je ne cafterai pas.

Peg n'hésita pas.

— Merci, s'écria-t-elle en dénouant son tablier. Je file.

Ripley s'installa commodément pour profiter de sa soupe dans une délicieuse solitude. Il ne s'était pas écoulé une minute lorsque le martèlement des talons de Mia vint gâcher son plaisir.

— Où est Peg ?

— Je l'ai libérée. Rendez-vous urgent.

— Je n'aime pas que tu donnes à mes employés la permission de partir en avance. Le café n'est censé fermer que dans quatre minutes et ça fait partie de son travail de nettoyer la vitrine, le comptoir et la cuisine avant de s'en aller.

— Eh bien, je l'ai virée, alors tu peux botter mes fesses au lieu des siennes.

Ripley se remit à manger tout en observant Mia avec curiosité.

Il était rare de la voir aussi nerveuse. Triturant la chaîne d'amulettes qu'elle portait autour du cou, elle se pencha sur les vitrines en émettant un soupir exaspéré.

— Les règlements sanitaires des lieux de restauration sont très stricts, grommela-t-elle. Puisque tu as été très généreuse avec Peg, ne t'arrête pas en si bon chemin et nettoie tout ça toi-même.

— Compte là-dessus, murmura Ripley.

Néanmoins, de vagues remords la titillèrent, menaçant de lui couper l'appétit.

— Quelle mouche t'a donc piquée ? lança-t-elle.

— J'ai une entreprise à gérer. C'est plus difficile que d'arpenter le village avec un air suffisant, comme tu le fais si bien.

— Oh, va te faire foutre, Mia ! Ça améliorera ton humeur.

Mia se retourna d'un bloc.

— Contrairement à toi, me faire foutre n'est pas une réponse à tout ce qui me tracasse.

— Tu joues les vierges de glace parce que Sam Lodan t'a larguée, c'est ton…

Mia blêmit. Ripley s'interrompit aussitôt. Elle se serait giflée d'avoir dit une telle chose.

— Excuse-moi, reprit-elle. Je suis hors sujet. Complètement hors sujet.

— Laisse tomber.

— Quand je cogne sur quelqu'un, je tiens à m'excuser. Même si tu es entrée ici en cherchant visiblement la bagarre. En fait, non seulement je te présente mes excuses, mais je te demande ce qui ne va pas.

— Qu'est-ce que ça peut te fiche ?

— Normalement, rien. Mais, normalement, on ne te voit jamais dans cet état. Quel est le problème ?

Elles avaient été amies, autrefois, très bonnes amies. Aussi proches que des sœurs. Aussi était-il plus difficile à Mia de s'ouvrir à Ripley que si celle-ci avait été une parfaite étrangère.

Mais le sujet était grave et méritait que les querelles et les rancunes soient momentanément mises de côté. Elle s'assit en face de Ripley et la regarda droit dans les yeux.

— Il y a du sang sur la lune.

— Oh, pour...

La main de Mia jaillit comme un ressort et agrippa le poignet de Ripley.

— Des ennuis. Des ennuis sérieux se préparent. Une force sombre. Tu me connais suffisamment pour savoir que je ne te le dirais pas, à toi moins qu'à quiconque, si je n'en étais pas sûre.

— Et tu me connais suffisamment pour savoir ce que je pense des présages de malheur.

Elle eut beau afficher un air dédaigneux, elle n'en sentit pas moins un frisson glacé remonter le long de sa colonne vertébrale.

— C'est pour bientôt, insista Mia. Après que les feuilles auront fini de mourir et avant la première neige. De ça aussi, je suis sûre, mais je n'arrive pas à voir ce que c'est, ni d'où ça vient. Il y a quelque chose qui s'interpose.

Le regard sombre et profond de Mia troublait Ripley; il lui semblait y lire soudain l'expérience d'un millénaire de sorcellerie.

— Si quoi que ce soit menace l'île, Zack et moi nous en chargerons.

— Ça ne suffira pas. Ripley, Zack aime Nell, et toi, tu aimes ton frère. Elle et lui sont au centre de la tornade qui s'annonce. Je le sens. Si tu ne te ravises pas, quelque chose va se briser. Quelque chose qu'aucun de nous ne pourra réparer. Je ne peux faire le nécessaire toute seule, et Nell n'est pas prête.

— Je ne peux pas t'aider de cette façon-là

— Tu ne veux pas.

— Ne pas pouvoir ou ne pas vouloir, ça revient au même.

— C'est vrai, dit Mia en se levant.

Il n'y avait pas trace de colère dans ses yeux. Ripley aurait préféré. La colère était plus facile à combattre que l'inquiétude.

— J'espère sincèrement que tu n'auras pas à le regretter, déclara Mia avant de quitter la pièce.

Demeurée seule, Ripley appuya le menton sur son poing. Tout cela n'était qu'un petit jeu destiné à lui flanquer des remords. Mais elle ne s'y laisserait pas prendre. Si un brouillard rouge recouvrait la lune, la cause en était une quelconque anomalie atmosphérique et elle ne se sentait absolument pas concernée.

Elle laisserait les présages funestes à Mia, puisqu'elle les aimait tant.

Passer ici ce soir avait été une mauvaise idée. Elle aurait dû deviner que Mia en profiterait pour essayer de la coincer. Cela faisait plus de dix ans qu'elles ne pouvaient se croiser sans s'exaspérer l'une l'autre.

Il n'en avait pas toujours été ainsi.

Elles avaient été amies, presque inséparables, jusqu'à ce qu'elles butent sur l'âge adulte. Ripley se rappelait que sa mère les appelait « les jumelles de cœur ». Elles partageaient tout, et peut-être que le problème venait de là.

Il était naturel qu'en grandissant les intérêts divergent et que les amis d'enfance suivent chacun leur voie. En ce qui concernait Mia et elle, cela n'avait pas été une lente dérive mais plutôt un coup de sabre en plein milieu de leur amitié. Abrupt et violent.

Mais elle avait le droit de suivre son propre chemin. Elle ne regrettait pas son choix et elle ne ferait pas demi-tour sous prétexte qu'une quelconque anomalie atmosphérique tapait sur les nerfs de Mia.

Même si celle-ci avait raison et qu'un problème grave s'annonçait, il serait traité selon les règles et les obligations de la loi, et pas en jetant des sortilèges.

Elle avait définitivement rejeté ce bazar puéril qui ne l'intéressait plus. Cela avait été une décision raisonnable, adulte. Quand les gens la regardaient maintenant, ils voyaient Ripley Todd, shérif adjoint, une femme digne de confiance, responsable et qui faisait bien son travail. Ils ne voyaient pas en elle une espèce de prêtresse farfelue, susceptible de préparer une potion pour améliorer leur vie sexuelle.

Irritée de constater combien ses propres réflexions viraient en une justification hargneuse, elle ramassa son couvert et l'emporta dans la cuisine. Un petit reste de culpabilité la poussa à le ranger dans la machine et à nettoyer l'évier.

Voilà qui payait sa dette.

Des voix, toutes féminines, montaient de la librairie. L'odeur de l'encens envahissait la cage d'escalier que Ripley descendit subrepticement. Une armada de rouleaux compresseurs n'aurait pu la propulser vers cette bande de bonnes femmes caquetantes.

Elle ouvrit la porte du fond, près de laquelle brûlait une grosse chandelle noire. Encore un charme pour écarter une force maléfique. Ripley s'en serait moqué si son regard n'avait été attiré vers le ciel.

Le globe de la lune à son déclin était entouré d'un fin halo rouge.

Son rictus de mépris ne répondant pas à l'appel, elle enfonça les mains dans les poches de son blouson et se dirigea vers sa voiture en baissant résolument les yeux.

Le dernier membre du club parti, Mia verrouilla la porte, Lulu ferma la caisse et Nell entreprit de débarrasser les assiettes et les serviettes.

— C'était passionnant! s'écria Nell. Je n'avais jamais discuté d'un livre de cette façon. Quand je lis, je me demande si ça me plaît ou non, mais jamais je n'ai cherché à savoir pourquoi. En tout cas, je vous promets de lire celui du mois prochain et d'apporter ma contribution.

— Je m'occuperai de la vaisselle, Nell. Tu dois être fatiguée.

— Pas du tout, répliqua-t-elle en soulevant un plateau déjà chargé. L'atmosphère de cette soirée était vibrante d'énergie.

— Zack ne t'attend pas ?

— Oh non, pas ce soir. Je l'ai prévenu que j'allais m'incruster dans cette réunion.

— Qu'est-ce qui ne va pas ? s'enquit Lulu lorsque Nell eut disparu dans l'escalier.

— Je ne sais pas exactement, répondit Mia qui commençait à plier les chaises. Et c'est ce qui m'inquiète. Quelque chose s'annonce, et je n'arrive pas à savoir quoi. Ce n'est pas pour ce soir, en tout cas.

Elle transporta les chaises dans la réserve et jeta un coup d'œil au passage vers l'étage.

— Elle ne risque rien ce soir, c'est sûr, répéta-t-elle comme pour se rassurer.

— C'est elle qui est au cœur de l'affaire, dit Lulu qui la suivait avec une autre série de chaises. J'imagine que c'est ce que j'ai senti depuis le début. Il y a quelqu'un qui lui veut du mal ?

— Un salaud lui en a déjà fait, et je n'ai pas l'intention de le laisser recommencer. Je vais essayer d'en savoir plus, mais il faut que je m'y prépare. J'ai besoin de me libérer l'esprit. Je ne sais pas de combien de temps je dispose, mais ça devrait suffire.

— Tu vas la prévenir ?

— Pas tout de suite. Elle devra se préparer elle-même, se purger de ce qui l'encombre encore. Elle est amoureuse, et cela la rend forte. Elle va en avoir besoin.

— Et, toi, qu'est-ce qui te rend si forte, Mia ?

— La détermination. Avec moi, l'amour n'a jamais marché.

— J'ai entendu dire qu'il était à New York.

Mia haussa les épaules. Elle savait à qui Lulu faisait allusion, et cela l'exaspéra qu'on lui jette Sam Logan à la figure deux fois dans la même soirée.

— C'est une grande ville, dit-elle d'une voix neutre. Il ne manque sûrement pas de compagnie. Je me dépêche de terminer et je rentre chez moi. J'ai sommeil.

— Quel crétin ! siffla Lulu entre ses dents.

Les sortilèges n'étaient finalement que des espèces de recettes, songea Nell tandis qu'elle étudiait le livre de charmes que Mia lui avait prêté. Que son élève y voie une sorte de livre de cuisine métaphysique amuserait sans doute celle-ci sans la choquer.

Quoi qu'il en soit, ce soir, elle avait décidé de se faire plaisir en se lançant dans une première session d'entraînement en solo.

— Des sortilèges pour l'amour, pour bannir, pour protéger, lut-elle à voix haute en feuilletant l'ouvrage. Des sortilèges pour unir, pour obtenir de l'argent, pour guérir.

Il y en avait pour tout le monde et pour toutes les situations, mais, pour cet essai, elle avait décidé de se cantonner à quelque chose de simple, qui n'impliquerait personne et ne risquerait pas de faire du mal par inadvertance.

Tout d'abord, un grand coup de balai pour chasser l'énergie négative. Cela fait, elle le posa près de la porte de la cuisine afin d'empêcher tout retour intempestif. Puis elle choisit ses chandelles et les marqua des symboles appropriés. Décidant qu'il lui fallait utiliser toute l'aide disponible, elle sélectionna des cristaux censés canaliser l'énergie et les disposa auprès du pot de géraniums que Zack avait laissé geler sur son porche.

Elle expira à fond et inspira de même.

Puis, fermant les yeux, elle répéta mentalement le charme guérisseur que Mia avait inscrit sur un morceau de parchemin.

Que cette plante blessée reprenne vie,
Qu'une beauté nouvelle sorte de ses feuilles flétries.
— Euh…
Trop tôt fanée, elle a perdu ses couleurs
Qui embellissaient le monde
Que la fleur qui gît en elle recouvre la liberté,
Qu'il en soit ainsi.

Elle se mordit la lèvre et attendit. Le géranium restait bêtement flétri dans son pot.

— On dirait que je ne suis pas encore prête…

Peut-être devait-elle essayer à nouveau. En visualisant la plante luxuriante et couverte de fleurs, par exemple. Il fallait qu'elle sente l'odeur des feuilles et des pétales, qu'elle canalise son énergie. À moins que ce ne soit celle de la plante ? En tout cas, abandonner après une seule tentative ferait d'elle une bien piètre sorcière.

Elle fermait les yeux pour reprendre le processus, lorsque des coups frappés à la porte lui firent pousser un petit cri. Elle fit volte-face si brusquement qu'elle envoya Diego, qui traînait dans ses jambes, valser à l'autre bout de la pièce.

Retenant un fou rire, elle ouvrit la porte.

— Je patrouillais dans les environs, dit Ripley, et j'ai vu la lueur de la bougie. Tu as des problèmes d'électricité ?… Oh, fit-elle en découvrant les chandelles rituelles disposées sur la table.

— Je m'entraîne. Et, vu les résultats, j'ai encore pas mal de travail en perspective. Entre.

— Je ne voudrais pas t'interrompre.

Depuis la réunion du club du livre et les propos inquiétants de Mia, Ripley s'était fait un devoir d'aller voir Nell chaque soir, ou du moins de passer dans sa rue.

— Ce n'est pas la plante morte qui traînait sur notre porche?

— Elle n'est pas encore morte, mais ça ne saurait tarder. J'ai demandé à Zack de me la donner pour tenter de la faire revivre.

— Tu essaies tes sortilèges sur les géraniums crevés? Ça me tue!

— Je me suis dit que si jamais je commettais une erreur, ça ne pouvait faire de mal à personne. Tu veux du thé, je viens d'en préparer?

— Pourquoi pas? répondit Ripley en la suivant dans la cuisine. Zack m'a chargée de te prévenir qu'il aurait un peu de retard. On a eu un problème avec le fils Stubens. Zack le ramène chez lui. Sa copine l'a plaqué hier, alors il a décidé de se consoler avec un pack de bière. Résultat: ça l'a rendu malade comme un chien. Qu'est-ce que ça sent?

— J'ai un rôti de porc au four. Si tu veux le partager avec nous, tu es la bienvenue.

— Non, merci. Vous regarder vous faire les yeux doux ne me tente pas vraiment. Mais je ne verrais pas d'inconvénient à ce que Zack m'en rapporte un morceau.

— D'accord, répondit Nell en tendant à Ripley une tasse de thé. Mais on ne se fait pas les yeux doux.

— Tiens donc.

Nell sortit du réfrigérateur une assiette de canapés.

— Dis donc, vous dînez comme ça tous les soirs?

— Je m'entraîne sur Zack.

— Quel veinard!

Ripley prit une tartelette de bruschetta.

— Ça marche bien, ton affaire de traiteur, non?

— Ça marche. La semaine prochaine, la sœur de Lulu débarque de Baltimore avec mari et enfants.

Lulu tient à les épater. J'ai cru comprendre qu'il y avait une rivalité de longue date entre les deux sœurs. Je vais leur faire un rôti de porc à ma façon.

— Lulu va souffrir. Je ne connais personne d'aussi pingre.

— On a conclu un accord. Elle me tricote deux pulls pour l'hiver.

— Comment va Mia ? demanda Ripley, l'air de rien, en se penchant pour ramasser Diego.

— Ça va. Elle semble un peu distraite, ces temps-ci. Pourquoi cette question ?

— Pas de raison particulière. Bon, je te laisse, ajouta-t-elle en se dirigeant vers la porte. Zack va arriver d'une minute à l'autre. Je peux remporter ce pot pour qu'il ne…

Elle se tut brusquement et écarquilla les yeux.

De superbes pétales cramoisis s'épanouissaient à l'extrémité des tiges vertes parfaitement saines.

— Mince, alors !

— J'y suis arrivée !

D'un bond, Nell se retrouva le nez dans les fleurs.

— Je n'arrive pas à y croire. Je veux dire, je voulais y croire, mais je doutais d'en être capable toute seule. Tu ne trouves pas que c'est formidable ?

— Ouais, c'est pas mal.

Elle savait quel effet cela procurait. Une sensation de puissance, une ivresse euphorique. Elle en ressentit les ondes lorsque Nell souleva le pot et se mit à virevolter dans la pièce.

— La sorcellerie ne se limite pas à soigner les fleurs et à danser au clair de lune, Nell.

— Que s'est-il passé, demanda cette dernière en serrant le pot contre sa poitrine, pour que tu détestes à ce point tes pouvoirs ?

— Je ne les déteste pas. Simplement, je n'en veux pas.

— Je sais ce que c'est que d'être impuissante. Ça, c'est tout de même mieux, tu peux me croire.

— Ce qui est mieux, c'est d'être capable de prendre soin de soi. Tu n'as pas eu besoin d'un livre de charmes pour découvrir comment t'y prendre.

— L'un n'empêche pas l'autre.

— Peut-être. Mais la vie est sacrément plus simple quand on choisit l'un et non l'autre… Ne laisse pas tes chandelles sans surveillance, conseilla Ripley en ouvrant la porte.

Le temps que Zack arrive, Nell avait débarrassé la table et mis le couvert. L'odeur persistante des chandelles se mélangeait à celle du rôti.

— Excuse-moi, j'ai été retardé, fit-il à peine entré.

— Pas de problème. Ripley m'a prévenue.

— Alors, j'imagine que je n'ai pas besoin de ça.

Il sortit de derrière son dos un bouquet de fleurs.

— Toi, non, mais, moi, si, dit-elle en le lui prenant des mains. Merci. J'ai pensé qu'on pourrait essayer ce vin australien dont je t'ai parlé, si tu veux bien l'ouvrir.

Il ôtait sa veste lorsque son regard accrocha le pot de géraniums. La vue des fleurs épanouies lui causa un petit choc, mais, après une infime hésitation, il poursuivit son geste et suspendit sa veste à une patère.

— Je suppose que tu n'as pas obtenu ce résultat avec de l'engrais.

— Non, admit-elle en serrant les doigts autour du bouquet. Ça t'ennuie ?

— Pas vraiment. Mais, le savoir, ce n'est pas la même chose que de le constater de ses propres yeux.

Il ouvrit un tiroir et en sortit le tire-bouchon.

— De toute façon, c'est comme ça, et tu n'as pas à t'inquiéter de ce qui pourrait m'ennuyer.

— Je t'aime, Zack.

Le tire-bouchon dans une main, la bouteille dans l'autre, il se trouva soudain incapable du moindre geste tant l'émotion le submergeait.

— Ç'a été dur d'attendre que tu me le dises.

— Je n'aurais pas pu le dire plus tôt.

— Et pourquoi maintenant?

— Parce que tu m'as apporté des fleurs. Parce que je ne suis pas obligée de m'inquiéter de ce qui pourrait t'ennuyer. Parce que quand je t'entends traverser le jardin, mon cœur se gonfle d'amour.

Il posa le tire-bouchon et la bouteille, et s'approcha d'elle. Doucement, il lui caressa les joues, plongea les mains dans ses cheveux.

— Je t'ai attendue toute ma vie, souffla-t-il en l'embrassant sur le front. Et je veux passer le restant de mes jours avec toi.

Elle ignora le nœud au creux de son estomac et se concentra sur sa joie.

— Vivons le présent, Zack. Chaque minute en est précieuse.

15

Evan Remington errait dans son immense maison de Monterey. Il examinait ses possessions avec un mélange d'ennui et d'exaspération. Chaque objet avait été choisi avec soin, soit par lui, soit par un décorateur à ses ordres.

Il avait toujours su précisément ce qu'il voulait et avait toujours fait en sorte de l'obtenir.

Son environnement reflétait son goût, un goût qu'admiraient ses associés, ses pairs, et ceux dont l'objectif était d'entrer dans l'une ou l'autre de ces deux catégories.

Mais voilà qu'à présent, tout lui déplaisait.

Il songeait à s'en débarrasser. Il pourrait trouver une œuvre charitable branchée ; l'événement lui vaudrait à coup sûr des articles favorables dans la presse. Surtout s'il laissait filtrer qu'il se débarrassait de ces objets parce qu'ils réveillaient trop de souvenirs douloureux de sa défunte femme.

Il songeait même à vendre la maison.

Depuis l'accident, il venait le moins possible à Monterey, n'y restait que quelques jours, et toujours seul. Les domestiques ne comptaient pas : nécessaires et efficaces, ils se fondaient dans le décor.

La première fois qu'il était revenu, son chagrin était à vif. Il avait pleuré comme un fou, allongé en travers du lit, étreignant la dernière chemise de nuit qu'elle avait portée, respirant son parfum.

Son amour pour elle le consumait, et la douleur menaçait de l'engloutir.

Elle lui avait *appartenu*.

Cet accès de désespoir passé, il avait arpenté la maison tel un fantôme, touchant ce qu'elle avait touché, guettant l'écho de sa voix, humant partout son odeur.

Il avait passé une heure à caresser ses vêtements dans sa penderie, oubliant complètement la nuit où il l'y avait enfermée pour la punir d'être rentrée en retard.

Il s'était vautré dans ses souvenirs, et lorsque rester dans cette maison lui était devenu insupportable, il avait pris sa voiture et s'était rendu à l'endroit où elle était morte. Et il était demeuré là, à pleurer sur la falaise.

Son médecin lui avait prescrit des médicaments et du repos. Ses amis l'avaient entouré de leur sympathie.

Le statut de veuf éploré n'était pas désagréable, en fin de compte.

En moins d'un mois, il avait oublié qu'il avait insisté pour qu'Helen se rende à la réception de sa sœur. Mieux, il s'était persuadé qu'il l'avait suppliée de rester à la maison et de se reposer jusqu'à ce qu'elle soit remise.

Bien entendu, elle ne l'avait pas écouté. Elle n'écoutait jamais rien.

Son chagrin s'était alors mué en colère. Elle l'avait trahi en sortant malgré ses conseils, en se rendant à une stupide réception mondaine au lieu de se plier aux vœux de son seigneur et maître.

Elle l'avait abandonné, et cela était impardonnable.

Mais même la rage finit par passer. Le vide qu'elle laissa, il l'avait comblé avec des fantasmes sur Helen, leur mariage, et lui-même. Il s'était délecté des commentaires sur le couple parfait qu'ils avaient formé, cruellement séparé par la tragédie.

Il le lut, le pensa, et finit par y croire.

Il portait au cou une chaîne à laquelle était suspendue une boucle d'oreille de la disparue, et il s'arrangea pour que les médias l'apprennent.

Il conserva ses vêtements, ses livres, ses parfums et fit ériger un ange en marbre blanc dans le cimetière d'où son corps était absent. Chaque semaine, il faisait déposer une douzaine de roses à ses pieds.

Pour ne pas perdre la raison, il se jeta à corps perdu dans le travail. Le sommeil revint et Helen cessa peu à peu de hanter ses rêves. Progressivement, il recommença à sortir dans le monde.

Cependant, les femmes anxieuses de consoler le veuf ne l'intéressaient pas. S'il invitait l'une ou l'autre de temps à autre, c'était uniquement pour éviter des commérages peu flatteurs.

La sexualité ne l'avait jamais passionné. Ce qui l'intéressait, c'était de posséder quelqu'un. D'en être le maître.

Il n'avait aucune envie de se remarier. Il n'y aurait jamais une autre Helen. Ils avaient été destinés l'un à l'autre. Elle avait été conçue pour lui, pour être façonnée par lui. Et s'il lui avait fallu parfois la punir, c'est que le châtiment faisait partie de l'éducation. Il n'avait pas eu le choix.

Cette pauvre chère Helen, songea-t-il. L'océan la fascinait. Lors des premières semaines enivrantes de leur amour, elle lui avait parlé d'un rêve récurrent dans lequel elle se voyait vivant sur une île.

Et, finalement, la mer l'avait prise.

Sentant la dépression l'envahir, il s'empressa d'avaler une de ses pilules.

Non, il ne vendrait pas la maison, décida-t-il dans l'un de ces brusques changements d'humeur dont il était coutumier. Au contraire, il l'ouvrirait. Il donnerait une somptueuse réception, du genre de celles qu'Helen et lui organisaient autrefois avec tant de succès.

Comme si elle était toujours à ses côtés, épouse loyale et obéissante.

Le téléphone sonna, mais il l'ignora.

— Monsieur, Mme Reece au téléphone. Elle souhaiterait vous parler, si vous êtes disponible.

Sans un regard pour la domestique en uniforme qui lui apportait le mobile, Evan saisit l'appareil puis sortit sur la terrasse.

— Barbara ?

— Evan, je suis contente de te trouver chez toi. Deke et moi aurions aimé que tu nous rejoignes au club, aujourd'hui. On pourrait jouer au tennis et déjeuner au bord de la piscine. Je vois rarement mon bébé de frère, ces temps-ci.

Il pensa d'abord refuser. Puis, se rappelant les talents de Barbara en matière d'organisation de réceptions, il se ravisa.

— Volontiers. Je voulais justement te parler. À quelle heure nous retrouvons-nous ? 11 heures 30 ? demanda-t-il en consultant sa Rolex.

— Parfait. Prépare-toi, j'ai travaillé mon revers.

Il jouait comme une savate. Barbara, qui lui avait une fois de plus pris son service, se démenait comme une folle dans sa robe de tennis griffée. Bien sûr, elle n'avait rien d'autre à faire de ses journées que de flirter avec son professeur de tennis pendant que son abruti de mari s'entraînait au golf avec Dieu seul savait qui.

Lui, en revanche, était un homme occupé, avec une affaire exigeante et des clients puissants qui couinaient comme des bébés s'il ne leur accordait pas toute son attention.

Il n'avait pas le temps de s'amuser.

Il envoya un vrai boulet de canon au ras du filet et grinça des dents en voyant Barbara le lui renvoyer aussi sec. Le visage ruisselant de sueur, un rictus hargneux sur les lèvres, il se rua de l'autre côté du court.

C'était une expression que Nell aurait déchiffrée sans peine. Dont elle aurait eu peur.

Il en fut de même pour Barbara qui, instinctivement, rata le coup suivant.

— Tu me tues, cria-t-elle en prenant son temps pour reprendre sa place.

Evan avait toujours été d'un tempérament capricieux. Il supportait mal les échecs et les contrariétés. Il en était ainsi depuis son plus jeune âge. Enfant, ses réactions prenaient deux formes : soit un silence glacé à transpercer l'acier, soit un accès de violence immédiat et brutal.

« Barbara, tu es l'aînée, disait leur mère. Sois gentille, laisse le bébé gagner. »

Cette habitude était tellement ancrée en elle qu'elle choisit automatiquement de rater la balle qui suivit. Après tout, l'après-midi serait tellement plus agréable s'il gagnait.

Refoulant son propre esprit de compétition, elle envoya la balle dans le filet et concéda le jeu.

L'expression de son frère changea sur-le-champ.

— Bien joué, Evan. Tu as mené ce jeu du début à la fin.

Ayant gagné le match, Evan fut d'excellente humeur. Il se sentait en pleine forme et empli de tendresse fraternelle. Entourant les épaules de sa sœur du bras, il l'embrassa sur la joue.

— Tu as encore besoin de travailler ton revers.

Une boule de contrariété se forma dans la gorge de Barbara qui s'efforça de la ravaler.

— Le tien est mortel, rétorqua-t-elle en ramassant son sac. Puisque tu m'as humiliée, c'est toi qui payes le déjeuner. On se retrouve sur la terrasse dans une demi-heure.

Elle le fit attendre, ce qui l'agaça un peu. Mais, lorsqu'elle apparut, il constata avec plaisir combien elle était jolie et élégante. Il détestait les femmes négligées ou mal coiffées. Sur ce plan-là, Barbara ne le décevait jamais.

Elle était de quatre ans son aînée, mais on ne lui aurait pas donné plus de trente-cinq ans. Sa peau était lisse, ses cheveux brillants et sa silhouette fine.

— Je vais me consoler avec un cocktail au champagne, annonça-t-elle en le rejoignant. N'attendons pas Deke. Dieu sait quand il aura fini sa partie !

Elle commanda son cocktail et une salade composée, et poussa un soupir théâtral quand Evan choisit des scampi frits.

— Dire que tu ne prends jamais un gramme ! Ça me rend folle ! Je vais te piquer une bouchée et, demain, je te maudirai quand ma kiné me soumettra à la torture.

— Un peu plus de discipline, Barbara, et tu garderas ta silhouette sans avoir à payer quelqu'un pour te faire transpirer.

— Crois-moi, elle vaut chaque sou que je lui donne. La sadique.

Elle déplaça légèrement son siège, pour éviter d'exposer son visage au soleil, avant de demander :

— Alors, de quoi voulais-tu me parler ?

— J'ai envie de donner une réception dans la maison de Monterey. Il est temps que...

— Oui, l'interrompit-elle en posant sa main sur la sienne. Il est temps. Je suis heureuse de t'entendre faire à nouveau des projets, Evan. Tu es passé par des moments terribles.

Les larmes affluèrent. Elle les refoula d'un battement de paupières, non pour sauvegarder son mascara mais à cause d'Evan.

Il détestait les scènes en public.

La serveuse apportant les boissons, il dégagea sa main.

Il n'aimait pas non plus qu'on le touche. Les étreintes et les accolades qu'on échangeait dans le monde des affaires, c'était différent. Ce n'étaient que des instruments de travail parmi d'autres. Mais il ne supportait pas les gestes affectueux.

— Je n'ai pas reçu, enfin pas vraiment, depuis l'accident... Helen et moi mettions au point ensemble chaque détail de nos réceptions. Elle en assumait une grande partie – les invitations, le menu... – en me les soumettant pour approbation, naturellement. Je voulais te demander si tu pouvais m'aider.

— Avec plaisir. Dis-moi seulement ce que tu souhaites et la date qui te convient. Je suis allée à un cocktail, la semaine dernière, à la fois chic et décontracté, qui m'a donné quelques idées. C'était chez Pamela et Donald. Pamela est souvent casse-pieds, mais elle sait recevoir. À propos, il faut que je te dise – j'espère que ça ne va pas te bouleverser. De toute façon, tu risques de l'apprendre par quelqu'un d'autre.

— De quoi s'agit-il ?

— Eh bien, figure-toi que Donald et elle ont pris des vacances sur la côte Est, il y a deux semaines. Cap Cod, surtout, mais aussi les environs. Elle prétend que lorsqu'ils visitaient je ne sais quel village, elle a vu une femme qui ressemblait à Helen comme deux gouttes d'eau. Au point qu'elle m'a demandé si elle avait une sœur jumelle.

La main d'Evan se crispa sur son verre.

— Comment cela ?

— J'imagine qu'elle a aperçu une blonde bien tournée et qu'elle s'est monté la tête...

— Cette bonne femme est une idiote.

— En tout cas, une chose est sûre, elle ne manque pas d'imagination. Et maintenant qu'on a épuisé ce sujet, dis-moi combien de personnes tu comptes inviter.

— Entre deux cents et deux cent cinquante, répondit-il d'un air absent. Et où, exactement, Pamela prétend avoir vu cette apparition ?

— Oh, sur une île quelconque de la côte Est ! Je ne suis même pas sûre du nom. Ça parle de sœurs. Habillée ou décontractée ?

— Quoi ?

— Ta réception, chéri, habillée ou décontractée ?

— Habillée, murmura-t-il.

Et il cessa d'écouter la voix de sa sœur qui ne fut bientôt plus qu'un bourdonnement.

Lulu habitait à deux pâtés de maisons de High Street. Son cottage se distinguait de ceux de ses voisins, plus classiques, par le rouge éclatant de ses volets et du porche sur lequel une balancelle à deux places offrait une palette de teintes vives.

Une gargouille accroupie dans le minuscule carré de gazon tirait la langue aux passants.

Sur le toit, un dragon ailé d'un vert iridescent faisait office de girouette. Dans la courte allée, une luxueuse berline noire était garée derrière la coccinelle orange des années soixante-dix de Lulu.

Des pendeloques de la même époque pendouillaient au rétroviseur.

Conformément aux instructions, Nell se gara devant la maison voisine, puis transporta sa livraison jusqu'à la porte de derrière qui s'ouvrit avant même qu'elle n'ait le temps de sonner.

— Vite! s'écria Lulu en lui agrippant le bras pour l'attirer à l'intérieur. J'ai envoyé tout le monde se promener et ils ne seront pas de retour avant vingt minutes, un peu plus, si j'ai de la chance. Mais, ça, ce n'est pas sûr, vu que Sylvia me gâche la vie depuis le jour de sa naissance.

— C'est ta sœur?

— C'est ce que mes parents prétendent, mais j'ai des doutes.

Lulu jeta un coup d'œil dans le carton que Nell avait posé sur la table.

— L'idée que je puisse avoir le même sang que cette petite idiote bornée et suffisante me fiche les chocottes.

— Euh… C'est quand même bien que vous puissiez vous réunir comme ça de temps en temps.

— Elle ne vient une fois par an que pour me regarder de haut. À l'écouter, une femme n'est pas vraiment une femme à moins d'avoir un mari et des enfants, de présider un quelconque comité merdique, et de savoir décorer une table en un rien de temps avec de la ficelle, un bout de chiffon et une boîte de thon vide.

— On va faire beaucoup mieux que ça, décréta Nell en mettant le rôti à réchauffer au four. Tu l'arroses avec le jus et tu le sers avec les légumes. La salade d'automne, c'est l'entrée. Dis-leur de garder un peu de place pour la tourte au potiron.

— Ça, ça va la bluffer complètement.

Lulu se versa un autre verre du vin qu'elle sirotait depuis déjà un moment afin de survivre à l'épreuve.

— J'ai eu un mari, lâcha-t-elle tout à trac.

Le ton à la fois farouche et hargneux fit sursauter Nell qui pivota pour la regarder fixement.

— Oh!

— Je n'arrive pas à comprendre ce qui a pu me pousser à officialiser la chose. Je n'étais même pas enceinte. Une idiotie. J'imagine que je l'ai fait pour prouver que j'étais encore capable d'un acte de rébellion. Ce type ne valait rien ; il était aussi inutile que beau. Il se révéla que son idée du mariage se résumait à savoir où rentrer après avoir forniqué avec la pouffiasse qu'il avait choisie pour la soirée.

— Je suis désolée.

— Pas besoin. Je l'ai fichu à la porte en 1985. Les seules fois où ça m'ennuie, c'est quand Sylvia arrive en vantant son mari, qui n'est rien de plus qu'un gratte-papier affublé d'un pneu sur lequel on pourrait rouler jusqu'à Cleveland, ses enfants – deux ados morveux qui se baladent dans des pompes à deux cents dollars –, et la vie idyllique qu'elle mène dans sa banlieue chic. Je préférerais être fusillée plutôt que de vivre dans une de ces boîtes à sardines de banlieue.

Que la loquacité de Lulu doit due au vin ou à ses rapports avec sa sœur, Nell sauta sur l'occasion pour en savoir plus.

— Alors, vous n'avez pas grandi ici, toutes les deux ?

— Grands dieux, non ! Nous avons passé notre enfance à Baltimore. J'en suis partie à dix-sept ans pour Haight-Ashbury, le rendez-vous des hippies de l'époque. Ensuite, j'ai vécu un certain temps dans une communauté du Colorado ; puis, j'ai voyagé. Quand je suis arrivée sur cette île, je n'avais pas vingt ans et cela en fait plus de trente-deux que j'y vis... Bon sang !

Cette constatation la poussa à finir son verre et à s'en verser un autre.

— La grand-mère de Mia m'a donné des petits boulots. Et puis, quand Mia est née, sa mère me l'a confiée. Carly Devlin est très gentille, mais élever un enfant ne l'intéressait pas vraiment.

— Alors, c'est toi qui t'en es occupée.

L'attitude protectrice de Lulu envers Mia n'avait plus rien d'étonnant.

— Quoi qu'en pense ta sœur, tu as une fille par le cœur.

— Tu as sacrément raison.

Elle souligna ses paroles d'un hochement de tête énergique et posa son verre.

— Fais ce que tu as à faire. Je reviens tout de suite, dit-elle en se dirigeant vers la porte. Si Sylvia-la-peste revient avant moi, dis-lui que tu nous aides à la librairie et que tu es passée me demander quelque chose à propos du travail.

— Entendu.

Nell mit la salade et sa sauce dans le réfrigérateur, et glissa le gratin de pommes de terre et les petits pois aux fines herbes à côté du rôti.

Elle jeta un coup d'œil dans la salle à manger, vit que le couvert n'était pas encore dressé et, fouillant dans les placards, dénicha une nappe, des serviettes et des assiettes.

— Première moitié du paiement, annonça Lulu en brandissant un sac en plastique.

— Merci. Écoute, je ne savais pas quel service tu voulais utiliser, mais je trouve que celui-ci est parfait. Joli et sans chichis, exactement ce qu'il faut pour un repas en famille.

— Tant mieux, parce que je n'en ai pas d'autre.

Lulu attendit que Nell regarde dans le sac en plastique, et accueillit son cri de joie avec un sourire satisfait.

— Oh, Lulu !

Le modèle, très simple, était d'un beau bleu soutenu et d'une incroyable douceur.

Nell s'en caressa la joue.

— Il est absolument superbe !

— Tu portes trop de couleurs neutres. Ce bleu devrait mettre ton teint en valeur. J'ai commencé le second, style tunique, d'un bon rouge bien vif.

— Je ne sais comment te remercier. J'ai tellement hâte de…

— Les voilà! s'exclama Lulu en poussant Nell vers la porte. File!

— Il faut tourner la salade avant…

— Oui, oui, d'accord.

Nell n'eut que le temps d'agripper son pull avant que Lulu lui claque la porte au nez.

À peine rentrée, elle l'essaya et se contempla dans la glace.

À une époque, sa commode regorgeait de pulls : cachemire, soie, laine mérinos. Mais aucun ne lui avait fait autant plaisir que celui-ci.

Elle l'enleva et le rangea avec soin dans un tiroir.

Elle le mettrait pour travailler lundi. En attendant, son vieux sweat-shirt était plus adapté aux tâches salissantes qui l'attendaient.

Un trio de citrouilles trônaient sur un lit de journaux déployés sur la table de la cuisine. Un morceau de la plus grosse avait été utilisé pour confectionner le dessert de Lulu.

Elle avait prévu de faire un pain de potiron, une tourte, et des cookies. Les carcasses serviraient à décorer le porche donnant sur la rue.

Elle était absorbée par sa tâche lorsque Zack franchit la porte. S'approchant par-derrière, il l'étreignit et lui chatouilla le cou du bout du nez.

— Je suis champion pour décorer les citrouilles.

— C'est fou ce qu'on apprend parfois sur les gens!

— Tu veux que je jette tout ça à la poubelle?

— Jeter la chair? Et avec quoi est-ce que je ferais ma tourte?

— Avec une boîte.

Il la regarda avec étonnement tailler de gros morceaux qu'elle entassait dans un grand récipient.

— Tu veux dire que tu utilises vraiment ce truc?

— Bien sûr. Où crois-tu qu'ils prennent le produit qu'ils mettent dans les boîtes ?

— Je n'y avais jamais réfléchi. Dans une fabrique de potiron.

Il prit le couteau pour entamer la troisième citrouille pendant que Nell se lavait les mains.

— Tu as eu une vie très protégée, shérif Todd.

— S'il en est ainsi, je me demande par qui je préférerais me laisser pervertir. Si, j'ai une idée : quand tu auras fini, que dirais-tu d'aller te balader en voiture et d'enfreindre quelques lois ?

— D'accord.

Elle prit un marqueur et entreprit de dessiner une figure horrible sur la première citrouille.

— Tu as tout arrangé pour Lulu ? s'enquit-il.

— Oui. Je ne savais pas qu'elle avait été mariée.

— Il y a longtemps. Une espèce de vagabond qui travaillait au port, paraît-il. Ça n'a pas duré six mois. J'imagine que cette malheureuse expérience l'a dégoûtée des hommes, car je ne l'ai jamais vue se lier avec qui que ce soit.

— Elle a travaillé pour la grand-mère et la mère de Mia.

— C'est exact. Elle s'est occupée de Mia quand elle était enfant. En fait, Lu est la seule personne que Mia ait jamais autorisée à la régenter. Mia a eu une liaison avec Sam Logan – sa famille est propriétaire de l'hôtel. Ça n'a pas marché et il a quitté l'île. Ça doit bien faire dix ans.

— Ah, je vois.

— Sam et moi, on a un peu traîné ensemble, quand on était plus jeunes, continua Zack en creusant sa citrouille. On s'est perdus de vue. Mais je me rappelle que, quand Mia et lui se voyaient, Lulu le surveillait avec des yeux de faucon.

Souriant à ce souvenir, il sortit le couteau du potiron.

Nell vit la lame briller dans la lumière et un liquide en dégouliner. Et, tandis qu'un vent violent rugissait dans sa tête, du sang inonda la chemise et les mains de Zack, et forma une flaque sur le sol.

Elle devint toute molle et glissa sans bruit de sa chaise.

— Nell, réveille-toi ! Reviens…

La voix de Zack lui parvenait de très loin, comme s'ils se trouvaient tous deux sous l'eau. Quelque chose de froid glissa sur son visage. Elle eut l'impression de remonter lentement des profondeurs vers la surface. Elle ouvrit les paupières. Le brouillard blanc qui flottait devant ses yeux s'estompa peu à peu.

— Zack…

Terrorisée, elle agrippa sa chemise et tira dessus pour vérifier qu'il n'était pas blessé. Ses doigts lui paraissaient gourds et maladroits.

— Arrête.

Il aurait ri de sa hâte à la déboutonner si son visage n'avait été d'une telle pâleur.

— Calme-toi et recouche-toi.

— Du sang. Tellement de sang.

— Chut.

Sa première réaction lorsqu'elle s'était évanouie avait été la panique, qu'il avait maîtrisée en faisant le nécessaire. Il l'avait soulevée dans ses bras et portée jusqu'au canapé du salon. Mais la terreur qu'elle semblait éprouver à présent lui nouait les entrailles.

— Je parie que tu n'as pas mangé de quoi garder un oiseau en vie, aujourd'hui ! Je vais te chercher un verre d'eau et quelque chose à avaler. Si ça ne va pas mieux, j'appellerai le médecin.

— Je ne suis pas malade. Je n'ai mal nulle part. C'est toi. Tu saignais, dit-elle en promenant des mains tremblantes sur son torse. Il y avait du sang sur ta chemise, tes mains, par terre. Le couteau. J'ai vu…

— Je ne saigne pas, chérie. Je n'ai même pas une égratignure.

Il leva les mains et les fit tourner pour le lui prouver.

— Ce n'était qu'un effet d'optique, c'est tout.

— Non.

Elle l'étreignit violemment.

— Je l'ai vu. Ne touche plus à ce couteau. *Ne le touche plus.*

— D'accord, promit-il en l'embrassant sur le sommet du crâne. Tout va bien, Nell.

Elle le lâcha puis, saisissant son médaillon, elle récita mentalement un charme protecteur. Rassérénée, elle ôta la chaîne et la tendit à Zack.

— Je veux que tu portes ceci. Tout le temps. Ne l'enlève jamais.

Il regarda le cœur gravé et eut la réaction qu'aurait eue n'importe quel homme.

— Merci beaucoup, Nell, vraiment. Mais c'est un truc de fille.

— Porte-la sous ta chemise, insista-t-elle. Personne ne la verra. Je veux que tu la portes jour et nuit.

Elle passa la chaîne autour du cou de Zack qui ne put retenir une grimace.

— Promets-moi que tu la garderas. Elle appartenait à ma mère, expliqua-t-elle en prenant son visage entre ses mains. C'est tout ce qui me reste d'elle. Le seul bijou que j'ai emporté dans ma fuite. S'il te plaît, fais ça pour moi, Zack. Promets-moi que tu ne l'enlèveras jamais, sous aucun prétexte.

— Très bien. Je te le promets, à condition que, toi, tu me promettes d'avaler quelque chose.

— Il y a de la soupe au potiron. Tu vas adorer.

Cette nuit-là, elle rêva qu'elle courait comme une folle à travers bois, incapable de trouver son chemin tant la lune était sombre.

L'odeur du sang et de la mort la poursuivait sans relâche.

16

Nell chassa l'incident de sa tête, ou du moins s'y efforça. Le lundi matin, elle partit travailler vêtue de son splendide pull bleu.

Tout semblait normal, presque gai. Sauf qu'une douzaine de fois dans la matinée, elle porta vainement la main à son médaillon. Et, aussitôt, l'image de Zack couvert de sang lui revint en tête.

Il avait dû se rendre sur le continent ce matin-là, et l'idée qu'il ne soit pas à l'abri sur l'île lui causait une frayeur supplémentaire.

À la fin de son service, elle avait réussi à se persuader qu'elle n'avait pas fait assez pour le protéger et qu'il lui fallait de l'aide.

Elle attendit que Mia en ait terminé avec une cliente et alla la trouver.

— Je sais que tu es très occupée, mais il faut que je te parle.

— Laisse-moi le temps de prendre ma veste, on va faire un tour.

Elle fut de retour quelques minutes plus tard, une veste de daim sur sa robe courte.

— Je sors déjeuner, lança-t-elle à Lulu.

— Tu avais envie de déjeuner ? lui demanda Nell dès qu'elles furent dehors.

— Non.

Mia rejeta ses cheveux en arrière et respira profondément. Il arrivait, en de rares occasions, qu'elle souffre de claustrophobie dans la librairie. Qu'elle ait désespérément besoin d'espace.

— J'ai envie de marcher.

La brève vague de froid avait fait place à des journées douces et à des brises humides où flottait le parfum de la mer mêlé à celui de la forêt. Le ciel était nuageux, et les arbres se détachaient sur ce fond anthracite telles des balises en flammes. L'océan était du même gris, et ses vagues désordonnées annonçaient l'orage.

— Il va pleuvoir avant une heure, prédit Mia. Regarde là-bas.

Elle fit un geste en direction de la mer. Quelques secondes plus tard, comme s'il obéissait à ses ordres, le pâle zigzag d'un éclair déchira le miroir d'acier du ciel.

— J'adore un bon orage. L'air devient électrique et son énergie coule dans nos veines. D'un autre côté, ça me met les nerfs à vif. J'ai besoin de mes falaises dans ces moments-là.

Elle ôta ses chaussures et toutes deux s'avancèrent sur la plage presque déserte.

— J'ai eu une… Je ne sais pas si c'était une vision, commença Nell. En fait, je ne sais pas ce que c'était. En tout cas, ça me fait peur.

— Raconte-moi, dit Mia en glissant son bras sous celui de Nell.

Le récit achevé, Mia continua à marcher, l'air pensif.

— Pourquoi lui as-tu donné ton médaillon?

— Une impulsion. Sans doute parce que c'est l'objet qui m'est le plus précieux.

— Tu le portais quand tu es morte. Et tu l'as emmené dans ta nouvelle vie. Il symbolise ton origine, le lien avec ta mère. C'est ton talisman. Il a un pouvoir magique puissant. Zack le portera parce que tu le lui as demandé, ce qui amplifiera son pouvoir.

— Ce n'est qu'un médaillon, Mia. Une breloque que mon père a offerte à ma mère pour Noël. Il n'a pas de valeur particulière.

— Ne raconte pas de bêtises. Ce qui fait sa valeur, c'est ce qu'il représente pour toi : l'amour que tu portais à tes parents, celui que tu as offert à Zack.

— Est-ce que ça va suffire ? Je ne vois pas comment ça pourrait le protéger. Tel que je l'ai vu, Mia, il était mort.

Elle fit une pause puis s'obligea à répéter :

— Il était mort. Il n'y a pas quelque chose que tu puisses faire ?

— Que penses-tu que je pourrais faire que tu n'aies déjà fait ?

— Je ne sais pas. Tellement plus. Est-ce que c'était une prémonition ?

— C'est ce que tu crois ?

— Oui, souffla Nell. L'image était terriblement nette. On va le tuer, et je ne sais ni qui ni comment.

— Ce que nous voyons ne sont que des éventualités, Nell. Rien de définitif. Ni le bon ni le mauvais ne sont garantis. Tu as reçu cette vision, et tu as mis en place une protection.

— Il n'y a pas un moyen d'arrêter celui qui va tenter de lui faire du mal ? Un charme ?

— Les charmes ne sont pas des remèdes à utiliser en toute circonstance. Du moins, ils ne devraient pas l'être. Rappelle-toi l'effet boomerang. Ce que tu décoches peut te revenir, à toi ou aux tiens, démultiplié. En attaquant une chose, tu risques d'en libérer une autre.

Elle se garda d'expliciter : arrête le couteau, et c'est un pistolet qui va te menacer.

— L'orage arrive, répéta-t-elle. Et il n'y aura pas que des éclairs pour déchirer le ciel cet après-midi.

— Tu sais quelque chose.

— Je *sens* quelque chose. Je ne peux pas le voir clairement. Peut-être que ce n'est pas à moi de le voir.

Impuissance frustrante. Mia, qui avait été si longtemps une solitaire, ne pouvait, cette fois-ci, agir seule.

— Je t'aiderai autant que je le pourrai. Je te le promets.

La silhouette de Ripley apparut sur la corniche qui dominait la plage.

— Voilà Ripley, appelle-la. Pour toi, elle viendra. Raconte-lui ce que tu viens de me dire.

Nell n'eut pas besoin de l'appeler, il lui suffit de se retourner et de la regarder.

— Vous allez vous faire mouiller si vous restez ici, lança-t-elle en s'approchant.

— Il ne pleuvra pas dans la demi-heure qui vient, observa Mia.

— Tu prédis le temps, maintenant ? demanda Ripley en gloussant. Tu devrais te trouver un job à la télé.

— Arrêtez, toutes les deux. Pas maintenant, protesta Nell qui se fichait bien de l'orage. Je m'inquiète pour Zack.

— Ah oui ? Moi aussi. C'est troublant de voir son frère porter des bijoux de fille. Mais je te remercie de m'avoir donné l'occasion de l'asticoter.

— Il t'a expliqué pourquoi il le portait ?

— Non. Et j'hésite à répéter en si élégante compagnie ce qu'il a répliqué. Mais ça nous a fait démarrer la journée sur les chapeaux de roues.

— J'ai eu une vision, commença Nell.

— Oh, parfait, grommela Ripley en faisant demi-tour.

Nell la retenant par le bras, elle consentit à s'arrêter et bougonna :

— Je t'aime bien, Nell, mais je sens que tu vas me fiche en rogne.

— Laisse-la partir, Nell, intervint Mia. Elle a peur d'entendre.

— Je n'ai peur de rien du tout !

Que Mia sache exactement sur quel bouton appuyer ajoutait à son exaspération.

— Vas-y, dis-moi ce que tu as vu dans ta boule de cristal.

— Je n'ai pas regardé de boule de cristal. C'est Zack que je regardais, riposta Nell qui décrivit sa vision.

Ripley eut beau hausser les épaules d'un air désinvolte, elle en fut bouleversée.

— Zack est assez grand pour prendre soin de lui, jeta-t-elle.

Elle s'éloigna puis revint sur ses pas.

— Écoute. Au cas où tu ne l'aurais pas remarqué, c'est un officier de police compétent et parfaitement entraîné. Il porte une arme et sait s'en servir. Si son boulot a l'air facile, c'est parce qu'il est compétent. Je lui confierais ma vie.

— Ce que demande Nell, c'est si elle peut te faire confiance à toi pour protéger Zack.

— J'ai un insigne, une arme et un bon crochet du droit. C'est avec ça que je règle les problèmes, répliqua Ripley, furieuse. Si quelqu'un en veut à Zack, il devra me passer dessus d'abord.

— Nous sommes trois, Ripley, dit Mia en posant la main sur son bras. C'est à nous d'assumer cette tâche. Et tu sais comment.

— Je ne le ferai pas.

Mia hocha la tête. Elles formaient déjà un cercle sous le ciel plombé.

— Tu le fais déjà.

Instinctivement, Ripley s'écarta, rompant le contact.

— Ne comptez pas sur moi. Pas de cette façon.

Elle fit volte-face et s'éloigna au pas de charge.

— Elle va ruminer tout ça et se débattre de toutes ses forces. Et comme sa tête est plus dure que le granit, ça va prendre plus de temps que je n'aimerais. Mais, pour la première fois depuis des années, elle hésite. Elle ne prendra pas le risque de laisser Zack en danger, ajouta Mia en réconfortant Nell d'une tape sur l'épaule.

Elles étaient à peine entrées dans la librairie que la pluie se mit à tomber à torrent.

Nell alluma les chandelles de ses trois potirons évidés, non à titre de décoration mais pour détourner le mal, et les disposa sur le porche.

Combinant les connaissances glanées dans les livres de Mia et son propre instinct, elle entreprit de faire de son cottage un havre aussi sûr que possible.

Elle balaya vers la rue l'énergie négative, posa du jaspe rouge et des petits pots de sauge sur le rebord des fenêtres, et glissa des pierres de lune et des brins de romarin sous les oreillers du lit.

Elle prépara une soupe de poulet qu'elle laissa mijoter doucement tandis que la pluie cinglait les vitres et le toit, et le petit cottage se transforma en un cocon douillet.

Après avoir arpenté la maison en tous sens, elle chercha une activité qui puisse l'absorber, et finit par s'installer dans son bureau pour mettre au point un nouveau contrat. Elle fut incapable de se concentrer plus de dix minutes.

Renonçant au stoïcisme, elle composa le numéro du poste de police. Zack devait sûrement être rentré, à présent. Il lui suffirait d'entendre sa voix pour se sentir mieux, elle le savait.

Ce fut Ripley qui décrocha et annonça d'une voix glaciale que, non, Zack n'était pas là, et qu'il rentrerait quand il rentrerait.

L'inquiétude de Nell redoubla. L'orage lui semblait avoir pris l'ampleur d'une tempête. Les hurlements du vent n'avaient plus rien de mélodieux; ils étaient lourds de menaces.

La pluie s'était muée en un rideau asphyxiant. La nuit se pressait aux fenêtres comme si elle voulait casser les vitres et s'engouffrer dans la maison.

Mille scénarios s'échafaudaient dans sa tête, chacun pire que le précédent. Finalement, n'y tenant plus, elle décrocha sa veste. Elle allait descendre jusqu'au quai et attendre le ferry. En faisant le vœu qu'il soit à bord.

Un éclair jaillit au moment où elle ouvrait la porte. Dans le noir aveuglant qui suivit, elle distingua une ombre. Elle ouvrait la bouche pour hurler lorsque, par-dessus les odeurs de pluie et de terre mouillée, elle perçut celle de Zack.

Elle se rua sur lui avec une telle force qu'elle faillit le faire dégringoler. Il la rattrapa en même temps qu'il reprenait son équilibre.

— J'étais follement inquiète.

— Et, maintenant, tu es mouillée, remarqua-t-il en la soulevant pour la déposer à l'intérieur de la maison. J'ai choisi un drôle de jour pour quitter l'île. La traversée du retour a été épouvantable.

Il la reposa à terre et enleva sa veste trempée.

— Je t'aurais bien appelée, mais mon portable n'a rien voulu savoir. Avec ce temps, ce sera le dernier ferry de la soirée à entrer ou sortir.

Il se passa la main dans les cheveux

— Tu es trempé jusqu'aux os. Et tu as froid, ajouta-t-elle en lui prenant la main.

— J'avoue que ça fait une bonne demi-heure que je rêve d'une douche chaude.

Et il l'aurait déjà prise si Ripley ne l'avait retardé, lui racontant au passage que Nell avait téléphoné, complètement paniquée.

— Vas-y, et ensuite, je te servirai un bol de soupe.

— C'est sûrement la proposition la plus délicieuse qu'on m'ait faite de toute la journée, déclarat-il en prenant le visage de Nell dans ses mains. Je suis désolé que tu te sois inquiétée. Tu n'aurais pas dû.

— C'est fini maintenant. Dépêche-toi, sinon tu vas prendre froid.

— Les îliens sont plus robustes que ça.

Il l'embrassa sur le front et se dirigea vers la salle de bains.

Il abandonna ses vêtements trempés en tas sur le carrelage et se glissa sous le jet avec un soupir de satisfaction.

La petite pièce et le bac n'étaient pas prévus pour un homme d'un mètre quatre-vingt-cinq. La pomme de douche était braquée sur sa gorge et il devait faire attention de ne pas se racler les coudes contre les parois à chaque mouvement.

Mais il commençait à avoir un certain entraînement.

Plaquant les mains sur le mur, il se pencha afin que l'eau lui arrose la tête et le dos. Dédaignant les savons et les shampooings parfumés de Nell, il avait disposé les siens sur le rebord de la douche.

Ni l'un ni l'autre n'avait fait la moindre allusion à ces ajouts, ni au linge propre qu'il laissait dans l'armoire.

Ils n'évoquaient pas non plus le fait qu'ils passaient rarement une nuit l'un sans l'autre. D'autres, si, il le savait. Les clins d'œil ne lui avaient pas échappé, ni l'association de leurs deux noms comme s'ils ne formaient qu'une seule entité.

Cependant, ils n'en avaient jamais parlé. Superstition? À moins qu'il ne s'agisse d'une forme de lâcheté.

Il n'était pas sûr que cela ait de l'importance. En revanche, il était certain que l'heure était venue de faire un nouveau pas en avant.

Lui-même en avait fait un, le plus grand de sa vie, cet après-midi même, sur le continent.

Il s'était bien senti un peu nerveux, au début, mais cela n'avait pas duré. Même l'horrible traversée du retour n'avait pas réussi à entamer sa bonne humeur.

Des bruits, de l'autre côté du rideau, le firent sursauter. Il se cogna le coude et lâcha une bordée de jurons.

— Ça va?

Partagée entre l'amusement et la compassion, Nell pressa le ballot de vêtements humides contre sa poitrine.

Il ferma le robinet et tira le rideau de la douche.

— Cette pièce est un danger public. J'ai dans l'idée de vérifier la réglementation concernant... Qu'est-ce que tu fabriques?

— Euh, je...

Elle s'interrompit, stupéfaite. Zack avait bondi hors de la douche et lui arrachait ses habits des mains.

— Je voulais les mettre dans le sèche-linge.

— Je m'en occuperai plus tard. J'ai de quoi me changer, ici, dit-il en jetant le paquet.

Le *flop* qu'il fit en heurtant le carrelage la fit sourciller.

— Au moins, suspends-les. Ils vont moisir si tu les laisses en tas comme ça.

— D'accord, d'accord.

Il attrapa une serviette et se frotta les cheveux.

— Tu es venue ici uniquement pour ramasser les choses derrière moi?

— En fait, oui.

Le regard de Nell descendit lentement le long de son torse, vers le ventre plat et les hanches étroites qu'il était en train d'essuyer.

— Mais, juste en ce moment, je ne pense pas à ramasser quoi que ce soit.

— Ah oui ?

Un océan d'eau chaude ne lui aurait pas plus échauffé le sang que le regard de Nell.

— Et à quoi tu penses ?

— Je pense que la meilleure chose qu'on puisse faire pour un homme qui vient d'affronter une tempête, c'est de le fourrer au lit. Viens.

Il lui abandonna sa main et la suivit dans la chambre.

— On va jouer au docteur ? Parce que je pourrais vraiment tomber malade si ça en vaut le coup.

Pouffant de rire, elle replia le couvre-lit.

— Dedans.

— Oui, madame.

Avant qu'il ait le temps de retirer sa serviette, elle la lui avait arrachée. Mais quand il voulut l'embrasser, elle s'esquiva, et le poussa sur le lit.

— Peut-être le sais-tu... commença-t-elle en s'emparant d'une boîte d'allumettes.

Elle fit le tour de la pièce et alluma les chandelles une à une.

—... mais selon les traditions et les légendes, les sorcières ont souvent eu un rôle de guérisseur.

— Je commence à me sentir vraiment en forme.

— C'est moi qui serai juge.

— J'y compte bien.

Elle se tourna vers lui.

— Sais-tu ce que je n'ai jamais fait pour personne ?

— Non, mais j'ai hâte de le savoir.

Elle agrippa le bas de son pull et le souleva lentement.

— Je veux que tu me regardes.

Centimètre par centimètre, elle retroussa son chandail.

— Et que tu me désires.

Même s'il avait été frappé de cécité, il l'aurait vue, tant sa peau luisait dans la lumière douce.

Elle se glissa hors de ses chaussures avec grâce. Son soutien-gorge tout simple soulignait les courbes de ses seins. Elle leva la main vers le fermoir en regardant les yeux de Zack suivre son geste puis, se ravisant, elle fit glisser lentement ses doigts sur son ventre jusqu'à l'agrafe de son pantalon.

Le pouls de Zack se mit à battre furieusement tandis que ses hanches, puis ses jambes émergeaient peu à peu du jean.

— Laisse-moi m'occuper du reste, suggéra-t-il.

Elle sourit et s'approcha. En veillant à rester hors d'atteinte. C'était la première fois qu'elle entreprenait de séduire un homme et elle n'était pas prête à renoncer à son pouvoir.

Elle promena les mains sur son corps en imaginant que c'étaient celles de Zack dont le souffle se faisait rauque et saccadé.

Avec un petit sourire entendu, elle détacha son soutien-gorge et le laissa tomber. Ses seins étaient déjà tendus, les pointes érigées. Elle fit rouler son slip sur ses hanches et s'en débarrassa. Elle était prête.

— Je veux te prendre, murmura-t-elle. Lentement. Je veux que tu me prennes.

Elle grimpa sur le lit, se hissa sur Zack.

— Lentement, répéta-t-elle.

Ses lèvres chaudes et douces se posèrent avec avidité sur celles de Zack dont la saveur l'enivra comme un alcool fort. Lorsqu'il la fit basculer sur le côté pour approfondir leur baiser, elle le suivit. Mais sans pour autant se rendre.

Elle promena légèrement les mains sur son dos de haut en bas et de bas en haut, prenant plaisir à sentir sous ses doigts l'arrondi de ses muscles, le frisson qu'ils provoquaient.

S'abandonnant aux sensations qu'ils se procuraient mutuellement, elle se sentit emportée dans une sorte de lent tourbillon. La lumière des chandelles vacilla, puis s'éleva, haute et claire, et l'air s'emplit de leur parfum.

Ils se redressèrent et, agenouillés, torse contre torse et bouche contre bouche, se bercèrent un moment.

Qu'il s'agisse d'un sortilège ou non, il se sentait lié à elle pour l'éternité. Sorcière ou femme, mélange des deux, elle était sienne.

Il regarda sa main bronzée qui se détachait sur la peau blanche de Nell, ombre et lumière, force et fragilité. Ses seins se nichaient dans ses paumes et leurs pointes durcissaient sous la caresse de ses pouces.

Ils se caressèrent, se goûtèrent. Un frôlement, un baiser bref, une longue caresse paresseuse, un baiser profond et avide.

Il entra enfin en elle, et tous deux se laissèrent porter par le rythme doux de leur étreinte avec l'impression de flotter sur des vagues de soie. Au-delà du désir, au-delà de la passion, les yeux dans les yeux, les doigts entremêlés, ils glissèrent ensemble hors du monde.

Blottie contre le flanc de Zack, la main posée sur son cœur, il lui semblait que rien ne pouvait les atteindre. Son havre était sûr, ils y étaient en sécurité.

Ses inquiétudes, sa terreur rampante lui paraissaient maintenant ridicules.

Ils étaient tout simplement un homme et une femme amoureux, étendus dans leur lit douillet, et écoutant l'orage s'éloigner.

— Je me demande si j'arriverai jamais à manipuler les objets.

— Mon ange, tu manipules très bien, je t'assure, dit-il en riant.

— Arrête, fit-elle en lui décochant une petite tape. Je parlais de déplacer des objets d'un point à un autre. Si je le pouvais, je psalmodierais l'incantation appropriée et la soupe nous arriverait tout droit au lit.

— Ça n'est pas possible ?

— Je suis sûre qu'en le voulant très fort, Mia y parviendrait. Mais une modeste étudiante comme moi doit aller à la cuisine et faire tout à l'ancienne mode.

Elle déposa un baiser sur son épaule, puis se leva.

— Reste ici, j'y vais, dit-il.

— Très malin de le proposer une fois que je suis debout, riposta-t-elle en ouvrant la penderie pour y prendre son peignoir.

— C'est ce que je pensais. Et, puisque tu m'as pris sur le fait, je vais enfiler quelque chose et te donner un coup demain.

— Très bien. Profites-en pour rapporter ce tas de vêtements mouillés qui est dans la salle de bains.

Un tas de vêtements mouillés ? Il sursauta. Dès que Nell eut quitté la pièce, il bondit hors du lit et alla ramasser son pantalon. Fouillant dans l'une des poches, il poussa un soupir lorsque ses doigts se refermèrent sur la petite boîte.

Lorsqu'il la rejoignit, Nell était en train de remplir les bols de soupe. Qu'elle était charmante ainsi, dans son peignoir rose poudré, les pieds nus et les cheveux ébouriffés !

— Nell, laissons refroidir ça une minute.

— Il va bien falloir, c'est bouillant. Tu veux du vin ?

— Dans une minute.

Curieusement, il n'était pas le moins du monde nerveux, ainsi qu'il l'avait craint. Posant les mains sur les épaules de la jeune femme, il la fit pivoter.

— Je t'aime, Nell.

— Je…

Elle ne put en dire plus ; un baiser la réduisit au silence.

— J'avais imaginé différentes façons de procéder. T'emmener faire un tour en voiture ou marcher sur la plage lors de la prochaine pleine lune. Ou encore t'inviter à dîner au restaurant. Mais le mieux, c'est ici et maintenant.

Elle perçut dans son ventre un petit flottement, comme un avertissement. Mais elle ne pouvait ni reculer ni faire le moindre mouvement.

— J'ai réfléchi aussi à la meilleure façon de te poser la question, quels mots employer et comment les prononcer. Mais les seuls qui me viennent à l'esprit sont les suivants : je t'aime, Nell. Épouse-moi.

La respiration qu'elle retenait s'échappa tandis que la joie et le chagrin menaient en elle une guerre sans issue.

— Zack, cela fait si peu de temps que nous sommes ensemble.

— On peut attendre pour se marier si tu veux, bien que je n'en voie pas l'utilité.

— Pourquoi ne pas laisser les choses en l'état pour le moment ?

De toutes les réactions auxquelles il s'attendait, il n'avait pas prévu la peur. Et, pourtant, c'était ce qu'il percevait dans la voix de Nell.

— Parce qu'il nous faut un chez-nous et une vie commune, et non des bribes de la tienne et de la mienne.

— Le mariage n'est qu'une formalité juridique, rien de plus, objecta-t-elle en se détournant pour attraper à l'aveuglette des verres dans le placard.

— Pour certains, en effet, répliqua-t-il d'un ton résolument placide. Mais pas pour toi et moi. Nous sommes des gens à principes, Nell. Quand des gens à principes tombent vraiment amoureux, ils se marient et fondent une famille. Je veux partager ma vie avec toi, élever les enfants que nous aurons eus ensemble, vieillir à tes côtés.

Les larmes menaçaient. Il ne disait que ce qu'elle souhaitait ardemment entendre, de toute son âme.

— Tu vas trop vite.

— Je ne crois pas.

Il sortit la petite boîte de sa poche.

— J'ai acheté ça aujourd'hui parce que notre vie commune a déjà commencé, Nell. Il est temps de voir où elle nous mène.

Elle baissa les yeux et ses doigts se recroquevillèrent lorsqu'elle découvrit le saphir, une pierre chaude et colorée, sertie dans un anneau d'or. Il savait qu'elle avait besoin de chaleur et de simplicité.

Evan avait choisi un diamant, un cube brillant entouré de platine qui avait trôné sur son doigt tel un bloc de glace.

— Pardonne-moi, Zack. Je suis tellement désolée. Je ne peux pas t'épouser.

Il sentit son cœur se fendre et scruta le visage de Nell sans ciller.

— Est-ce que tu m'aimes, Nell ?

— Oui.

— Alors, je mérite de savoir pourquoi tu refuses de m'épouser.

— Tu as raison, répondit-elle, luttant pour ne pas flancher. Je ne peux pas t'épouser, Zack, parce que je suis déjà mariée.

Rien n'aurait pu le choquer davantage.

— Mariée ? Tu es *mariée* ? Mais, bon Dieu, Nell, nous sommes ensemble depuis des mois.

— Je sais.

À présent, ce n'était pas de la stupéfaction, ni même de la colère qu'elle lisait sur son visage. C'était l'expression d'un homme regardant une étrangère.

— Je l'ai quitté. Il y a plus d'un an.

Il parvint à franchir le premier obstacle, le fait qu'elle avait été mariée et ne le lui avait pas dit. Mais le second était insurmontable : elle était encore mariée !

— Tu l'as quitté, mais tu n'as pas divorcé.

— Non, je ne pouvais pas, je…

— Et tu m'as laissé te toucher, tu as couché avec moi, tu m'as laissé m'éprendre de toi, tout en sachant que tu n'étais pas libre.

— Oui.

Un froid glacial avait envahi la petite cuisine et la pénétrait jusqu'à la moelle.

— Je n'ai aucune excuse.

— Je ne te demande pas quand tu avais l'intention de me mettre au courant. Manifestement, ce n'était pas prévu.

Il referma l'écrin et le fourra dans sa poche.

— Je ne couche pas avec les femmes des autres, Nell. Un mot de toi, un seul fichu mot, et nous ne serions pas allés jusque-là.

— Je sais. C'est entièrement ma faute.

Et tandis que la colère de Zack enflait et durcissait ses traits, elle sentit ses forces la déserter en même temps que la couleur quittait son visage.

— Et tu penses que ça suffit ? s'écria-t-il, rongé par la colère et le chagrin. Tu crois qu'il te suffit de t'excuser pour effacer tout et repartir de zéro ?

— Non.

— Merde !

Il s'écarta brusquement. Le mouvement de recul de Nell ne lui échappa pas.

— Si j'ai besoin de crier, je crie. Mais ça me rend encore plus dingue de te voir réagir comme si tu t'attendais à recevoir un coup. Je ne te frapperai pas. Ni maintenant ni jamais. Que tu imagines que je puisse le faire est insultant.

— Tu ne sais pas ce que c'est.

— En effet. Mais si je ne le sais pas, c'est parce que tu ne veux pas me le dire.

Il fit son possible pour se maîtriser, bien que sa colère soit encore vive.

— Ou bien tu m'en dis juste assez pour me faire tenir tranquille jusqu'à la fois suivante.

— Peut-être. Mais je t'ai prévenu que je ne pouvais pas tout te dire. Que je ne rentrerais pas dans les détails.

— Ça, ce n'est pas un putain de détail. Tu es toujours mariée à l'homme qui t'a fait souffrir.

— Oui.

— Et tu as l'intention de mettre fin à ce mariage ?

— Non.

— Eh bien, ça me paraît clair, fit-il en attrapant ses bottes et sa veste.

— Je ne peux pas le laisser découvrir mon refuge. Il ne faut pas qu'il me retrouve.

Il ouvrit la porte en grand et s'immobilisa un instant, la main sur la poignée.

— Pas une seule fois tu n'as pensé que je ferais le nécessaire pour assurer ta sécurité ? Nell, je l'aurais fait pour une étrangère, parce que c'est mon boulot. Comment as-tu pu ignorer que je le ferais pour toi ?

Elle ne l'ignorait pas. Et cela aussi l'effrayait. Incapable de pleurer, elle le regarda sortir, puis s'assit tristement dans sa maison désormais vide.

17

— Je l'ai perdu. J'ai tout gâché.

Assise dans la vaste et somptueuse caverne qu'était le salon de Mia, devant un feu à rôtir un bœuf, Nell sirotait une tasse de thé à la citronnelle. Isis, la chatte, reposait tranquillement sur ses genoux telle une couverture légère et chaude.

— Il y a quelques dégâts, certes. Mais rien n'est définitivement perdu.

— Je ne vois pas comment je pourrais arranger la situation, Mia. Tout ce qu'il m'a dit est vrai. Je ne voulais pas y penser, je fermais les yeux. Mais il a raison ; je n'avais pas le droit de laisser les choses devenir aussi sérieuses.

— Je n'ai malheureusement pas de cilice sous la main pour te châtier, mais je pense qu'on peut faire quelque chose.

Devant le regard choqué de Nell, Mia haussa élégamment les épaules.

— Ce n'est pas que je ne compatis pas à votre sort, à tous les deux, au contraire. Mais le fait est, Nell, vous êtes tombés amoureux, et je ne vois pas où est le mal. Ce que vous vous êtes offert mutuellement n'est pas donné à tout le monde. Il n'y a rien à regretter.

— Je ne regrette pas de l'aimer, ni d'être aimée de lui. Je regrette beaucoup de choses, mais pas ça.

— Parfait. À toi de faire le pas suivant.

— Il n'y a pas de pas suivant. Je ne peux pas épouser Zack parce que je suis légalement mariée à quelqu'un d'autre. Et même si Evan décidait de divorcer de moi par contumace ou Dieu sait quoi, je ne pourrais toujours pas épouser Zack. Mes papiers sont faux.

— Détail.

— Pas pour Zack.

— Oui, tu as raison.

Tout en réfléchissant, elle tapota sa tasse de ses ongles vernis.

— Il y a des choses qui, à ses yeux, seront toujours blanches ou noires. Parce que c'est lui. Je suis désolée de ne pas t'avoir avertie. Je le connais suffisamment, pourtant.

Mia se leva, s'étira nonchalamment et poursuivit :

— Je n'avais pas prévu qu'il se hâterait autant vers une union légitime. Je suis nulle en matière d'amour.

Elle compléta leurs tasses puis, sans cesser de réfléchir, fit le tour de la pièce tout en sirotant son thé.

Deux canapés, d'un vert profond, ne demandaient qu'à accueillir quelque corps las. Mia y avait disposé des coussins colorés comme des joyaux.

La pièce était meublée d'antiquités. Les coloris de tapis qui recouvraient les larges lattes de châtaignier étaient doucement passés. Des fleurs étaient disposées un peu partout, dans des vases en cristal aussi bien que dans des flacons teintés sans valeur.

Certaines des innombrables chandelles dont elle aimait à s'entourer étaient allumées. Les blanches, celles qui apportaient la paix.

— Tu l'as doublement blessé, Nell. La première fois, lorsque tu n'es pas tombée dans ses bras quand il t'a demandé en mariage. Je t'ai dit que j'étais nulle dans ce domaine mais je sais quand même une chose : quand un homme demande à une femme de l'épouser, il se vexe si elle répond : « C'est très gentil, mais, tout compte fait, non merci. »

— Je ne suis pas complètement idiote, Mia.

— Bien sûr que non, chérie, excuse-moi.

Contrite bien que secrètement amusée par le ton mordant de Nell, Mia s'arrêta derrière le canapé et lui caressa les cheveux.

— Et j'aurais dû dire triplement, la seconde fois concernant son sens de l'honneur. Il a découvert, ô horreur, qu'il braconnait sur le territoire d'un autre homme.

— Oh, franchement, je ne suis pas une maudite lapine !

— Zack sait à présent qu'il a enfreint un code. Enfin, tu l'as blessé pour la troisième fois parce qu'il l'aurait fait, *même s'*il l'avait su. Si tu lui avais expliqué les circonstances. Il aurait mis de l'eau dans son vin, il se serait adapté, parce qu'il t'aime et te désire, et parce qu'il aurait été soulagé que tu aies réussi à échapper à une situation aussi horrible. Mais le fait que tu ne lui aies rien dit, que tu l'aies laissé tomber amoureux fou de toi et se mettre dans cette situation, voilà ce qu'il va avoir du mal à avaler.

— Pourquoi ne voit-il donc pas que mon mariage avec Evan ne signifie rien ? Je ne suis plus Helen Remington.

— Tu veux du réconfort ou la vérité ?

— Si je ne peux avoir les deux, va pour la vérité.

— Tu lui as menti, et en lui mentant tu l'as mis dans une position intenable. Pis encore, tu lui as annoncé que tu n'avais pas l'intention de mettre fin à ce mariage.

— Je ne peux…

— Attends. Tu n'y mettras pas fin, et sans cette fin, il ne peut y avoir de recommencement. C'est ton choix, Nell, et personne ne peut ni ne doit l'assumer à ta place. Mais tu as ôté à Zack la possibilité de te défendre. D'être à tes côtés ou, ce qui est plus conforme à son tempérament, de s'interposer entre tes démons et toi.

Elle se rassit et prit les mains de Nell.

— Pourquoi crois-tu qu'il porte l'insigne de shérif ? Pour s'amuser ? Pour gagner un salaire de misère ? Pour se sentir puissant ?

— Non. Mais il ne connaît pas Evan ; il ignore ce dont il est capable. Mia, il y a de la folie en lui. Une sorte de folie froide, délibérée à laquelle je ne trouve même pas un commencement d'explication.

— Les gens ont tendance à trouver le mot « mal » trop dramatique. Alors qu'il désigne une réalité.

— C'est vrai.

Quelques-uns des nœuds qui l'étranglaient se desserraient. Elle aurait dû savoir, depuis le temps, qu'elle n'avait pas besoin d'expliquer les choses à Mia.

— Et Zack ne comprend pas que je ne supporte même pas l'idée de revoir Evan, d'entendre sa voix. Je crois que, cette fois, je craquerais. Ça me briserait.

— Tu es plus forte que tu ne le crois.

Nell secoua la tête négativement.

— Il me fait… rétrécir. Je ne sais pas si tu comprends ce que je veux dire.

— Oui, je comprends. Tu veux un charme pour te donner des forces ? Pour te protéger d'un homme afin d'en avoir un autre ?

Tendant la main, Mia caressa le dos soyeux d'Isis.

— On peut faire certaines choses, reprit-elle. Te protéger, te recentrer, accroître ton énergie. Mais le vrai pouvoir est en toi. Pour l'instant…

Elle ôta de son cou une chaîne à laquelle était suspendu un disque en argent.

— Tu as donné à Zack ton propre talisman, aussi vais-je te donner l'un des miens. Il appartenait à mon arrière-grand-mère.

— Je ne peux accepter.

— Je te le prête, dit Mia en lui passant la chaîne autour du cou. C'était une sorcière très futée, mon arrière-grand-mère. Elle s'est bien mariée. Elle a fait un malheur en bourse, et elle n'a rien reperdu, ce dont je lui serai toujours reconnaissante. Je n'aurais pas aimé être pauvre. Elle a servi de médecin sur l'île, avant qu'il n'en débarque un doté d'un diplôme. Elle traitait les verrues, mettait les enfants au monde, recousait les plaies, et elle a soigné la moitié de la population lors d'une grosse épidémie de grippe.

— Il est joli, commenta Nell en contemplant le disque d'argent. Que veut dire le mot qui y est gravé ?

— C'est une langue ancienne, proche de l'ogham dont des inscriptions ornent des pierres en Irlande. Cela signifie « courage ». Et maintenant que tu portes mon courage, je vais te donner un conseil. Dors. Laisse Zack se débattre avec ses sentiments pendant que tu examines les tiens. Quand tu iras le voir – car il a beau t'aimer, il ne fera pas le premier pas –, que ce que tu veux et ce que tu es prête à faire pour l'obtenir soit bien clair dans ton esprit.

— Tu es un con, Zack.

— D'accord. Tu vas la boucler, maintenant ?

Ripley était d'avis que le privilège d'une sœur était de ne jamais se taire.

— Écoute, je reconnais qu'elle a merdé. Mais tu ne veux pas savoir pourquoi ?

Elle s'appuya sur le bureau et se pencha en avant pour le regarder droit dans les yeux.

— Tu ne veux pas insister, fouiller, manœuvrer jusqu'à ce qu'elle t'explique pourquoi elle est toujours mariée ?

— Elle a eu tout le temps pour le faire, si elle l'avait voulu.

Zack se concentra sur son ordinateur. Sa journée sur le continent n'avait pas été uniquement consacrée à l'achat d'une bague : il avait aussi témoigné à un procès. À présent, il lui fallait mettre à jour le dossier.

Ripley émit un son qui se situait entre le grognement et le hurlement.

— Tu me rends dingue. Je me demande comment tu fais pour ne pas te rendre dingue toi-même. Tu es amoureux d'une femme mariée.

Il lui lança un regard glacial.

— Ce fait est parfaitement clair dans mon esprit, désormais. Va faire ta patrouille.

— Écoute, il est évident qu'elle ne veut plus de l'autre type. Elle l'a plaqué. Une autre évidence, c'est qu'elle est folle de toi et, coup de pot, c'est réciproque. Nell est ici depuis, quoi, cinq mois ? Et, selon toute vraisemblance, elle compte y rester. Tout ce qui a pu se passer avant est terminé.

— Elle est légalement mariée. Point.

— Ouais, ouais, monsieur Parfait.

Elle admirait son code de l'honneur, certes, n'empêche qu'il l'exaspérait.

— Alors, laisse tomber pour le moment. Laisse les choses en l'état. Qu'est-ce qui t'oblige à te marier ? Oh, pardon, j'oubliais à qui je m'adressais ! Mais, si tu veux mon avis…

— Non merci, sans façon.

— Très bien. Reste à mariner dans ton jus.

Elle ramassa sa veste, et la reposa aussitôt.

— Excuse-moi. Je ne supporte pas de te voir souffrir.

Il le savait. Aussi cessa-t-il de feindre de travailler.

— Je ne peux pas faire ma vie avec quelqu'un qui en a une autre, dit-il en se frottant le visage. Je ne peux pas coucher avec une femme qui est légalement mariée à un autre homme. Et je ne peux pas aimer quelqu'un comme j'aime Nell sans vouloir le mariage, une maison et des enfants. J'en suis incapable, Rip.

— C'est vrai que tu n'en es pas capable.

Elle s'approcha, glissa les bras autour de son cou et appuya le menton sur sa tête.

— Peut-être que moi, je pourrais.

Encore qu'elle eût du mal à s'imaginer éprise de quelqu'un à ce point.

— Mais je comprends que, toi, tu ne puisses pas. Ce que je ne saisis pas, c'est pourquoi, si tu l'aimes autant, tu ne peux aller la trouver et la faire s'expliquer. Tu mérites de savoir.

— Je ne vais pas l'obliger à faire quoi que ce soit, pas seulement parce que ce n'est pas mon truc, mais parce que j'ai le sentiment que l'homme avec qui elle est mariée ne cessait de l'obliger à faire ceci ou cela. Il n'est pas question que j'utilise les mêmes procédés.

— Zack, reprit Ripley en posant la joue sur la tête de son frère, il ne t'est pas venu à l'esprit qu'elle a peut-être peur de divorcer ?

— Si, admit-il avec un pincement douloureux au creux de l'estomac. L'idée m'a traversé la tête vers 3 heures du matin, cette nuit. Si c'est le cas, ça me donne sacrément envie de cogner. Mais ça ne change rien au fait qu'elle est mariée, et qu'elle ne me l'a pas dit. Elle ne me fait pas suffisamment confiance pour la défendre, quel qu'en soit le coût.

Levant les bras, il posa les mains sur celles de sa sœur.

Ce fut dans cette attitude que Nell les découvrit en ouvrant la porte. Elle nota la lueur de reproche dans les yeux de Ripley, tandis que Zack fermait les siens.

— Il faut que je te parle. En privé. S'il te plaît.

Instinctivement, Ripley resserra sa prise, mais Zack secoua légèrement les mains.

— Ripley s'apprêtait à partir en patrouille.

— Ouais, c'est ça, vire-moi juste au moment où ça devenait intéressant.

Elle enfilait sa veste – elle comprenait enfin le sens de l'expression « une tension à couper au couteau » – lorsque la tête de Betsy apparut dans l'entrebâillement de la porte.

— Shérif ! Salut, Nell, salut, Ripley. Shérif, Bill et Ed Sutter sont en train de se bagarrer devant l'hôtel. Ça risque de mal tourner.

— Je m'en occupe, dit Ripley.

— Non, fit Zack en se levant. Nous allons nous en occuper.

Les frères Sutter oscillaient perpétuellement entre une franche loyauté familiale et une haine venimeuse. Tous deux étant impétueux comme des taureaux et bâtis de même, Zack estimait dangereux de laisser Ripley les affronter seule.

— Il va falloir que tu attendes, dit-il à Nell en lui jetant un bref regard avant de sortir.

Un regard glacial. Insupportable de la part d'un homme aussi chaleureux. À l'évidence, il n'avait pas l'intention de lui faciliter les choses. Curieusement, malgré la scène de la veille, elle s'était convaincue du contraire.

Il la laisserait parler, lui témoignerait de la sympathie. Il comprendrait et la soutiendrait.

Apparemment, elle s'était trompée.

Elle avait ravalé sa fierté pour venir jusqu'ici, tout cela pour se voir décocher un pareil regard.

Eh bien, dans ce cas, peut-être ferait-elle mieux d'abandonner la partie.

Piquée au vif, elle ouvrit la porte. Et se figea sur le seuil, les yeux rivés sur le spectacle, à l'autre bout de la rue.

Un grand costaud aux cheveux courts cognait dans le ventre d'un autre grand costaud aux cheveux courts. Les jurons pleuvaient. Une foule de badauds s'était rassemblée à distance raisonnable, et certains d'entre eux prenaient parti en huant ou en encourageant l'un ou l'autre.

Zack et Ripley étaient déjà passés à l'action et tentaient de séparer les combattants. Nell n'entendait pas leurs paroles qui, si elles semblaient calmer l'assistance, ne produisaient guère d'effet sur les frères Sutter.

Lesquels en vinrent à se frapper en pleine figure.

Lorsqu'elle vit le premier coup de poing atteindre sa cible, elle se recroquevilla. Il y eut des cris. La mêlée devint indistincte.

Puis elle vit que Zack avait agrippé le bras de l'un des adversaires et Ripley celui de l'autre. Le frère et la sœur avaient sorti leurs menottes. Il y eut encore une bousculade, des jurons et des avertissements lancés d'un ton sec. Puis, soudain, un poing jaillit, manqua son but et atterrit sur le visage de Zack.

Sa tête partit brutalement en arrière et la foule lâcha un cri à l'unisson. Tout le monde s'immobilisa, comme dans un arrêt sur image.

Nell se précipitait déjà dans la rue lorsque le film reprit, gestes et voix.

— Bravo, Ed ! Te voilà en état d'arrestation, disait Zack qui menottait l'un des combattants tandis que Ripley faisait de même avec l'autre. Et, pour ne pas faire de jaloux, toi aussi, Bill. Vous n'êtes que deux idiots ! Retournez à vos affaires, vous autres, ajouta-t-il à l'adresse des badauds.

Apercevant Nell au bord du trottoir, pétrifiée comme un chevreuil pris dans la lumière de phares, il marmonna un juron.

— Voyons, shérif, tu sais bien que ce n'est pas toi que je visais.

— Je me fiche de qui tu visais, grommela-t-il, la bouche en sang. Tu as agressé un officier de police.

— C'est lui qui a commencé.

— Tu parles ! riposta Bill que Ripley entraînait. Mais compte sur moi pour terminer le boulot dès que j'en aurai l'occasion.

— Avec quelle armée ?

— Taisez-vous, ordonna Ripley. Des délinquants de quarante ans ! Vous devriez avoir honte !

— C'est Ed qui a frappé le shérif. Pourquoi est-ce que tu m'emmènes ?

— Parce que tu étais en infraction. Si vous aviez envie de vous flanquer une raclée, il fallait le faire chez vous. Pas dans la rue.

— Vous n'allez pas nous coller en prison, quand même, protesta Ed qui, un peu calmé, entrevoyait le sort qui l'attendait. Voyons, Zack, tu sais bien que ma femme va m'écorcher vif, si tu fais ça. Ce n'était qu'une affaire de famille, après tout.

— Si ça se passe dans ma rue et que ça implique ma putain de figure, ça sort des limites de la famille, rétorqua Zack.

Sa mâchoire commençait à l'élancer. Il propulsa Ed dans le poste de police et l'enferma dans l'une des deux minuscules cellules.

— Tu vas avoir un peu de temps pour te calmer avant que j'appelle ta femme. À elle de voir si tu l'intéresses suffisamment pour qu'elle te fasse sortir.

— Pareil pour toi, claironna Ripley d'un ton guilleret en poussant Bill dans l'autre cellule.

Une fois les deux portes verrouillées, elle s'épousseta les mains.

— On va les laisser mariner. Je m'occupe du rapport, ensuite, j'appellerai les épouses, qui seront sûrement déjà au courant.

— Ouais, fit Zack qui s'essuyait la bouche du dos de la main.

— Il faut que tu mettes de la glace sur cette mâchoire. Sur ta lèvre, aussi. Hé, Nell, tu devrais emmener notre héros chez toi et lui préparer une poche de glace !

Ne l'ayant pas entendu entrer, Zack se retourna.

— Pas de problème, dit-elle.

— Il y a de la glace dans l'office, je peux me débrouiller.

— Tu ferais mieux de rester éloigné d'Ed jusqu'à ce que tu sois bien sûr de ne pas céder à l'envie d'ouvrir cette cellule pour lui rendre la monnaie de sa pièce, conseilla Ripley.

— Peut-être.

Ses yeux n'étaient plus froids, nota Nell, mais brûlants de rage. Elle humecta ses lèvres.

— La glace aidera à réduire l'inflammation. Et... du thé au romarin calmera la douleur.

— Très bien. Super, grommela Zack.

Vu la migraine qui commençait à lui marteler le crâne, mieux valait céder sans discuter.

— Ripley, tu leur colles une amende de deux cent cinquante dollars chacun, aboya-t-il. Ou vingt jours de tôle. Si ça ne leur plaît pas, remplis un mandat d'arrêt et ils se débrouilleront au tribunal.

— Bien, chef, dit sa sœur avec un grand sourire tandis qu'il sortait.

Rien de tel qu'une bonne bagarre pour vous remonter le moral, songea-t-elle.

Nell et Zack marchèrent en silence jusqu'au cottage. Elle ne savait plus quoi dire ou comment le dire. Ce type furieux lui était aussi étranger que l'individu glacial de tout à l'heure. En cet instant précis, il n'avait sûrement pas envie de discuter. Elle ne savait que trop bien combien de temps cela prenait pour retrouver son équilibre après un coup en pleine face.

Cependant, pour un homme qui en avait reçu un aussi violent, il avait peu réagi, à part son accès de mauvaise humeur.

On disait de certaines personnes qu'elles étaient plus dures qu'elles n'en avaient l'air. Zachariah Todd en faisait visiblement partie.

Elle ouvrit la porte du cottage, et, toujours en silence, alla à la cuisine préparer une poche de glace enveloppée dans un linge.

— Merci. Je te rapporterai le torchon.

— Où vas-tu ? demanda-t-elle, la main sur la poignée de la bouilloire.

— Prendre l'air, pour me calmer.

Elle lâcha la bouilloire.

— Je t'accompagne.

— Tu n'as pas envie d'être avec moi en ce moment, et je n'ai pas non plus envie d'être avec toi.

Elle découvrit, presque avec surprise que, parfois, les mots blessaient plus que les coups.

— Tant pis. Nous avons des choses à nous dire et plus nous repousserons, plus ce sera difficile.

Elle ouvrit la porte de la cuisine et attendit.

— Allons dans les bois. En territoire neutre.

Il n'avait pas de veste, mais ne semblait pas souffrir de la fraîcheur ambiante. Elle lui jeta un coup d'œil tandis qu'ils se dirigeaient vers l'endroit qu'elle s'était approprié.

— Ces glaçons n'auront aucun effet si tu ne t'en sers pas.

Il appliqua la poche contre sa mâchoire endolorie et se sentit légèrement ridicule.

— Cet été, quand je suis arrivée, je me demandais ce que ce serait de marcher dans ces bois en automne.

Le froid et les changements de saison me manquaient quand j'habitais la Californie.

Elle inspira à fond et enchaîna :

— J'ai vécu trois ans sur la côte Ouest. Surtout à Los Angeles, mais aussi à Monterey où nous faisions de fréquents séjours. Je préférais Monterey mais j'ai dû apprendre à ne pas le lui laisser voir, sinon il aurait trouvé le moyen d'annuler ces escapades. Il aimait trouver des petits trucs pour me punir.

— Tu l'as épousé.

— Oui. Il était beau, romantique, intelligent et riche. Je m'étais dit : le voici, mon prince ; lui et moi, nous serons heureux éternellement. J'étais fascinée, flattée et amoureuse. Il s'est donné beaucoup de mal pour me séduire. Inutile de rentrer dans les détails. De toute façon, tu en as deviné certains. Il était cruel, dans les choses insignifiantes comme dans les grandes. Il me faisait me sentir petite, de plus en plus petite, si bien qu'à la fin, je n'existais plus. Lorsqu'il m'a battue… la première fois, ça a été un choc. Personne ne m'avait jamais frappée. J'aurais dû le quitter à la minute même. Ou, du moins, essayer. Il ne m'aurait pas laissé partir, mais j'aurais dû essayer. Seulement, je n'étais mariée que depuis quelques mois, et il a fait en sorte que j'aie l'impression d'avoir mérité ces coups. À cause de ma bêtise, de ma maladresse, ou de ma distraction. Il me dressait comme un jeune chien. Je n'en suis pas fière.

— As-tu cherché de l'aide ?

Il régnait un tel silence dans le bois qu'elle entendait chacun de leurs pas sur le sol déjà tapissé de feuilles mortes.

— Pas au début. J'avais lu des articles et regardé des émissions sur les violences conjugales. Mais ça ne me concernait pas. Je ne rentrais pas dans la catégorie des éternelles victimes issues de milieux défavorisés. Je venais d'une famille stable et aisée. J'avais épousé un homme intelligent et prospère. J'habitais dans une belle maison. J'avais des domestiques.

Elle glissa la main dans sa poche et se mit à tripoter le petit sac qu'elle s'était préparé, et qui était censé donner du courage. Et, tandis que ses doigts s'agitaient sur les sept nœuds qui le liaient, elle sentit qu'elle se détendait.

— Mon problème, me disais-je, c'était que je ne cessais de commettre des erreurs, mais, une fois que j'aurais bien appris ma leçon, tout redeviendrait normal. En réalité, ça n'a fait qu'empirer, et il m'est devenu impossible de continuer à me leurrer. Un soir, il m'a traînée par les cheveux – je les portais longs, à l'époque – jusqu'en haut de l'escalier. J'ai cru qu'il allait me tuer. Me battre, me violer, et me tuer. Il ne l'a pas fait. Il n'a rien fait de tout ça. Mais je me suis rendu compte qu'il aurait pu, et que je n'aurais pas été capable de l'en empêcher. Je suis allée à la police, seulement, c'est un homme influent. Il a des relations. J'avais quelques contusions, mais rien de grave. Ils n'ont rien fait.

— Ils auraient dû! s'écria Zack, révolté. Ils auraient dû t'emmener dans un refuge.

— À leurs yeux, je n'étais qu'une femme riche et gâtée qui faisait des histoires. Ça n'a pas d'importance, ajouta-t-elle d'un ton las. De toute façon, il m'aurait retrouvée. Une fois, je me suis enfuie et c'est ce qui s'est passé. Et je l'ai payé cher. Il m'a fait comprendre clairement que je lui appartenais et qu'il ne me laisserait jamais partir. Où que j'aille, il me retrouverait. Il m'aimait.

Cette dernière phrase la glaça. Elle s'arrêta et se tourna vers Zack.

— C'était son idée de l'amour, au-delà de toute règle, au-delà de toute limite. Égoïste, froid, obsédé et tout-puissant. Il aurait préféré me voir morte plutôt que de me laisser partir. Et je n'exagère pas.

— Je te crois. Mais tu as réussi à t'enfuir.

— Parce qu'il me croit morte.

Elle raconta d'une voix claire et exempte d'émotion ce qu'elle avait fait pour briser ses chaînes.

— Seigneur, Nell! s'exclama-t-il en lâchant sa poche de glace. C'est un miracle que tu ne te sois pas tuée.

— Dans un cas comme dans l'autre, je m'évadais. Je venais ici. Je crois sincèrement qu'à la minute où la voiture a basculé de la falaise, j'ai commencé à me diriger vers cette île. Et vers toi.

Il avait follement envie de la toucher, mais ignorait si ce serait pour la caresser ou la secouer furieusement. Aussi enfonça-t-il les mains dans ses poches.

— J'avais le droit de savoir, quand les choses ont changé entre nous. Tu devais me mettre au courant.

— Je n'avais pas prévu qu'elles changeraient.

— Mais c'est pourtant ce qui s'est passé, nom de Dieu! Et si tu n'as pas deviné vers quoi nous nous dirigions, tu es vraiment stupide.

— Je ne suis pas stupide, contra-t-elle d'une voix tranchante. J'avais peut-être tort, mais je ne suis pas stupide. Je ne m'attendais pas à tomber amoureuse de toi. Je *ne voulais pas* tomber amoureuse de toi, ni même me lier à toi d'aucune façon. C'est toi qui m'as poursuivie, rappelle-toi.

— Peu importe comment c'est arrivé. Le fait est que c'est arrivé. Tu savais que cela ne mènerait nulle part et tu ne m'en as pas averti.

— Je suis une menteuse, répliqua-t-elle d'un ton égal. Une tricheuse. Une garce. Mais ne dis jamais plus que je suis stupide.

— Seigneur!

À court d'argument, il se détourna et leva les yeux au ciel.

— Je ne me laisserai plus humilier, par personne. Plus jamais. Je ne me laisserai pas rabaisser, ni repousser jusqu'à ce que l'envie te prenne de faire de nouveau attention à moi.

Intrigué, il tourna la tête et la regarda fixement.

— C'est de ça dont tu me soupçonnes ?

— Je te dis simplement ce que j'ai décidé. J'ai beaucoup réfléchi depuis que tu es parti, hier. Je n'ai pas l'intention de gémir et de me réfugier dans un coin, honteuse de t'avoir contrarié. Ce serait une insulte pour nous deux.

— Eh bien, bravo.

— Oh, va au diable !

Il s'approcha d'elle. Malgré la terreur qui lui nouait les tripes, elle tint bon.

— Tu es vraiment gonflée de me chercher querelle, alors que tu as tort, gronda-t-il.

— Je n'ai tort que de ton point de vue. Du mien, j'ai fait ce que j'avais à faire. Je regrette de t'avoir blessé, mais je ne peux pas revenir en arrière et annuler le passé.

— Non, tu ne peux pas. Alors, partons de là. Y a-t-il autre chose que je devrais savoir ?

— La femme qui est tombée de la falaise s'appelait Helen Remington. Mme Evan Remington. Je ne réponds plus à ce nom. Ce n'est plus moi.

— Remington, répéta-t-il pensivement, comme s'il compulsait un fichier. Un type d'Hollywood.

— Exact.

— Tu as mis le plus de distance possible entre toi et lui, on dirait.

— Ça aussi, c'est vrai. Je ne retournerai jamais en Californie. J'ai trouvé ici la vie que je souhaitais.

— Avec ou sans moi ?

Pour la première fois depuis qu'elle avait commencé son récit, son estomac se serra.

— Ça dépend de toi.

— Non. Tu sais déjà ce que je veux. Maintenant, à toi de dire ce que tu désires.

— Je te veux, tu le sais.

— Alors, il faut que tu achèves ce que tu as commencé. Demande le divorce.

— Je ne peux pas. Tu n'as pas entendu ce que je t'ai dit ?

— Chaque mot, et plus encore.

Il luttait contre l'envie qui le tenaillait de la prendre dans ses bras en lui affirmant que rien de tout cela n'avait d'importance.

Mais il savait que c'était faux.

— Tu ne peux pas passer ta vie entière à te poser des questions, à regarder par-dessus ton épaule, ou à faire semblant que ces trois années d'horreur n'ont pas existé. Et moi non plus. D'abord parce que ça va te ronger et, ensuite, parce que le monde est petit. Tu ne pourras jamais être sûre qu'il ne te retrouvera pas. Et s'il te trouve ou si tu as peur qu'il soit sur ta piste, tu t'enfuiras de nouveau ?

— Il y a plus d'un an que je suis partie. S'il me croit morte, il n'a pas de raison de se mettre à ma recherche.

— Tu n'auras jamais de certitude. Il faut que tu y mettes un point final, mais tu n'as pas à le faire seule. Je ne le laisserai jamais te toucher. Ici, ce n'est pas son territoire, dit Zack en lui soulevant le menton du doigt. C'est le mien.

— Tu le sous-estimes.

— Je ne le pense pas. Je ne me sous-estime pas non plus, ni Ripley ni Mia. Ni un tas de gens sur cette île qui n'hésiteraient pas à te défendre.

— Je ne sais pas si je suis capable de faire ce que tu me demandes. Pendant plus d'un an, je me suis efforcée de faire tout ce qui était en mon pouvoir pour qu'il ignore que j'étais en vie et où je m'étais réfugiée. Je ne sais pas si je trouverai le courage de m'exposer au grand jour. J'ai besoin d'y réfléchir. Il faut que tu m'en laisses le temps.

— D'accord. Tu me diras ce que tu auras décidé.

Il se pencha pour ramasser la poche de glace aux trois quarts fondue, ouvrit le sachet et le vida sur le sol.

— Si tu ne veux pas m'épouser, Nell, je l'accepterai. À cette question aussi, il faudra que tu répondes, quand tu auras bien réfléchi.

— Je t'aime. Je n'ai pas besoin de réfléchir pour te répondre.

Il la contempla longuement.

Puis il lui tendit la main.

— Je te raccompagne chez toi.

18

Ripley lança à Zack son regard le plus pitoyable. Et gémit. Ce qu'elle faisait rarement, afin d'en accroître l'impact le jour où elle s'y mettait.

— Mais je ne veux pas aller chez Mia.

Zack connaissait la tactique par cœur. Il dut cependant reconnaître que la performance était quasi parfaite.

— Quand tu étais gamine, tu habitais pratiquement chez Mia.

— C'était autrefois. Tu saisis la différence ? Pourquoi n'y vas-tu pas, toi ?

— Parce que j'ai un pénis. Je vais me maîtriser et ne pas te demander pas si tu vois la différence. Sois sympa, Rip.

Elle se mit à tourner en rond, ce qui était sa façon à elle de taper du pied.

— Si Nell est là-bas ce soir, Mia peut la surveiller. Seigneur, Zack, ne sois pas si mère poule ! Ce salaud de Los Angeles ne sait même pas qu'elle est en vie.

— Si je la protège trop, il va falloir que tu t'y fasses. Je ne veux pas qu'elle prenne la route de la falaise toute seule, en pleine nuit.

L'image de la Mercedes s'envolant de la falaise, à cinq mille kilomètres à l'ouest, le hantait.

— Jusqu'à ce que cette histoire soit réglée, je veux garder un œil sur elle.

302

— Alors, fais-le, toi ! C'est à vous de décider si vous voulez jouer aux amants malheureux et maudits, ou au couple épanoui.

C'était typique de Ripley : elle cherchait la bagarre afin de sortir en claquant la porte et d'éviter ainsi de faire ce qu'il lui demandait. Il ne releva donc pas.

— Je ne comprendrai jamais comment il se fait que j'en sache plus que toi sur les femmes, alors qu'en principe, tu appartiens à la même espèce.

— Attention, ça glisse.

Peut-être que, finalement, il avait relevé.

— Elle n'a pas besoin que je lui tourne autour, reprit-il. Elle n'a pas besoin qu'un homme, même un aussi beau spécimen que moi, la serre de près. Elle a des décisions difficiles à prendre. J'essaye de garder un peu de distance, sans montrer que je le fais, jusqu'à ce qu'elle les ait prises.

— Waouh, tu t'es creusé la tête !

La vérité était qu'elle se retrouvait devant un sacré dilemme. Lui voulait garder un œil sur Nell, et elle voulait garder un œil sur lui. Elle n'avait pas eu un instant de paix depuis qu'il lui avait raconté l'histoire de Nell.

Le sang sur la lune. La vision de Nell – Zack couvert de sang. Un mari sociopathe, meurtrier en puissance, et les rêves dérangeants qu'elle-même avait eus. Elle détestait l'idée qu'elle était en train de barboter dans le domaine des présages, mais... merde, tout ça n'était pas de bon augure.

— Et qu'est-ce que tu vas faire pendant que je baby-sitte l'amour de ta vie à la centrale des sorcières ?

Depuis trente ans qu'il la connaissait, Zack avait toujours su qu'il pouvait compter sur Ripley.

— Effectuer les deux patrouilles du soir, acheter de quoi dîner et rentrer à la maison pour un repas solitaire.

— Si tu crois que je vais te plaindre, tu peux courir. J'échange tout de suite ma place contre la tienne, riposta-t-elle en se dirigeant vers la porte. Je vais faire un tour du côté de chez Nell et lui proposer de passer la soirée avec elle. Garde bien tes arrières.

— Pardon ?

— Je n'ai pas envie d'en parler. Je disais ça comme ça.

— Je garderai mes arrières.

— Et achète de la bière. Tu as bu la dernière bouteille.

Elle claqua la porte parce que... eh bien, parce que !

Mia avait préparé de nouveaux charmes. Chaque jour, semblait-il, l'air s'alourdissait. Comme si quelque chose le tirait vers le bas. Elle jeta un coup d'œil dehors. Il faisait déjà sombre. Les nuits étaient interminables fin octobre.

Elle ajouta du jaspe à la chaîne qu'elle portait autour du cou, pour renforcer son énergie et atténuer son anxiété.

C'était la première fois depuis des années qu'elle se sentait aussi anxieuse.

Et il ne le fallait pas, parce que, ce soir, elle devait aider Nell à franchir une nouvelle étape, et elle voulait que cela se fasse dans la joie.

Elle détestait se sentir aussi tendue, comme si elle s'attendait à un désastre.

C'était idiot, vraiment, quand, toute sa vie, elle s'était préparée au désastre et à la façon de le détourner.

Elle entendit la voiture et vit les faisceaux jumeaux des phares balayer les fenêtres en façade. Comme elle se dirigeait vers la porte, elle visualisa son stress et le déversa mentalement dans une petite boîte qu'elle referma.

Ce qui lui permit d'ouvrir la porte en affichant son calme habituel. Jusqu'à ce qu'elle aperçoive Ripley.

— On s'encanaille, shérif adjoint ?

— Je n'avais rien de mieux à faire.

La longue robe noire de Mia la surprit. Mia portait rarement du noir. Mais Ripley devait admettre que les faits et gestes de cette femme n'étaient guère prévisibles.

— Tu t'es habillée pour une occasion particulière ?

— En effet. Si Nell désire ta présence, ça ne me dérange pas du tout. Mais ne te mêle de rien.

— Tu ne m'intéresses pas assez pour que je me mêle de quoi que ce soit.

— Cette discussion va durer longtemps ? s'enquit Nell d'une voix affable. J'espérais un verre de vin.

— Je pense qu'on a fini. Entrez, et soyez les bienvenues. Nous allons emporter le vin avec nous.

— Avec nous ? Où va-t-on ?

— Au cercle. Tu as apporté ce que je t'ai demandé ?

— Oui, répondit Nell en tapotant le grand sac qu'elle tenait à la main.

— Bien. Je vais chercher ce dont j'ai besoin, et on y va.

Ripley déambula au rez-de-chaussée pendant que Mia se préparait. Elle avait toujours aimé cette maison, avec ses grandes chambres encombrées, ses recoins bizarres, ses épaisses portes sculptées et ses parquets cirés.

Pour elle, un lit de camp dans un décor spartiate suffisait, mais elle devait reconnaître que la maison de Mia avait du style. De la classe. Et de l'atmosphère.

Autrefois, se souvint-elle, elle courait d'une pièce à l'autre aussi librement qu'un chiot et se sentait partout chez elle. Elle se rendit compte avec un serrement de cœur inattendu combien cette maison lui avait manqué. Combien tout ici lui avait manqué.

— Tu continues à utiliser la chambre du pignon ? demanda-t-elle d'un ton détaché pendant que Mia choisissait une bouteille de vin dans le casier.

Celle-ci se retourna, et leurs yeux se croisèrent. Et partagèrent des souvenirs.

— Oui. Il y a encore des choses à toi, là-haut, répondit Mia en enveloppant trois verres dans une serviette.

— Je n'en ai pas besoin.

— Elles y sont, au cas où. Tiens, porte ce sac, je prends l'autre.

Elle ouvrit la porte de derrière et Isis se précipita dehors. Ce qui surprit Nell car, en général, elle refusait de les suivre.

— C'est une nuit spéciale, expliqua Mia. Elle le sait.

Elle releva la capuche de la cape qu'elle avait posée sur ses épaules. Noire, elle aussi, avec une doublure d'un rouge lie-de-vin lumineux.

— C'est presque la Samhain, reprit-elle. Il faut que Nell s'entraîne à allumer le feu sacré.

— Tu ne crois pas que tu vas un peu vite ? s'écria Ripley.

— Non, répondit Mia en observant la lune, qui n'était pas plus large qu'un ongle de pouce, et serait bientôt totalement noire.

Un halo opaque, plus sombre que le ciel, l'entourait.

Agacée, Ripley haussa les épaules.

— Halloween. Les morts se réveillent. Les mauvais esprits grouillent dans la nuit, et seuls les braves et les fous se risquent dehors.

— En voilà des sottises, fit Mia d'un ton léger. Ça ne sert à rien de raconter des trucs pareils pour faire peur à Nell.

— La fin de la troisième et dernière moisson de l'année, intervint Nell. L'époque pour se souvenir des morts et célébrer le cycle éternel. C'est aussi la nuit où, dit-on, le voile qui sépare la vie de la mort est le plus fin. Il n'y a là rien de négatif, c'est au contraire un moment de joie. Et, en plus, c'est l'anniversaire de Mia.

— Trente ans, cette fois-ci, dit Ripley.

— Ne fais pas la fière, riposta Mia d'une voix mordante. Tu y arriveras toi-même dans six semaines.

— Ouais, mais tu seras toujours plus vieille que moi.

Isis était déjà assise au milieu de la clairière, immobile tel un sphinx.

— Voici quelques chandelles pour nous éclairer. Plante-les sur les rochers et allume-les, Ripley.

— Non, protesta celle-ci en fourrant les mains dans les poches de son blouson. Je veux bien trimballer ton sac de trucs, mais pas participer.

— Oh, par pitié! Ce n'est pas en allumant deux ou trois chandelles que tu vas user ta virginité en matière de magie.

— Je m'en occupe, intervint Nell. C'est inutile que vous vous fâchiez, alors que de toute façon chacune ne fait que ce qu'elle veut.

— Pourquoi es-tu en colère? demanda Ripley à mi-voix comme Mia revenait prendre dans le sac ce dont elle avait besoin. D'habitude, il en faut beaucoup plus pour t'irriter.

— Peut-être que j'ai la peau plus sensible, ces jours-ci.

— Tu as l'air fatiguée.

— Je le suis. Quelque chose s'annonce. S'approche inexorablement. Je ne sais pas combien de temps j'arriverai à le repousser, ni même si je suis censée le faire. Il va y avoir du sang.

Elle agrippa Ripley par le poignet.

— Et de la douleur. De la terreur et du chagrin. Et je crains que, sans le cercle, il n'y ait aussi la mort.

— Si tu en es si sûre, si tu en as si peur, pourquoi n'es-tu pas allée chercher de l'aide ? Tu connais d'autres sorcières.

— Ce travail n'est pas pour elles, tu le sais bien… Peut-être qu'elle est assez forte, ajouta-t-elle en jetant un coup d'œil à Nell.

Elle se redressa et rejeta sa capuche en arrière.

— Viens, Nell, on va faire le cercle.

Quoi que Ripley se soit attendue à ressentir, ce n'était en tout cas pas le désir ardent qui s'empara d'elle tandis qu'elle regardait les deux femmes pratiquer le rituel de base et que les mots familiers s'élevaient.

Elle avait laissé tomber, se rappela-t-elle. Elle avait mis tout cela de côté.

La baguette et le poignard luisaient dans la nuit. Quant à elle, elle avait toujours préféré le sabre.

Lorsque Mia approcha des chandelles une allumette en bois, elle fit la moue, et elle s'apprêtait à protester lorsque celle-ci la fit taire du regard.

«Très bien, à ta manière, comme d'habitude», se dit-elle en ravalant ses commentaires.

— Terre, Vent, Feu, Eau – éléments,
Écoutez l'appel de vos filles.
Tandis que la lune vogue au-dessus de nos têtes,
Levez-vous dans le cercle magique.

La tête rejetée en arrière et les bras brandis, Mia attendit. Et le vent se leva, et les flammes se dressèrent, droites et pointues malgré les rafales tourbillonnantes. La terre se mit à trembler légèrement.

Mia baissa les bras, et les éléments se calmèrent.

Nell eut du mal à reprendre son souffle. Ces derniers mois, elle avait vu et fait des choses fantastiques. Mais, ce soir, on lui offrait une démonstration éclatante.

— Le pouvoir attend, dit Mia en tendant la main.

Sa peau était chaude, presque brûlante.

— C'est toi qu'il attend. Ton lien, c'est l'air, et faire appel à lui, c'est ce qui t'est le plus facile. Mais il y a quatre éléments. Ce soir, tu feras le feu.

— Le feu sacré, j'ai compris. Mais nous n'avons pas apporté de bois.

Mia eut un petit rire et recula d'un pas.

— Nous n'en aurons pas besoin. Recentre-toi. Vide ton cerveau. Ce feu ne brûle pas. Ce feu ne fait pas de mal. Il éclaire la nuit et brille par le charme. Lorsque tu élèveras sa tour dorée, tu connaîtras ta force et ton pouvoir. Et, ceci, sans nuire à personne.

— C'est trop tôt, pour elle, avertit Ripley qui était restée prudemment à l'écart du cercle.

— Silence. N'interfère pas. Regarde-moi, Nell. Tu peux me faire confiance, et te fier à toi aussi. Regarde.

— Faites gaffe, murmura Ripley qui recula un peu plus, juste au cas où.

Mia ouvrit les mains en écartant les doigts. Puis elle les retourna et leva les bras comme pour atteindre quelque chose.

Une étincelle d'un bleu électrique jaillit. Suivie d'une autre, puis d'une douzaine, et, bientôt, il devint impossible de les compter. Elles grésillaient et coloraient de bleu saphir l'air à l'intérieur du cercle.

Et, là où il n'y avait eu que le sol nu, s'érigea une colonne de feu.

Les jambes de Nell se replièrent sous elle et elle se retrouva assise sur le sol. Même si elle avait été capable de rassembler en un tout cohérent les bribes de pensées qui lui traversaient l'esprit, rien n'aurait pu trouver son chemin hors de sa bouche.

— Je te l'avais dit, soupira Ripley en secouant la tête.

— Silence.

Mia s'écarta du feu en virevoltant et tendit la main à Nell pour l'aider à se relever.

— Tu m'as déjà vue faire de la magie, petite sœur. Tu l'as pratiquée toi-même.

— Pas comme ça.

— Ça ne demande qu'une compétence élémentaire.

— Élémentaire ? Voyons, Mia ! Tu as fait du feu. À partir de rien.

— Ce qu'elle veut dire, c'est que c'est un peu comme perdre sa virginité. Ça secoue un peu, expliqua Ripley obligeamment. La première fois, c'est peut-être moins agréable que prévu. Mais, au bout d'un certain temps, on apprécie.

— C'est à peu près ça, acquiesça Mia. Maintenant, concentre-toi, Nell. Tu sais comment faire. Nettoie ton cerveau. Visualise, rassemble ton pouvoir. Fais ton feu.

— Mais je ne peux matériellement pas...

Mia la fit taire d'un geste de la main.

— Comment peux-tu le savoir, si tu n'essayes pas ? Concentre-toi.

Elle se plaça derrière Nell et posa les mains sur ses épaules.

— Il y a de la lumière à l'intérieur de toi, de la chaleur et de l'énergie. Tu le sais. Rassemble-les. Ils forment un tout. Sens-le maintenant. Ça commence par un chatouillement dans le ventre, et ça monte vers le cœur. Ça s'étale, ça te remplit.

Doucement, elle souleva les bras de Nell.

— Ça coule sous ta peau, comme une rivière ; ça descend le long de tes bras jusqu'au bout de tes doigts. Laisse-le venir. Ça vient.

Ripley les observait. Bizarrement, ce spectacle avait quelque chose de charmant. Comme si Mia lâchait Nell pour la première fois sur un vélo, en l'encourageant, en courant à côté, en l'aidant à prendre de l'assurance.

310

La première fois, elle le savait, ce n'était facile ni pour l'élève ni pour le maître. Le visage de Nell était brillant de sueur. Ses bras tremblaient.

La clairière, qui n'était pas tout à fait silencieuse, parut vibrer. L'air, qui n'était pas parfaitement immobile, soupira.

Il y eut une petite étincelle capricieuse et, alors que Nell aurait volontiers reculé, Mia la maintint en place et lui prodigua des encouragements.

Une autre étincelle jaillit, plus forte.

Mia recula et laissa sa petite sœur osciller toute seule sur ses deux roues. Tout en méprisant sa propre faiblesse, Ripley sentit des larmes d'attendrissement lui monter aux yeux. Et aussi une bouffée de fierté lorsque le feu de Nell prit vie en chatoyant.

Nell sentit battre son cœur, tandis que le pouvoir courait dans son sang.

— C'est mieux que de perdre sa virginité. C'est beau, c'est clair, murmura-t-elle. Pour moi, rien ne sera plus jamais comme avant.

Remplie de joie, elle se retourna. Mia ne la regardait plus : elle fixait Ripley.

— Il faut que nous soyons trois.

— Pas question que tu me fasses faire la troisième, riposta Ripley, furieuse, en retenant ses larmes.

— Très bien, fit Mia qui avait remarqué ses yeux humides. Elle ne peut probablement plus le faire, ajouta-t-elle à l'adresse de Nell.

— Ce n'est pas à toi de dire ce que je peux et ne peux pas faire, protesta vivement Ripley.

— Pour elle, ce serait dramatique qu'elle n'y arrive pas, surtout après t'avoir vue le faire, au bout de si peu de temps.

— Et arrête de parler comme si je n'étais pas là. Je déteste ça.

— *Pourquoi* es-tu ici ? demanda Mia, agacée. Nell et moi pouvons nous passer de toi.

C'était d'ailleurs son intention avant qu'elle n'ait vu surgir Ripley.

— Nous n'avons certainement pas besoin de toi ni de tes pauvres tentatives toutes rouillées. Elle n'a jamais été aussi bonne que moi, précisa Mia à Nell. Ça l'a toujours exaspérée de me voir faire sans effort ce qui lui donnait tant de mal.

— J'étais au moins aussi bonne que toi.

— Ça m'étonnerait.

— J'étais meilleure.

Ripley n'avait jamais été capable de refuser un défi.

— Prouve-le.

Affaiblie par l'attendrissement, poussée par le désir de participer et hérissée par le défi, Ripley pénétra dans le cercle.

D'une démarche arrogante, nota Nell.

Elle ne leva pas les bras comme Mia, mais les jeta en avant et le feu fusa de ses doigts.

— Tu l'as fait exprès, lança-t-elle à Mia d'une voix sifflante.

— Peut-être, mais toi aussi. Et regarde, le ciel ne nous est pas tombé sur la tête. C'est toi qui as fait ce choix, Ripley. Je n'aurais pas pu t'y obliger si tu n'avais pas voulu.

— Ça ne change rien. Je ne recommencerai pas.

— Si tu le dis. Mais puisque tu es là, prends donc un verre de vin, proposa Mia en s'emparant de la bouteille.

Elle regarda les trois flammes : celle de Ripley était la plus haute, à cause de sa colère. Mais pas aussi élégante que la sienne.

Et tout en versant le vin, elle sentit une flamme s'élever en elle, celle de l'espoir.

Une fois rentrées chez Mia, elles burent un autre verre.

Très agitée, Ripley allait d'une fenêtre à l'autre en faisant tinter des pièces de monnaie dans sa poche. Mia feignit l'indifférence. Ripley n'avait jamais été une âme tranquille et, en ce moment précis, il était visible qu'une guerre impitoyable se livrait en elle.

— Tu as décidé comment tu allais régler la situation avec Zack ?

Assise devant le feu, Nell leva les yeux sur Ripley.

— Non. J'espère vaguement qu'Evan acceptera de divorcer mais, au fond, je sais que ce n'est pas le cœur du problème.

— Si tu ne résistes pas aux brutes, elles te piétinent.

Nell admira Ripley. Une femme forte et prête à tout.

— Une chose est de le savoir, une autre d'agir. Evan n'aurait rien pu t'arracher, à toi.

— Alors, reprends-lui ce qu'il t'a pris, fit Ripley avec un haussement d'épaules.

— Elle le fera quand elle sera prête, intervint Mia. Toi, entre toutes, tu dois savoir qu'il est impossible d'imposer ses croyances, ses idées ou ses règles à quelqu'un. Ni de supprimer sa peur.

— Elle m'en veut parce que je fais souffrir Zack. Je ne peux pas le lui reprocher, remarqua Nell.

— C'est un grand garçon, riposta Ripley en s'asseyant sur l'accoudoir du canapé. Qu'est-ce que tu comptes faire à son sujet – Zack, je veux dire – en attendant ?

— Faire ?

— Ouais, faire. Tu vas te contenter de le laisser s'enfoncer dans le cafard ? Chez lui, c'est l'étape qui suit la colère, et je te garantis qu'elle est beaucoup plus difficile à vivre que la précédente. Toi et moi, on est copines maintenant, non ? Alors, je t'en prie, fais plaisir à ta copine et sors-le de là avant que je ne sois obligée de l'étouffer dans son sommeil.

— On a parlé.

— Je ne veux pas dire « parler ». Je veux dire « faire ». Elle est vraiment angélique à ce point ? s'inquiéta Ripley en se tournant vers Mia.

— Apparemment, Ripley, avec sa délicatesse habituelle, te suggère d'attirer Zack dans ton lit et de régler vos problèmes grâce à quelques séances de sexe torride. Ce qui est sa réponse à tous les problèmes, y compris les ongles incarnés.

— Pince-moi. Mia a renoncé au sexe. C'est pour ça qu'elle est si vache.

— Je n'ai pas renoncé. Simplement, je suis plus sélective qu'une chatte en chaleur.

— Ça n'a rien à voir avec le sexe, déclara fermement Nell dans l'espoir d'étouffer la dispute dans l'œuf.

— Tiens donc, fit Ripley avec un reniflement de mépris.

Mia soupira.

— Ça ne m'enchante pas de l'avouer, mais je suis d'accord avec Ripley. En partie, du moins. Tes relations avec Zack ne se fondent pas uniquement sur la sexualité, contrairement à toutes celles de Ripley. Mais c'est néanmoins un élément essentiel qui permet l'expression de vos sentiments.

— Enrobe ça comme tu veux, ça reste du sexe, insista Ripley. Zack a beau avoir l'âme noble, ce n'est qu'un mec. Et de te tourner autour sans pouvoir baiser...

— Ripley, s'il te plaît.

— Sans avoir de relations intimes, corrigea-t-elle. Ça va lui porter sur les nerfs. Et s'il doit s'occuper de ce connard de Los Angeles, il faut qu'il soit au sommet de sa forme.

— Dans ce domaine, il veille à me garder à distance.

— Eh bien, tu n'as qu'à raccourcir la distance, précisément dans ce domaine, rétorqua Ripley. Voilà ce qu'on va faire. Tu me déposes chez toi. J'y dormirai cette nuit. Toi, tu vas chez nous, et à toi de jouer. Tu es avec lui depuis assez longtemps pour savoir sur quel bouton appuyer.

— C'est sournois, malhonnête. C'est de la manipulation.

— Et alors ?

Malgré elle, Nell éclata de rire.

— Peut-être que je vais y aller. Pour *discuter*.

— Oh, appelle ça comme tu voudras !

Ripley finit son vin jusqu'à la dernière goutte.

— Tiens, emporte ces verres et tout ce bazar à la cuisine, et prends tes affaires.

— D'accord, fit Nell. J'en ai pour une minute.

— Prends ton temps.

Mia attendit que Nell soit sortie pour se tourner vers Ripely.

— Que voulais-tu me dire en privé ?

— Ce que j'ai fait ce soir ne change rien.

— Tu te répètes.

— Oh, boucle-la !

Ripley se remit à arpenter la pièce. Elle s'était ouverte aux impressions peu de temps, mais cela lui avait suffi pour sentir combien l'atmosphère était lourde et tendue.

— D'accord, des ennuis s'annoncent. Je ne vais pas faire semblant de ne pas m'en être aperçu, et je ne vais pas prétendre que je n'ai pas pensé au moyen de les éviter. Je ne laisserai pas Zack en danger. Je le ferai, Mia. Mais c'est un fusil à un coup.

Mia s'abstint de prendre un air triomphant. Cela ne lui vint même pas à l'esprit.

— Nous allumerons les feux sacrés à minuit, la veille de la Samhain, dit-elle. Retrouvons-nous à 10 heures pour le sabbat. Zack porte déjà le talisman de Nell mais, à ta place, je protégerai votre maison. Tu te rappelles comment on fait ?

— Je sais ce que j'ai à faire, grommela Ripley. Et, lorsque tout sera fini, les choses redeviendront comme avant. Ça, c'est…

— Je sais, coupa Mia. Un fusil à un coup.

Zack avait lâché sa paperasse, laissé tomber son télescope, et pratiquement abandonné l'idée qu'il parviendrait à dormir par sa seule volonté. À présent, il essayait d'y arriver par l'ennui, en feuilletant l'un des magazines sur les armes de Ripley.

Vautrée au pied du lit, Lucy dormait d'un sommeil profond qu'il lui enviait. Soudain, elle redressa la tête et lâcha un «Ouaf» d'avertissement. Une seconde plus tard, Zack entendit la porte d'entrée s'ouvrir.

— Du calme, ma fille, ce n'est que Ripley.

Lucy se rua vers la porte en frétillant de l'arrière-train.

— Oublie ça. Il est trop tard pour jouer.

Des petits coups sur le battant déclenchèrent des aboiements joyeux et un juron.

— Oui ?

La porte s'ouvrit. Lucy se lança dans de grands bonds joyeux qui s'achevèrent, les deux pattes avant sur Nell.

Zack sursauta et se redressa dans son lit.

— Lucy, couchée! Excuse-moi, je pensais que c'était Rip.

Il s'apprêtait à se lever lorsqu'il se rappela qu'il était nu.

— Quelque chose ne va pas ? s'enquit-il.

— Non, rien.

Nell se pencha pour caresser Lucy. Visiblement, ils étaient aussi embarrassés l'un que l'autre. Eh bien, ils avaient au moins une chose en commun, songea-t-elle.

— Je voulais juste te voir. Discuter avec toi.

Il jeta un coup d'œil à la pendule. Presque minuit.

— Descends au rez-de-chaussée. J'arrive.

— Non.

Il n'allait tout de même pas la traiter comme une invitée.

— On sera très bien ici.

Elle s'approcha, s'assit au bord du lit. Il portait toujours le médaillon, ce qui n'était pas dépourvu de signification.

— J'ai fait du feu, ce soir.

Surpris, il la dévisagea.

— D'accord.

— Non, tu n'as pas compris, dit-elle en riant. Je l'ai fait à partir de rien. Sans allumette et sans bois.

— Oh…

Il ressentit un chatouillement au creux de la poitrine.

— Je ne sais pas trop ce que je suis censé dire. Félicitations ? Ou bien… Ça alors ?

— Je me suis sentie forte, et pleine de vie, et… entière. Je voulais t'en parler. Je me suis sentie comme quand je suis avec toi. Quand tu me touches. Tu ne veux pas me toucher parce que je suis mariée à un autre.

— Ça n'enlève pas le désir, Nell.

Elle accueillit ces mots avec soulagement.

— Tu ne veux pas me toucher parce que j'ai un lien légal avec un autre. Mais le fait est, Zack, que le seul homme avec lequel j'ai un véritable lien, c'est toi. Lorsque je me suis enfuie, je me suis dit que je ne me lierais jamais plus avec qui que ce soit. Que je ne prendrais jamais plus ce risque. Et puis je t'ai rencontré. Tu sais que je possède un pouvoir magique. C'est étonnant, exaltant et délicieusement doux, mais ce n'est rien, rien du tout, en comparaison de ce qu'il y a là pour toi, acheva-t-elle en posant le poing sur son cœur.

Toute défense, tout argument rationnel auxquels il aurait pu songer s'évanouirent.

— Nell...

— Tu me manques. Ta présence me manque. Je ne te demande pas de me faire l'amour. C'est avec cette idée que j'étais venue. Je m'apprêtais à tenter de te séduire.

Il glissa doucement les doigts dans les cheveux de Nell.

— Qu'est-ce qui t'a fait changer d'avis ?

— Je ne veux plus jamais te mentir, même de façon inoffensive. Et je ne veux pas utiliser une partie de tes sentiments contre l'autre. Je veux seulement être avec toi, Zack. Uniquement ça. Ne me renvoie pas.

Il l'attira à lui jusqu'à ce que sa tête se blottisse au creux de son épaule, et il sentit son long, très long soupir de béatitude faire écho au sien.

19

S'absenter quelques jours n'était pas chose facile pour un homme tel que lui. Modifier les programmes de réunions, reporter les rendez-vous, informer les clients, prévenir le personnel, que de tâches compliquées et fastidieuses!

C'était fou le nombre de gens qui dépendaient de lui.

Plus ennuyeux encore, il dut se passer des services de son assistante et se charger personnellement des diverses réservations que nécessitait son voyage.

Mais, après mûre réflexion, Evan avait décidé qu'il n'y avait pas d'autre solution. Personne ne devait savoir où il était ni ce qu'il faisait. Ni son personnel, ni ses clients, ni la presse. Naturellement, en cas de crise, on pourrait toujours le joindre sur son portable. Sinon, jusqu'à ce qu'il ait fini ce qu'il avait à faire, il resterait inaccessible.

Il lui fallait impérativement savoir.

Il n'était pas parvenu à chasser de sa tête l'information que sa sœur lui avait communiquée de manière si désinvolte.

Le sosie d'Helen. Le fantôme d'Helen.

Il se réveillait la nuit, en nage, après avoir vu Helen en rêve, *son Helen*, marchant sur une plage. Vivante. Le narguant. Se donnant au premier mâle venu.

C'était insupportable.

Le chagrin que sa mort lui avait causé se muait lentement, inexorablement, en une rage froide et meurtrière.

L'aurait-elle leurré ? Aurait-elle, Dieu seul savait comment, organisé et exécuté le simulacre de sa propre mort ?

Il ne l'aurait pas crue assez intelligente, et sûrement pas assez courageuse, pour tenter de le quitter, encore moins pour y parvenir. Elle *savait* quelles en seraient les conséquences. Il le lui avait dit on ne pouvait plus clairement.

Jusqu'à ce que la mort nous sépare.

Elle n'avait pu le faire seule. On l'avait aidée. Un homme, un amant. Aucune femme, Helen moins qu'une autre, n'était capable d'imaginer un tel scénario. Combien de fois s'était-elle éclipsée pour se vautrer avec quelque ignoble voleur de femme et mettre au point les détails de sa trahison ?

Rire et forniquer, comploter et organiser.

Oh, elle allait le payer !

Il finit cependant par se ressaisir et mener ses affaires et sa vie sans qu'une seule ride n'en trouble la surface lisse. Par moments, il réussissait presque à se convaincre que l'affirmation de Pamela était absurde. Après tout, c'était une femme. Et les femmes étaient, par nature, sujettes à des accès d'imagination et de folie.

Mais, à d'autres moments, il avait l'impression d'entendre des fantômes murmurer dans sa grande maison de Beverly Hills ou, pire encore, sa défunte femme éclater d'un rire railleur. Et si elle n'était pas morte ?

Il fallait qu'il sache. Et, pour cela, il devait se montrer prudent, et extrêmement malin.

— Il est temps d'embarquer.

Ses yeux pâles comme de l'eau clignèrent.

— Pardon ?

L'employé du ferry arrêta de souffler sur son gobelet de café et s'écarta instinctivement, saisi par ce
regard fixe et vide.

— On embarque, répéta-t-il. Vous allez sur l'île des
Trois Sœurs, non ?

Le sourire qui éclaira le beau visage était encore
pire que le regard.

— Oui, en effet.

Selon la légende, Air avait quitté l'île avec un
homme qui avait promis de l'aimer et de prendre
soin d'elle. Finalement, il lui avait fait mener une
existence misérable et elle ne s'était pas rebellée.
Elle avait mis au monde ses enfants dans la tris-
tesse et les avait élevés dans la peur. Et elle était
morte.

Mais avant, elle avait renvoyé ses enfants sur l'île
des Trois Sœurs afin qu'ils y trouvent refuge et protection. Quant à elle, elle n'avait rien fait pour se
défendre, en dépit de ses pouvoirs.

Ainsi s'était forgé le premier chaînon de la malé-
diction.

Tandis qu'elle descendait la rue, Nell réfléchissait
une fois de plus à cette histoire. Au poids des choix
faits et à faire, à celui des erreurs commises et au
destin.

Lorsqu'elle entra au poste, Zack était en train de
sermonner un jeune garçon qu'elle ne reconnut pas.
Elle s'apprêtait à ressortir mais, sans s'interrompre,
il lui fit signe d'attendre.

— Non seulement tu vas aller chez Mme Demeara,
t'excuser et nettoyer les dégâts, mais je te colle en plus
une amende pour détention d'explosifs interdits et
destruction volontaire de biens d'autrui. Cinq cents
dollars.

— Cinq cents dollars ! Mais j'ai pas cinq cents dollars. Ma mère va me tuer, c'est sûr.

Zack afficha un air impitoyable.

— Est-ce que j'ai dit que j'avais terminé ?

— Non, m'sieur, marmonna le gamin avec une expression de chien battu.

— Je te propose de payer ton amende en nettoyant le poste de police. Deux fois par semaine. Trois dollars de l'heure.

— Trois ? Mais ça va me prendre... pardon, m'sieur, vous n'aviez pas fini.

Les lèvres frémissantes, Zack parvint à retenir un fou rire.

— J'ai aussi d'autres corvées à te faire faire chez moi. Le samedi.

Qu'y avait-il de plus cruel que de bosser le samedi au lieu d'aller s'amuser avec les copains ?

— Même tarif. Tu commences là-bas samedi prochain. Des questions ?

— Non, m'sieur... Euh, je veux dire, shérif.

— Allez, file.

Le gamin obéit sans demander son reste.

— Qu'a-t-il fait pour mériter les travaux forcés ?

— Il a collé une saloperie de pétard dans une citrouille. Ça l'a fait péter jusqu'au ciel. Et, naturellement, tout est retombé.

— Aurais-tu un peu de temps à me consacrer, shérif ? demanda-t-elle en s'asseyant.

— Je pense pouvoir le prendre.

Il était surpris qu'elle ne l'ait pas embrassé et qu'elle se tienne ainsi, droite et solennelle.

— Que se passe-t-il ?

— Je vais avoir besoin d'aide, et de quelques conseils. D'ordre juridique. Je me suis fabriqué une fausse identité, j'ai inscrit de fausses informations sur des papiers officiels, et je les ai signées d'un nom qui n'est pas légalement le mien. J'imagine que simuler ma mort est aussi illégal. Au moins en ce qui concerne l'assurance-vie. Il y avait sûrement des polices.

Il ne la quittait pas des yeux.

— Je pense qu'un avocat pourrait s'occuper de ça et que, lorsque tous les faits seront connus, personne ne portera plainte. Qu'es-tu en train d'essayer de me dire, Nell ?

— Je veux t'épouser. Vivre avec toi, avoir des enfants avec toi. Mais, comme tu me l'as dit, il faut que je mette fin à l'histoire précédente. J'ai besoin de savoir comment procéder, et si je risque d'aller en prison.

— Tu n'iras pas en prison. Tu crois que je laisse-rais faire ça ?

— Ça ne dépend pas de toi.

— Les faux papiers et le reste, ça ne hérissera le sens de la justice de personne, répliqua Zack qui avait beaucoup réfléchi à la situation. Au contraire, quand ton histoire sera connue, tu apparaîtras comme une héroïne

— Une héroïne, sûrement pas.

— Tu connais les statistiques concernant les vio-lences conjugales ?

Il ouvrit un tiroir et en sortit un dossier.

— J'ai rassemblé quelques éléments sur le sujet. Jettes-y un coup d'œil quand tu auras le temps.

— C'était différent pour moi.

— C'est différent pour chacun, chaque fois. Le fait que tu as été élevée dans un foyer uni et que tu habi-tais dans une belle maison n'entre pas en ligne de compte. De nombreuses personnes sont dans ton cas. Quand elles apprendront ton histoire, certaines d'entre elles oseront enfin sauter le pas. C'est en cela que tu deviendras une héroïne.

— Mais, même si j'ai l'opinion publique pour moi, il reste toutes les irrégularités que j'ai commises.

— On s'en occupera, une à la fois. En ce qui concerne l'assurance, s'il le faut, nous la rembourserons. Tout ce qu'il y aura à faire, nous le ferons ensemble.

En entendant cela, Nell se sentit soulagée d'un énorme poids.

— Je ne sais pas par où commencer.

Il se leva et vint s'accroupir à ses pieds.

— Ces démarches, je désire que tu les fasses pour moi. C'est égoïste, mais je ne peux pas m'en empêcher. Mais je les désire pour toi aussi, sois-en sûre.

— Je deviendrai Nell Todd. J'aurai le nom que je désire porter.

L'émotion qui assombrit le regard de Zack ne fit que la conforter dans sa décision.

— J'ai peur de lui, c'est plus fort que moi. Mais, à présent, je me rends compte que je continuerai à avoir peur tant que cet épisode de ma vie ne sera pas définitivement clos.

— Je connais un avocat à Boston. On va l'appeler, et se mettre au boulot sans tarder.

— D'accord.

— Il y a une chose qu'on peut faire dès maintenant.

Il se releva et ouvrit un tiroir du bureau. Le cœur de Nell eut un délicieux sursaut lorsqu'elle reconnut l'écrin qu'il en sortait.

— Je n'arrête pas de trimballer ce truc partout. Mettons-le là où il doit être.

Son estomac dansait la samba lorsqu'elle reprit le chemin de la librairie. Un mélange d'excitation et d'énervement.

Elle entra, salua Lulu de la main et grimpa l'escalier quatre à quatre.

— Il faut que je te raconte, s'écria-t-elle en ouvrant la porte du bureau.

Mia leva les yeux de son clavier.

— Tu as vu ma bague !

— Petite sœur, j'ai vu ta figure.

Mia avait beau s'estimer blasée en ce qui concernait l'amour, la vue du visage de Nell lui réchauffait le cœur.

— Mais je veux voir aussi la bague, ajouta-t-elle en lui prenant la main. Un saphir ! soupira-t-elle. Cette pierre aide à guérir. Elle peut aussi protéger du mal. En plus, il est magnifique.

Elle embrassa Nell.

— Je suis très heureuse pour toi.

— Nous avons appelé un avocat que Zack connaît. Il va m'aider à régulariser ma situation et à divorcer. Pour commencer, il va déposer une demande d'injonction contre Evan. Je sais bien que ce n'est qu'un bout de papier mais...

— C'est un symbole très significatif.

— Oui. Dans un jour ou deux, une fois qu'il aura tout préparé, il contactera Evan. Avec ou sans injonction, il viendra, Mia. Je sais qu'il viendra.

— Tu as peut-être raison.

Était-ce cela qu'elle avait pressenti, l'atmosphère lourde et tendue, l'approche d'un cataclysme inconnu ?

— Mais tu es prête, et tu n'es pas seule. Dès qu'il aura été contacté par ton avocat, Zack et Ripley guetteront chaque ferry. Si tu n'as pas prévu de t'installer avec Zack tout de suite, viens chez moi. Demain, c'est le sabbat. Ripley a accepté de participer. Lorsque le cercle sera formé, il ne pourra pas le rompre. Ça, je peux te le promettre.

Nell sortit de la librairie avec l'intention d'annoncer la nouvelle à Ripley. Mais à peine dehors, une violente nausée lui souleva l'estomac. Chancelante, elle s'appuya contre le mur et attendit la fin du malaise.

Lorsque le pire fut passé, elle s'efforça de respirer calmement. C'était le trac avant le déclenchement des opérations. Tout allait se dérouler très vite, à présent. Sans possibilité de retour en arrière. Il y aurait des questions, des coups de téléphone de journalistes, des regards en coin, des murmures sur son passage.

Elle contempla de nouveau sa bague, et les derniers vestiges de son malaise s'effacèrent.

Elle chercherait Ripley plus tard. Dans l'immédiat, elle allait acheter une bouteille de champagne.

Evan débarqua sur l'île au moment où, prise de nausées, Nell s'adossait au mur de la librairie. Il jeta un bref coup d'œil au port et à la plage et les trouva sans intérêt. Il remonta High Street et s'arrêta devant *L'Auberge magique*, le seul hôtel correct de ce bled tout juste bon à satisfaire les petits-bourgeois. Il sortit de sa voiture, à l'instant où Nell entrait dans le marché couvert.

Il avait réservé une suite, mais ne trouva aucun charme aux plafonds à caissons ni aux meubles anciens. Il détestait ce genre de chambres tarabiscotées, et préférait celles aux lignes nettes. Les tableaux se limitaient à des aquarelles brumeuses et à des marines, et le mini-bar ne contenait même pas son eau minérale préférée.

Mécontent, il passa dans le salon. De là, on apercevait l'une des extrémités de l'île et la falaise où se dressait le phare. Son regard accrocha la maison, et il se demanda quel imbécile avait choisi de s'installer dans un endroit aussi isolé.

Il cligna des yeux. Une lumière étrange miroitait à travers les arbres. « Effet d'optique », décida-t-il en se détournant.

Il défit ses valises et suspendit méticuleusement ses vêtements. Puis il sortit ses affaires de toilette, dont son savon extra-doux. Rien que l'idée d'utiliser les produits proposés dans les hôtels le révoltait.

Enfin, il posa sur le bureau la photographie de sa femme dans un petit cadre.

— Si tu es ici, Helen chérie, je te trouverai.

À la réception, il réserva une table dans un restaurant pour le dîner – le seul repas qu'il acceptait de prendre dans un hôtel était le petit-déjeuner.

Une fois dehors, il tourna à gauche au moment où Nell sortait du marché et obliquait à droite pour regagner sa maison.

Nell en était sûre, ce matin était le plus heureux de sa vie. Le ciel était argenté, avec des traînées roses, rouges et or, et elle avait dans son lit un homme assoupi qui lui avait montré d'une manière fort satisfaisante combien il avait apprécié son rôti en cocotte.

Des muffins cuisaient dans le four, le vent frémissait, et elle était prête à affronter ses démons.

Bientôt, elle quitterait son cottage. Cette petite maison douillette lui manquerait, mais la perspective de vivre avec Zack la consolait largement.

Ils passeraient Noël ensemble. Peut-être même seraient-ils déjà mariés, si l'on avait pu entre-temps dénouer les imbroglios juridiques.

Un miaulement piteux la tira de ses rêveries.

— Oh, Diego, excuse-moi, j'ai oublié de te nourrir ! J'ai la cervelle à l'envers, aujourd'hui. Je suis amoureuse et je vais me marier. Tu habiteras avec nous, dans notre maison au bord de la mer, et Lucy et toi serez amis.

Elle sortit la pâtée et remplit le bol.

— Une femme qui parle avec son chat, qu'est-ce que c'est que ça ?

Nell ne sursauta pas, ce qui leur fit plaisir à tous deux. Au lieu de cela, elle se redressa et s'approcha de Zack.

— Bonjour, shérif Todd.

— Bonjour, mademoiselle Channing. Est-ce que j'ai droit à une tasse de café avec un muffin ?

— On paye d'abord.

Il l'enlaça et l'embrassa longuement.

— Ça ira comme ça ?

— Parfait. Attends, je te rends la monnaie.

Nouant les mains sur sa nuque, elle lui rendit son baiser.

À 8 h 30 précises, Evan s'installa devant son petit-déjeuner.

Il avait auparavant tenté de profiter des piètres installations sportives de l'hôtel. Les piscines publiques le dégoûtaient, aussi avait-il renoncé à son bain lorsqu'il avait vu que quelqu'un nageait déjà dans celle de l'hôtel. Une femme brune et mince qui effectuait des longueurs à toute allure, comme si elle faisait la course.

Il n'avait fait qu'apercevoir le visage qui sortait régulièrement de l'eau.

Et quand il s'était éloigné, il ne l'avait pas vue s'interrompre et se redresser dans une attitude belliqueuse. Il ne l'avait pas vue non plus ôter ses lunettes de plongée et regarder autour d'elle à la recherche de la présence ennemie qu'elle avait ressentie.

Il était remonté dans sa chambre, avait pris sa douche et enfilé un pull gris et un pantalon noir. Ensuite, prêt à s'irriter du moindre retard, il avait attendu son petit-déjeuner en gardant un œil sur sa montre.

Mais le repas arriva à la minute dite. Le serveur n'eut pas droit à un mot de bienvenue ni de remerciement, niaiseries auxquelles jamais Evan Remington ne s'abaissait. L'homme était payé pour servir, pas pour fraterniser avec les clients.

Il apprécia le petit-déjeuner, surpris de n'y trouver aucun défaut, et réfléchit à la meilleure façon de procéder. Arpenter le village, comme la veille, puis parcourir l'île en voiture, comme il avait projeté de faire aujourd'hui, pouvaient se révéler insuffisants. Mais il ne pouvait tout de même pas aborder les passants en leur montrant un portrait d'Helen. Les gens poseraient des questions, échafauderaient des hypothèses et, bientôt, il ne jouirait plus de l'incognito.

Si, Helen vivait ici, moins on ferait attention à lui, mieux cela vaudrait.

Et si elle était là, comment subvenait-elle à ses besoins sans lui ? Elle ne savait rien faire. À moins, bien sûr, qu'elle ne se soit servie de son corps pour appâter un autre homme…

Il serra les poings et attendit que sa fureur soit passée. Il était difficile de réfléchir logiquement quand on était en colère. Même si cette colère était justifiée.

Il la trouverait, se rassura-t-il. Si elle était vivante, il la trouverait. C'était évident. Ce qui l'amena à se demander ce qu'il ferait ensuite.

Naturellement, il lui faudrait la punir. Pour l'avoir trompé, pour avoir essayé de se libérer des liens sacrés du mariage. Les soucis, la gêne, les mille souffrances qu'elle lui avait fait endurer… le prix en était incalculable.

Il la ramènerait en Californie, bien sûr, mais pas tout de suite. Ils iraient d'abord se terrer dans un endroit tranquille où il lui rappellerait ses serments. Et qui était le chef.

Ils raconteraient qu'elle avait été projetée hors de la voiture. Qu'un choc à la tête l'avait rendue momentanément amnésique.

La presse adorerait, décida-t-il. Elle goberait tout.

Si rien de tout cela n'était possible, si elle le repoussait, si elle essayait à nouveau de s'enfuir ou d'aller pleurer auprès des flics, il ne lui resterait plus qu'à la tuer.

Il prit cette décision aussi calmement qu'il avait choisi le menu de son petit-déjeuner.

On frappa à sa porte. Evan alla ouvrir.

— Bonjour, monsieur, dit aimablement la femme de chambre. Vous avez demandé qu'on fasse la chambre entre 9 et 10 heures.

Il consulta sa montre. 9 h 30. Il avait laissé ses pensées vagabonder plus longtemps que prévu.

— Voulez-vous que je commence par la chambre ?

— Oui.

Il reprit une tasse de café. Il était trop tôt pour appeler la côte Ouest. En revanche, il pouvait appeler New York. Il avait une affaire sur le feu, là-bas, et ça ne ferait pas de mal de remuer la sauce.

Il entra dans la chambre pour chercher son agenda et découvrit la domestique, les bras chargés de linge propre, devant la photo d'Helen.

— Il y a un problème ?

— Pardon ? fit-elle en rougissant. Non, monsieur, excusez-moi.

Elle se hâta de poser son fardeau et entreprit de faire le lit.

— Vous regardiez cette photo avec beaucoup d'attention. Pourquoi cela ?

— C'est une très belle femme.

La voix d'Evan lui flanquait la trouille sans qu'elle sache pourquoi. Elle n'avait soudain qu'une envie : bâcler sa tâche et déguerpir.

— Elle est belle, c'est vrai. C'est ma femme, Helen. Vu la façon dont vous regardiez sa photo, j'ai pensé que, peut-être, vous la connaissiez.

— Oh, non, monsieur, ça m'étonnerait ! C'est juste qu'elle me rappelle quelqu'un.

Il se raidit.

— Ah bon ?

— Elle ressemble beaucoup à Nell, sauf que Nell n'a pas ces cheveux magnifiques et cet air... je ne sais pas... sophistiqué, on pourrait dire.

— Vraiment ?

Son sang commençait à s'échauffer, mais il réussit à garder une voix douce, presque amicale.

— C'est intéressant. Ma femme serait fascinée de savoir qu'il existe une femme qui lui ressemble à ce point.

Nell. La mère d'Helen l'appelait Nell. Un nom simple et peu élégant qu'il avait toujours détesté.

— Et elle habite l'île, cette Nell ?

— Bien sûr. Elle vit ici depuis le début de l'été, dans le cottage jaune. Elle tient le café, à la librairie. Elle a aussi monté une entreprise de traiteur. C'est une excellente cuisinière. Vous devriez aller déjeuner là-bas. Il y a tous les jours une soupe, un plat et un sandwich différent, et c'est délicieux.

— Pourquoi pas ? dit-il à mi-voix.

Nell pénétra dans la librairie par la porte de derrière, lança à Lulu un salut désinvolte et prit l'escalier.

Une fois là-haut, elle se hâta.

Deux minutes plus tard, elle appela d'un ton implorant :

— Mia, est-ce que tu pourrais monter une seconde ?

— Elle devrait être capable de se débrouiller seule, après tout ce temps, marmonna Lulu, ce qui lui valut un regard oblique de la patronne.

— Et, toi, tu devrais lui fiche un peu la paix, après tout ce temps, riposta Mia en montant.

Nell se tenait debout auprès d'une table sur laquelle elle avait disposé un superbe gâteau orné de bougies, un petit paquet et trois flûtes où pétillait du champagne.

— Joyeux anniversaire.

La gentillesse du geste fit oublier à Mia qu'elle s'était laissé prendre au dépourvu, ce qui lui arrivait rarement. Elle eut un sourire ravi.

— Merci. Un gâteau, du champagne *et* un cadeau ? s'écria-t-elle. Ça vaut presque le coup de passer le cap de la trentaine.

— Tu es encore un bébé, fit Lulu qui les rejoignait. Quand tu arriveras à cinquante, on en reparlera.

Elle lui tendit un autre paquet, plus volumineux.

— Joyeux anniversaire !

— Merci. Alors, je commence par quoi ?

— Le vœu d'abord, dit Nell. Et souffle les bougies.

Mia s'exécuta. Cela fait, Nell lui tendit la pelle à tarte.

— À toi de couper le premier morceau.

— Très bien. Et, après, je veux mes cadeaux.

Mia coupa une part, puis prit le plus gros paquet et déchira l'emballage.

Le jeté-de-lit bleu nuit, orné de signes du zodiaque, était doux et léger.

— Oh, Lu, il est merveilleux !

— Il est splendide, renchérit Nell en le caressant.

— Merci, fit Mia en frottant sa joue contre celle de Lulu avant de l'embrasser.

Bien que très émue, celle-ci la repoussa.

— Vas-y, ouvre le cadeau de Nell avant qu'elle n'explose.

Mia ouvrit le paquet, et en sortit des boucles d'oreilles. Des petites étoiles en argent qui tintaient contre de minuscules globes en pierre de lune.

— Magnifiques, s'écria-t-elle.

Elle les brandit sous la lumière et embrassa Nell.

— Et parfaites, surtout pour aujourd'hui.

Elle était de nouveau vêtue de noir, mais l'élégant drapé de la robe était mis en valeur par un semis d'étoiles et de lunes argentées.

Elle enleva prestement les boucles d'oreilles qu'elle portait pour les remplacer par celles de Nell.

— Très bien, fit Lulu en levant son verre. À tes trente ans !

— Oh, Lulu, ne gâche pas tout, protesta Mia en riant.

Elle consulta sa montre en argent.

— On ouvrira avec quelques minutes de retard, aujourd'hui. Tant pis !

Dénicher le cottage jaune ne fut pas difficile. Evan ralentit pour étudier la petite maison blottie à la lisière d'un bois. À peine mieux qu'une cabane. Il se sentit insulté.

Elle préférait ce taudis aux belles demeures qu'il lui avait offertes.

Il eut du mal à ne pas se ruer sur-le-champ au Café-Librairie pour l'en arracher. Ce n'était pas en public qu'on mettait au pas les épouses traîtresses.

Cette tâche requérait un peu d'intimité.

Il retourna au village, gara sa voiture et revint à pied. Son sang bouillonnait dans ses veines. Un examen attentif lui montra qu'aucune des maisons voisines n'était assez près pour le gêner. Il s'enfonça cependant dans le bois et observa la bicoque de loin.

Comme rien ne bougeait, qu'aucun son ne lui parvenait, il se dirigea vers la porte de derrière.

Il sentit une vague étrange l'assaillir, comme si un être invisible tentait de le repousser. Et, un bref instant, cette force inconnue éveilla en lui quelque chose qui ressemblait à de la peur. Le pire fut qu'il recula malgré lui.

Sa fureur redoubla et eut raison de ses craintes. Une soudaine rafale de vent fit tinter le stupide carillon qui pendillait de l'avant-toit. Il se fraya un passage à travers ce qui lui sembla être un mur d'air compact et agrippa la poignée de la porte.

Elle ne fermait même pas sa maison à clef ! Décidément, quelle idiote !

Il vit le chat et faillit crier. Il haïssait les animaux, ces créatures répugnantes. Ils se dévisagèrent un long moment, puis Diego fila.

Evan examina la cuisine puis, curieux de savoir comment sa défunte femme vivait depuis un an, il entreprit de visiter le cottage.

Il avait hâte de la revoir.

20

Cet après-midi-là, l'atmosphère du village était si gaie que Nell fit au moins cinq ou six faux départs avant de regagner sa maison. La plupart des commerçants s'étant costumés pour Halloween, des démons vendaient de la quincaillerie et des fées vantaient leurs produits de beauté ou leurs légumes.

Elle avait déjeuné tardivement avec Ripley, et avait passé un moment à discuter boutique avec Dorcas.

Presque une personne sur deux l'arrêtait et la félicitait pour ses fiançailles.

Elle fit un saut au poste de police afin de convenir d'un rendez-vous avec Zack pour distribuer des friandises aux fantômes et aux lutins que le crépuscule allait forcément leur amener.

— Je serai peut-être un peu en retard. Il faut que je surveille les plus âgés des gamins, dit-il.

— Y a-t-il eu d'autres explosions de citrouille?

— Non. Je pense qu'ils ont dû se passer le mot. Dis-moi, tu m'as l'air en pleine forme, aujourd'hui.

— Je le suis.

Elle s'approcha et lui glissa les bras autour du cou.

À cet instant, le téléphone se mit à sonner. Il décrocha.

— Bureau du shérif. Oui, madame Stubens. Comment?

Il s'écarta légèrement de Nell et reprit :

— Il y a des blessés ? Bon. Non, restez où vous êtes. J'arrive. Nancy Stubens, annonça-t-il en allant décrocher sa veste. Elle apprenait à conduire à son fils, et il est rentré dans la Honda des Bigelow qui était à l'arrêt.

— Rien de grave ?

— Non. Mais ça prendra peut-être un moment.

— Tu sais où me trouver.

Ils sortirent ensemble, puis après un doux baiser, chacun alla de son côté.

Elle avait parcouru la moitié d'un pâté de maisons lorsque Gladys Macey la héla.

— Nell, attendez-moi !

Gladys la rejoignit à petits pas pressés.

— Faites-moi voir cette bague. J'en ai tellement entendu parler.

Sans attendre, Gladys lui attrapa la main et se pencha pour la scruter.

Elle hocha la tête, puis leva les yeux sur Nell.

— Vous avez gagné le gros lot, et je ne parle pas de la bague.

— Je sais.

— Je l'ai vu grandir. Ça me fait plaisir que ce soit vous qu'il ait choisie. J'ai un petit faible pour vous.

— Merci, souffla Nell, émue, en l'étreignant.

— Vous le rendrez heureux et il vous rendra heureuse.

Elle tapota affectueusement le dos de Nell.

— Je sais que vous avez eu des difficultés, reprit-elle. Ça se voyait dans vos yeux quand vous êtes arrivée. Mais, à présent, on ne voit quasiment plus rien.

— J'ai laissé tout ça derrière moi.

— Est-ce que la date est fixée ?

— Non, pas encore.

— Je vous préviens, je veux un siège au premier rang.

336

— Vous l'aurez. Et tout le champagne que vous pourrez boire lors de notre trentième anniversaire de mariage.

— Je vous prends au mot. Bon, il faut que j'y aille. Dites à votre homme que je le félicite pour son choix.

— Promis.

Votre homme, songea Nell en reprenant son chemin. Quelle expression merveilleuse !

Arrivée devant le cottage, elle regarda autour d'elle. Le crépuscule tombait, il n'y avait personne en vue. Elle tendit les bras vers la citrouille sur le porche, respira profondément et se concentra.

Elle aurait certainement plus vite fait avec une allumette. Mais la vue des bougies qui s'enflammaient par la seule force de sa volonté lui procura un plaisir intense.

Ce n'était pas seulement ce tour de magie qui l'enchantait. C'était le fait de savoir qui elle était et ce qu'elle était. De se découvrir forte et déterminée.

Quoi qu'il arrive demain, ou dans un an, elle était et serait toujours Nell.

Elle gravit les marches d'un pas allègre et pénétra dans la maison.

— Diego, je suis rentrée !

Elle entra en virevoltant dans la cuisine et alluma la lumière. Après quoi, elle mit la bouilloire sur le feu pour faire du thé et, tandis que l'eau chauffait, elle remplit un grand panier de petits sachets de friandises.

Elle ouvrit un placard pour en sortir une tasse.

— Ô mon Dieu, j'ai laissé ma voiture devant la librairie. Où avais-je la tête ?

— Tu as toujours été distraite.

La tasse qu'elle venait de saisir lui glissa des mains, rebondit sur le plan de travail et s'écrasa sur le carrelage. Un rugissement sourd emplit ses oreilles. Elle se retourna.

— Bonjour, Helen, fit Evan en approchant lentement. Quelle joie de te revoir…

Elle ne put ni prononcer son nom ni émettre le
moindre son. Elle avait l'infime espoir qu'il s'agissait
encore d'une vision, d'une hallucination. Mais il tendit la main et effleura sa joue de ses longs doigts fins.

Elle se sentit glacée jusqu'à la moelle.

— Tu m'as manqué. Tu as cru que je ne viendrais
pas ?

Les doigts glissèrent jusqu'à sa nuque, provoquant
un haut-le-cœur.

— Que je ne te trouverais pas ? Ne t'ai-je pas dit et
répété que rien ne pourrait nous séparer ?

Elle ne put que fermer les yeux lorsqu'il se pencha
et frôla ses lèvres des siennes.

— Qu'as-tu fait de tes cheveux ? reprit-il en tirant
méchamment sur une mèche. Tu sais combien j'aime
tes cheveux. C'est pour me déplaire que tu les as
coupés ?

Elle secoua la tête et une larme roula le long de sa
joue. Sa voix, le contact de sa main paraissaient aspi-
rer tout ce qu'elle était devenue, pour ne laisser que
la pauvre petite chose qu'elle avait été.

Elle sentit Nell disparaître.

— Cela me déplaît vraiment, Helen. Décidément,
tu m'as causé beaucoup d'ennuis. Beaucoup. Tu as
volé un an de nos vies.

Il lui prit le menton entre les doigts et le releva
d'un coup sec en pinçant la peau.

— Regarde-moi, espèce de petite garce stupide !
Regarde-moi quand je te parle.

Elle ouvrit les yeux, et se heurta à son regard vide,
si semblable à des flaques d'eau stagnante.

— Il va te falloir payer, tu sais. Plus d'un an de
perdu. Pendant lequel tu as vécu dans ce misérable
taudis, en te moquant de moi, en travaillant comme
une vulgaire barmaid, au service d'inconnus. En

essaying de monter une petite affaire ridicule. En m'humiliant.

Sa main s'enroula autour de sa gorge et serra.

— Je te pardonnerai, mais pas tout de suite, Helen. Au bout d'un certain temps, parce que je sais que tu es lente et un peu idiote. N'as-tu rien à me dire, mon amour ? Après une aussi longue séparation ?

Elle avait les lèvres froides et si desséchées qu'elle crut qu'elles allaient se déchirer.

— Comment m'as-tu retrouvée ?

Le sourire d'Evan la fit frissonner.

— Ne t'ai-je pas dit que je te retrouverais toujours, où que tu ailles, quoi que tu fasses ?

Il la poussa brutalement contre le plan de travail. Elle enregistra la douleur d'une façon presque absente, comme un souvenir lointain.

— Tu sais ce que j'ai trouvé ici, dans ton petit nid, Helen ? Des vêtements d'homme. Avec combien de mâles as-tu couché, espèce de traînée ?

La bouilloire se mit à siffler, mais ni l'un ni l'autre ne l'entendit.

— Tu t'es déniché un rustaud de pêcheur du coin ? Tu l'as laissé tripoter ton corps avec ses mains baladeuses d'ouvrier ? Tu l'as laissé triturer tout ce qui m'appartient ?

Zack. Ce fut la première pensée claire de Nell.

— Il n'y a pas de pêcheur, dit-elle d'une voix sans timbre.

Elle pleura à peine lorsqu'il la frappa.

— Menteuse. Tu sais bien que je déteste les menteuses.

— Il n'y a pas…

Au coup suivant, les larmes ruisselèrent. Et soudain, le souvenir de qui elle était lui revint. Elle était Nell Channing, et elle se battrait.

— Ne me touche pas. Ne t'approche pas.

Elle tendit la main vers le porte-couteau, mais il fut plus rapide. Il avait toujours été plus rapide.

— C'est ça que tu veux?

Il tira une longue lame dentelée et l'agita à deux centimètres du nez de Nell. Elle se prépara mentalement : « Eh bien, voilà, il va me tuer, finalement. »

Au lieu de cela, il recula et lui décocha une gifle qui l'envoya valser contre la table. Sa tête heurta le bord. Le monde s'illumina brièvement avant de sombrer dans les ténèbres.

Elle ne se sentit même pas tomber.

Mia offrit des bonbons à un jeune cosmonaute qui promit de ne pas lui jouer de tour. Le soir de Halloween, la librairie était l'un des endroits les plus visités du village. Elle avait suspendu des squelettes qui dansaient, disposé des citrouilles grimaçantes, accroché des fantômes volants et, bien sûr, campé un groupe de sorcières.

C'était pour elle l'un des meilleurs moments de l'année.

Elle servit à un cow-boy macabre un verre de punch sans alcool qu'elle tira d'un grand chaudron.

Il la fixait avec des yeux écarquillés.

— Est-ce que vous allez monter sur votre balai, ce soir?

— Bien sûr, répondit-il en se penchant vers lui. Quelle sorte de sorcière serais-je, sinon?

Elle lui tendit un paquet de bonbons.

— J'espère que tu ne vas pas me jouer de tour.

— Euh… non. Merci, m'dame.

Il laissa tomber le paquet dans son sac de mendiant et s'enfuit en courant.

Amusée, Mia se redressa. La douleur lui vrilla la tempe à cet instant précis, telle une flèche lumineuse. Elle vit un homme aux yeux clairs et aux cheveux blonds, ainsi que l'éclat de la lame du couteau qu'il brandissait.

— Appelle Zack! cria-t-elle à Lulu. Il y a du grabuge. Nell a des problèmes. Appelle Zack, vite!

Elle se précipita dans la rue, évita un groupe d'enfants costumés et faillit se cogner dans Ripley.

— Nell…

— Je sais.

La tête de Ripley résonnait encore de ce qu'elle avait perçu.

— Il faut qu'on se dépêche.

Nell refit lentement surface. Elle se redressa en gémissant et parvint à se mettre à quatre pattes. Un haut-le-cœur le fit s'effondrer de nouveau.

La cuisine était sombre à présent, éclairée uniquement par la lueur vacillante d'une chandelle posée au centre de la table.

Il était assis sur une chaise. Elle aperçut ses chaussures bien cirées et le pli parfait de son pantalon, et elle eut envie de pleurer.

— Pourquoi m'obliges-tu à te punir, Helen? J'en déduis que tu aimes ça, grinça-t-il en la poussant du bout du pied.

Elle rampa pour s'écarter. «Juste un moment, supplia-t-elle silencieusement. Le temps que je recouvre mes forces.»

Il la retint en appuyant le pied sur son dos.

— Nous allons nous rendre dans un endroit tranquille. Où nous pourrons discuter de toutes tes bêtises, de tous les ennuis que tu m'as causés. Nous irons ensemble jusqu'à ma voiture. Tu m'attendras dedans pendant que je ferai mes bagages et que je réglerai l'hôtel.

Elle secoua la tête. Cela ne servait à rien, elle le savait, mais elle s'obstina, et lorsque Diego vint se frotter contre elle, elle se mit à pleurer doucement.

— Tu vas faire exactement ce que je dis.

Il tapa du bout du couteau sur la table.

— Sinon, je n'aurai pas le choix. Je te rappelle qu'aux yeux de tous, tu es morte, Helen...

Un bruit venant du dehors lui fit redresser la tête.

— Voilà sans doute ton pêcheur qui rentre du boulot, murmura-t-il.

Il se leva, le couteau à la main.

Zack ouvrait la porte lorsque la sonnerie de son portable le fit s'arrêter en jurant. Ce fut cette pause inopinée qui lui sauva la vie.

Il aperçut l'éclair de la lame et bondit de côté tout en attrapant son arme. Le couteau rata son cœur et s'enfonça dans son épaule.

Nell poussa un hurlement et sauta sur ses pieds mais, prise de vertiges, elle chancela. Devant elle, les deux silhouettes luttaient dans la pénombre. *Une arme !* Il lui fallait une arme !

Se mordant les lèvres pour ne pas s'évanouir, elle tituba vers le porte-couteau. Il avait disparu ! Elle se retourna, prête à bondir, à se servir de ses dents et de ses ongles. Evan se tenait devant le corps de Zack, le dominant de toute sa hauteur. Dans sa main, le couteau ruisselait de sang.

— Ô mon Dieu, non !

— C'est lui, ton chevalier servant, Helen ? Il n'est pas encore mort. Mais j'ai le droit de le tuer pour avoir essayé de me voler ma femme.

— Ne fais pas ça.

Elle s'efforça de respirer à fond pour se ressaisir et recouvrer un peu de sa force.

— Je vais te suivre. Je ferai tout ce que tu voudras.

— Tu le feras, de toute façon.

— Cet homme ne compte pas, dit-elle en longeant lentement le plan de travail. Il n'a aucune importance, ni pour toi ni pour moi. C'est moi que tu veux, non? C'est pour moi que tu as fait tout ce chemin.

Il la suivrait. Si elle parvenait à franchir la porte, il la suivrait. Elle dut faire appel à toute sa volonté pour se retenir de se jeter sur Zack. Si elle le faisait, si elle le regardait, ils mourraient tous les deux.

— Je savais que tu viendrais, poursuivit-elle.

Tremblant des pieds à la tête, elle vit Evan abaisser son couteau.

— Je l'ai toujours su, continua-t-elle.

Il fit un pas vers elle; à cet instant, le chat bondit sur son dos. Evan hurla tandis que Nell se ruait dehors.

Tout en fonçant vers la rue et le village, elle jeta un coup d'œil par-dessus son épaule. Il franchissait déjà la porte. Elle n'y arriverait jamais.

L'histoire se réglerait donc en tête à tête, finalement. Se fiant au destin, elle s'enfonça entre les arbres.

Evan était dehors lorsque Zack parvint à se mettre à genoux. La douleur lui lacérait l'épaule, le sang gouttait entre ses doigts.

Il pensa à Nell et oublia la douleur.

En une seconde, il fut sur le perron. Les arbres avalaient déjà Nell et l'homme lancé à ses trousses.

— Zack!

Il s'immobilisa, le temps de lancer un regard terrifié à sa sœur et à Mia.

— Il la poursuit. Il a un couteau, et elle n'a pas beaucoup d'avance.

Ripley refoula son inquiétude en découvrant la chemise de Zack tachée de sang. Elle hocha la tête et sortit son arme en même temps que son frère.

— On utilisera tout ce que tu as, jeta-t-elle à Mia avant de s'élancer à la suite de Zack.

La nuit était sombre, à peine éclairée par la lune. Elle courait comme une folle, s'accrochant aux buissons, sautant par-dessus les branches mortes. Si elle réussissait à l'entraîner suffisamment loin et à le semer, elle ferait une boucle et reviendrait auprès de Zack.

Elle priait de toute son âme pour qu'il soit vivant.

Le souffle d'Evan lui parvenait, régulier et déterminé, alors qu'elle-même, anéantie par la peur, haletait douloureusement.

Un vertige manqua de la jeter sur le sol. Elle tituba une seconde et se ressaisit. Non, elle ne renoncerait pas.

Le corps d'Evan heurta le sien et l'envoya bouler.

Elle roula sur elle-même, se débattit à coups de pied et de poing, et ne s'immobilisa que lorsqu'il lui agrippa les cheveux et appuya le couteau sur sa gorge.

Toute son énergie reflua et elle s'affaissa telle une poupée de chiffon.

— Pourquoi ne le fais-tu pas ? dit-elle d'un ton las. Vas-y, finissons-en.

— Tu m'as quitté.

Il y avait dans sa voix autant de stupéfaction que de rage.

— Tu t'es enfuie.

— Et je m'enfuirai à nouveau. Jusqu'à ce que tu me tues, je continuerai à te fuir. Je préférerais être morte plutôt que de vivre avec toi. Je suis déjà morte une fois, alors vas-y, tue-moi. Je n'ai plus peur de toi.

Elle sentit la morsure de la lame. Un bruit de cavalcade le fit interrompre son geste. Il la força à se remettre debout.

Zack ! Une bouffée de joie envahit Nell.

Il était vivant. Une tache sombre luisait sur sa chemise mais il était vivant, et c'était l'essentiel.

— Laissez-la partir, ordonna Zack, le pistolet braqué sur Evan. Lâchez ce couteau et écartez-vous.

— Je vais lui trancher la gorge. Elle est à moi, et je n'hésiterai pas.

Les yeux d'Evan passèrent de Zack à Ripley et à Mia qui les avaient rejoints.

— Si vous lui faites du mal, vous êtes un homme mort.

— Vous n'avez pas le droit de vous interposer entre un mari et sa femme, répliqua Evan d'un ton presque raisonnable. Helen est ma femme. Juridiquement, moralement, éternellement.

Il lui tira la tête en arrière et rapprocha la lame de sa gorge.

— Jetez vos armes et partez d'ici. Cette histoire ne vous regarde en rien.

— Je ne peux pas tirer à coup sûr, murmura Ripley. Il n'y a pas assez de lumière.

— Ce n'est pas la bonne méthode. Range ton pistolet, dit Mia en lui tendant la main.

— Va au diable avec tes trucs.

Ça la démangeait d'appuyer sur la détente. « Le salaud, le salaud, le salaud… » fulminait-elle intérieurement.

— Ripley! insista Mia tandis que Zack ordonnait vainement au cinglé de lâcher le couteau.

— Merde! Tu as intérêt à avoir raison.

Zack ne les entendait pas. Tout ce qui n'était pas Nell avait cessé d'exister.

— Je ferai plus que vous tuer, déclara-t-il d'une voix tranchante. Si vous la blessez – une seule égratignure –, je vous criblerai de balles, puis je vous regarderai vous vider de votre sang et crever comme un chien.

Le visage d'Evan prit la couleur de la cendre. Le regard de Zack ne laissait aucune place au doute, il y vit son agonie et sa mort, et il eut peur. Ses doigts commencèrent à trembler sur le manche du couteau, mais il ne bougea pas.

— Cette femme est la mienne. Elle m'appartient.

Ripley agrippa la main de Mia. Une onde de choc en jaillit qui atteignit Nell. S'y ajoutèrent les vagues chaudes d'amour et de terreur émanant de Zack dont le sang s'écoulait à cause d'elle.

Et enfin, ce qu'elle n'aurait jamais cru pouvoir ressentir un jour, la peur d'Evan. Il avait beau la menacer de son couteau, Evan Remington avait peur.

Elle s'appelait Nell Channing, maintenant et pour toujours. Et l'homme qui se tenait derrière elle n'était rien.

Elle referma les doigts sur le pendentif que Mia lui avait donné. Il se mit à vibrer.

— C'est à moi que j'appartiens. Et à toi aussi, ajouta-t-elle en regardant Zack droit dans les yeux. Quant à lui, il ne peut plus me faire de mal.

Elle sentit ses pouvoirs lui revenir peu à peu.

Levant l'autre main, elle la posa sur le poignet d'Evan.

— Laisse-moi partir, et nous oublierons tout ça. C'est ta dernière chance.

— Espèce de salope, siffla-t-il à son oreille. Tu crois vraiment que je pourrais faire une chose pareille ?

— Tu n'as pas d'autre choix, reprit-elle avec une sorte de pitié dans la voix.

Une mélopée libératrice montait dans sa tête et elle s'étonna d'avoir autant craint cet individu.

> *Ce que tu as fait, à moi comme à d'autres,*
> *Te sera rendu au centuple.*
> *Cette nuit verra ma libération.*
> *J'en fais le vœu, qu'il en soit ainsi.*

Sa peau étincelait, comme revêtue d'un voile de lumière, ses pupilles scintillaient. Le couteau frémit sur sa peau et tomba. Elle entendit un gémissement, une plainte trop faible pour se muer en cri, et Evan s'affala derrière elle.

Elle ne lui accorda pas un regard.

— Ne tire pas, dit-elle à Zack d'une voix calme. Ne le tue pas. C'est toi qui en souffrirais le plus. Toi et moi, ajouta-t-elle en s'approchant. Il n'est plus rien, à présent.

Elle posa la main sur le cœur de Zack, et le sentit battre sauvagement.

— Il est ce qu'il a fait de lui.

Evan gisait à terre, secoué de soubresauts comme si de la vermine courait sous sa peau et le rongeait de l'intérieur. Son visage était livide.

Zack abaissa son arme et enlaça Nell de son bras valide. Il la maintint contre lui tandis qu'elle prenait la main de Mia qui n'avait pas lâché celle de Ripley. Tous les quatre restèrent unis ainsi quelques minutes.

— Reste avec elles, dit enfin Zack. Je m'occupe de lui. Je ne le tuerai pas. Il souffrira plus encore s'il reste en vie.

Ripley regarda son frère sortir ses menottes et s'accroupir auprès de l'homme qui se tortillait en gémissant. Elle s'interdit de l'aider. Cette dernière démarche lui appartenait.

— On lui donne deux minutes pour qu'il lise ses droits à ce salaud et, ensuite, on file à la clinique. J'ignore à quel point sa blessure est profonde.

— Je vais l'emmener, dit Nell.

Du sang souillait sa main. Celui de Zack. Elle ferma le poing et sentit la vie palpiter.

— Je resterai avec lui.

— Le courage rompt le charme. L'amour en crée un nouveau, déclara Mia en touchant le pendentif qu'elle lui avait offert.

Elle prit Nell dans ses bras et l'étreignit.

— Bravo, petite sœur. Tu as fait ce qu'il fallait. Et, toi, ajouta-t-elle en se tournant vers Ripley, tu t'es ralliée à ton destin.

Les feux de joie étaient éteints mais l'aube tardait à venir. Nell était assise dans sa cuisine, Zack lui tenait la main.

Elle avait tenu à revenir au cottage, pour faire le point sur ce qui s'était passé, sur ce qui aurait pu se passer. Elle avait balayé les forces négatives qui s'étaient attardées, allumé des chandelles et des bâtonnets d'encens.

— J'aurais préféré que tu passes la nuit à la clinique, dit Zack.

Elle lui pressa la main.

— Je pourrais en dire autant de toi.

— J'ai quelques agrafes, mais toi, tu as eu un traumatisme crânien.

— Léger, précisa-t-elle. Et vingt-trois points de suture, ce n'est pas quelques agrafes.

Vingt-trois points de suture. Une longue et vilaine entaille. Selon le médecin, c'était un miracle qu'aucun muscle ni tendon n'ait été abîmé.

Zack y voyait de la magie. La magie de Nell.

Elle effleura le pansement, puis le médaillon en or.

— Tu ne l'as pas enlevé.

— Tu m'avais demandé de le garder. Il est devenu chaud, tout à coup, raconta-t-il. Juste avant le coup, j'ai vu la lame viser mon cœur, et soudain, elle a dévié. Comme si elle butait contre un bouclier. J'ai cru l'avoir imaginé. Mais non.

— Nous étions plus forts que lui, murmura Nell en approchant leurs mains jointes de sa joue. Pourtant, à l'instant où j'ai entendu sa voix, la terreur m'a submergée. J'étais comme paralysée, sans volonté propre. D'un coup, il avait repris le pouvoir qu'il avait eu sur moi. Quand il t'a blessé, son emprise a commencé à diminuer. Mais je n'étais toujours pas capable de penser clairement. Sans doute à cause du choc à la tête.

— Tu t'es enfuie pour me sauver.

— Et toi, tu m'as suivie pour venir à mon secours. Nous sommes deux héros.

Il caressa sa joue marquée d'un hématome.

— Il ne te fera plus jamais de mal. Dès qu'il fera jour, j'appellerai le bureau du procureur. Deux tentatives de meurtre devraient le maintenir à l'ombre un bout de temps, même avec d'excellents avocats.

— Je n'ai plus peur de lui. Il était pathétique, à la fin. Un fou terrifié par sa propre folie. À présent, il ne pourra plus la cacher aux yeux du monde.

Zack revit les yeux hagards d'Evan Remington, deux grandes flaques incolores dans un visage fantomatique.

— Qu'il se retrouve dans une cellule capitonnée ou dans une cellule tout court, ça m'est égal.

Elle se leva pour se verser une autre tasse de thé. Lorsqu'elle revint à la table, Zack l'enlaça et pressa son visage contre elle.

— Il va me falloir un certain temps pour me sortir de la tête l'image du couteau appuyé sur ta gorge.

Elle lui caressa les cheveux.

— Nous avons toute la vie pour la remplacer par d'autres, shérif Todd.

Elle s'assit sur ses genoux et posa la tête sur son épaule valide en soupirant. Dehors, les premières traînées de couleur à l'horizon annonçaient l'aurore.

Posant la main sur le cœur de Zack, elle le sentit battre au même rythme que le sien. Et elle comprit que c'était cela, la véritable magie.

6533

Achevé d'imprimer en France (La Flèche)
par Brodard et Taupin
le 11 décembre 2007 - 44634.
Dépôt légal décembre 2007. EAN 9782290006955

Éditions J'ai lu
87, quai Panhard-et-Levassor, 75013 Paris
Diffusion France et étranger : Flammarion